Kjell Ola Dahl

De vrouw in plastic

A.W. Bruna Uitgevers B.V., Utrecht

Oorspronkelijke titel
Kvinnen i plast

Published by agreement with Salomonsson Agency
Vertaling

Omslagbeeld
Imageselect/Trigger Images
Omslagontwerp
Mariska Cock

ISBN 978 90 229 9923 3
NUR 305

Dit boek is gedrukt op papier dat het keurmerk van de Forest Stewardship Council (FSC) mag dragen. Bij dit papier is het zeker dat de productie niet tot bosvernietiging heeft geleid. Een flink deel van de grondstof is afkomstig uit bossen en plantages die worden beheerd volgens de regels van FSC. Van het andere deel van de grondstof is vastgesteld dat hiervoor geen houtkap in de laatste resten waardevol bos heeft plaatsgevonden. Daarom mag dit papier het FSC Mixed Sources label dragen. Voor dit boek is het FSC-gecertificeerde Munkenprint gebruikt. Dit papier is 100% chloor- en zwavelvrij gebleekt en wordt geleverd door Arctic Paper Munkedals AB, Zweden.

1

Hij had behoefte aan frisse lucht, maar om de elektrische raampjes te openen moest hij eerst het contact aanzetten. Als hij de contactsleutel zou omdraaien, zouden automatisch de koplampen gaan branden en zou de hele operatie waarschijnlijk in de soep lopen.

Hij hief zijn arm op en hield zijn hand bij het autoraam. De wijzers van zijn horloge lichtten op. Het was nog maar twee uur. Hij liet zijn hoofd tegen het glas rusten en keek voor de joost-mag-weten-hoeveelste-keer naar het vrijstaande huis aan het einde van de straat. Er brandde licht achter de ramen. Er was geen activiteit te bespeuren.

De mobiele telefoon in zijn borstzak trilde. Hij kwam overeind en hoorde het schrapende geluid van hakken over het asfalt. In de rechterzijspiegel zag hij een vrouw. Ze droeg een kort jack en een strakke spijkerbroek. En een schoudertas. Haar schaduw werd kleiner toen ze de straatlantaarn passeerde. Ze was bezig met haar tas, hield hem voor haar borst en opende hem tijdens het lopen.

Met zijn ogen op de spiegel gericht liet hij zich op zijn stoel onderuit glijden. Hij probeerde zich zo klein mogelijk te maken.

Toen ze ter hoogte van zijn auto was bleef ze staan.

Hij gleed nog verder onderuit.

Ze pakte iets uit haar tas.

Hij drukte zijn hoofd zo ver mogelijk naar achteren zodat hij in de spiegel niet te zien was.

Ze boog voorover en keek in de zijspiegel. Ze streek met een lippenstift over haar lippen, perste ze op elkaar en bekeek het resultaat, stak haar pink uit en wreef wat kleur uit haar mondhoek. Toen ging ze weer rechtop staan.

De tijd verstreek ontzettend langzaam.

Ten slotte liep ze verder naar het huis aan het einde van de straat.

Voor het smeedijzeren hek bleef ze staan. Ze keek om zich heen. Er klonk een geluid van metaal op metaal toen ze het hek opende. De scharnieren knarsten toen ze het weer achter zich sloot. Langzaam liep de vrouw naar de voordeur, die werd geopend op het moment dat ze het trapje op liep.

Frank Frølich keek op zijn horloge. Nul twee nul acht.

Zodra de deur achter haar werd gesloten, klonk Rindals stem in zijn oortje.

'Wat was dat?'

'Vraag het niet aan mij.'

‘Heeft ze je gezien?’
‘Geen idee.’
‘Als ze je heeft gezien, weet hij dat we hier zijn.’
‘Dat heeft hij de hele tijd al geweten.’
Het werd stil. Frølich telde in zichzelf tot tien.
‘Het kan geen toeval zijn dat ze toevallig bij jouw auto bleef staan.’
‘Dat kan best toeval zijn. Ze keek in de spiegel, ze stiftte haar lippen.’
‘Weet je wie ze is?’
‘Ik heb alleen haar profiel gezien. Pony, rood haar, in de dertig.’
‘Blijf zitten. Je hoort van ons.’
Zijn oortje bleef stil. De nacht was weer rustig en de pijn in zijn lichaam keerde terug. Hij kon alleen proberen wat anders te gaan zitten.

*

Hij werd wakker van zijn trillende mobiel. Het was klaarlichte dag. Zijn horloge stond op tien voor zes. Hij had bijna vier uur geslapen.
Rindal was in een goed humeur. De stem in zijn oor zong *Vader Jakob*.
‘Sorry,’ gaapte Frølich. ‘Ik was in slaap gevallen.’
‘Dat hadden we in de gaten.’
‘Heb ik iets gemist?’
‘Geen moer, maar nu gebeurt er iets. Je kunt het weer goed maken.’
Linkerzijspiegel. Een taxi. De auto reed voorbij, helemaal tot aan de keerplaats. Daar maakte hij een U-bocht om vervolgens terug te rijden tot aan het laatste huis. Een witte Mercedes. De dieselmotor tikte. De voordeur ging open. De vrouw liep snel naar de taxi.
De stem in zijn oortje: ‘*Ready, steady, go!*’
Frank Frølich wachtte met het starten van de auto tot de Mercedes was gepasseerd. De banden piepten toen hij de keerplaats op reed en dezelfde U-bocht als de taxi maakte. Toen hij langs het huis reed, wierp hij een blik naar rechts. Een bekend silhouet stond voor een raam en hield hem in de gaten. Het was Zahid.
Hij haalde de taxi in en bleef er een paar meter achter rijden. Zo vroeg in de ochtend was er weinig verkeer. Een enkele vrachtwagen, een paar taxi’s en wat bestelwagens.
Ze reden de E6 op, in de richting van het centrum. De taxi reed bijna 120.
De telefoon trilde weer. ‘Wat gebeurt er?’
Hij verstelde de microfoon een beetje toen de auto de Vålerengatunnel inreed.
‘Ik zit er vlak achter.’
‘Zoek uit wie ze is en waar ze woont. Het is niet nodig om je gedekt te houden, Zahid heeft je gezien.’

Frølich verbrak de verbinding. Tussen de beide tunnels sloeg de taxi af. Hij volgde hem. Toen de auto's naast elkaar door de haarspeldbocht reden, zag hij haar profiel. Een mooie vrouw. Ze kauwde kauwgum.

De auto sloeg nog een keer af, reed nu de helling op, weer een tunnel in, in de richting van Ryenberget en Simensbråten.

In de woonwijk minderde de taxi vaart, maar niet veel. Een actieve jogger schoot de weg over. Een meisje met vochtig haar na haar ochtenddouche liep op een drafje over de stoep.

Voor de verkeersdrempels remde de taxi af.

Toen de auto eindelijk aan de stoeprand stopte, zette Frølich het blauwe zwaailicht aan. De chauffeur bleef zitten en staarde panisch in zijn achteruitkijkspiegel. Hij wist dat hij de snelheidslimiet had overschreden. Frølich liet hem in onwetendheid lijden terwijl de vrouw de rit afrekende. Toen ze het portier opende, stapte hij ook uit.

'Wilt u met mij meekomen?'

Niet-begrijpend bleef ze naar hem staan kijken.

Ze was kleiner dan hij aanvankelijk had gedacht. Een ovaal gezicht, regelmatige trekken. Volle lippen, wenkbrauwen als twee liggende haakjes met een klein knikje, in de verhouding één staat tot twee. Haar kauwgum kauwende mond gaf haar gezicht een provocerende uitdrukking. Haar blik dwaalde van de civiele politieauto met het blauwe zwaailicht naar hem en weer terug naar de auto. Hij opende het achterportier.

De taxichauffeur was snel van begrip en nog voordat zij bij het portier was, was de taxi uit het zicht verdwenen. Haar jack had geen zakken en haar spijkerbroek zat zo strak dat ze gegarandeerd niets in haar broekzakken had.

Ze stapte in, blote voeten in haar schoenen. Slanke enkels.

Frølich stak uitnodigend zijn hand uit. Ze keek hem vragend aan. 'Uw tas,' zei hij.

Ze aarzelde eerst, alsof ze overwoog nog in discussie te gaan. Ze maakte een rustige indruk, niet noemenswaardig bevreesd. Ten slotte liet ze de tas van haar schouder glijden en overhandigde hem aan Frølich.

Hij ging achter het stuur zitten. Een geur van parfum vermengd met een zoete kauwgumlucht vulde de auto.

'Wil je je alsjeblieft legitimeren?' Haar stem klonk donker, een beetje hees.

Hij pakte zijn legitimatie die om zijn hals hing. 'Frank Frølich, afdeling gewelds- en zedendelicten.'

Hij opende haar tas.

'Wil je alsjeblieft het zwaailicht uitzetten?'

'Wil je alsjeblieft je mond houden tot je iets wordt gevraagd?' reageerde hij met een wedervraag.

'Maar ik woon hier,' ging ze voorzichtig verder.

Hij liet het licht aan. De blauwe lichtflitsen weerkaatsten op de muren.

Hij gooide de inhoud van de tas op de passagiersstoel. Een mascara en een lippenstift, een pakje sigaretten, Kent. Een gouden aansteker.

Hij pakte een portefeuille. Een gouden Eurocard en een zilveren Visacard. Het bankpasje vertelde hem dat ze Veronika Undset heette. Geboren in 1973. Op de foto had ze een starende blik en permanent. Haar huidige kapsel stond haar beter, eigenzinnig en met een pony. Verder zaten er een klantenkaart en een lidmaatschapskaart voor een sportschool, twee briefjes van honderd en een briefje van tweehonderd kronen in de portefeuille. Geen rijbewijs.

'Wat doe je, Veronika?'

'Zoals je ziet, zit ik hier.'

Hij ontmoette haar blik in de achteruitkijkspiegel. Haar ogen waren groen. Ze knipoogde.

'Ik bedoel voor je werk, wat is je beroep?'

'Zelfstandig ondernemer.'

'Wat verkoop je?'

'Huishoudelijke hulp aan particulieren.'

''s Nachts?'

Ze zuchtte en keek de andere kant op. 'Overdag. Nu ben ik bij een oude vriend op bezoek geweest.'

Hij probeerde haar blik weer te vangen, zonder succes.

Onder een sleuteletui lagen twee bruine pillen, verpakt in cellofaan. 'Wat zijn dit, Veronika?'

'Voltaren, tegen spierpijn. Ik heb ze op recept gekregen. Een paar weken geleden verrekte ik een spier tijdens een danstraining.'

Recept. Dat had ze niet hoeven zeggen.

Het parfumflesje was oranje, Lancôme; het pakje kauwgum was pas geopend. Van het merk Extra. Het lag boven op een plat pakje reclamelucifers met de naam van een restaurant erop. Het laatste voorwerp was een pakje inlegkruisjes, ongeopend. Ze keken elkaar nog eens aan in de spiegel, en hij legde het pakje terug. 'Sorry,' zei ze en ze glimlachte plagend. Haar kruisbesachtige irissen speelden een groen spel onder de warrige pony.

Hij opende het pakje reclamelucifers; een aantal was gebruikt. Hij opende ook het pakje sigaretten. Ze had drie sigaretten gerookt. Als ze lucifers gebruikte, waarom had ze dan een aansteker in haar tas?

Het was een Zippo. Hij klikte hem open en probeerde het aansteekmechanisme. Er was zelfs geen vonkje te zien. Hij sloot de aansteker weer. Er zat helemaal geen benzine in.

Maar Veronika was gestopt met kauwen. Frølich wist dat hij warm was.

Hij woog de aansteker in zijn hand, opende hem. Hij trok de twee helften van elkaar en hield hem ondersteboven.

Het vilt dat het benzinetankje moest afdekken was weg. Net als het plukje watten of het katoen dat onder het vilt zou moeten zitten. Er zat wel een propje vetvrij papier in.

Veronika slikte.

Hij nam de tijd. Draaide zich langzaam om. Het spel in de groene ogen was verdwenen. Ze leek in de war.

'Wil je me vertellen wat je hebt verborgen in de aansteker?'

'Ik heb geen idee.' Ze keek de andere kant op, door het raampje naar buiten.

Hij drukte op de knop die de portieren afsloot; de sloten sloegen met een dof geluid dicht. Ze schrok en keek op: 'Alsjeblieft,' zuchtte ze. 'Ik ben moe en ik wil nu naar huis, dat is niet mijn aansteker!'

'Niet jouw aansteker?' Hij trok zijn wenkbrauwen op.

Ze zweeg.

'Van wie is die aansteker?'

Ze zuchtte mismoedig.

Hij herhaalde de vraag.

'Zou je me geloven als ik het zou vertellen? Zou je het portier openen, me laten uitstappen en naar huis gaan, en zou je vervolgens naar de betreffende persoon gaan om dezelfde procedure te doorlopen als nu met mij?' Ze schudde gelaten haar hoofd. 'Je speelt een spel dat ik niet begrijp, maar ik kan daar toch niets aan veranderen.'

Hij peuterde het propje papier uit de aansteker en opende het voorzichtig. Het waren meerdere gebruiksdoses.

'Waarom heb je dit gekocht, Veronika?'

Ze zweeg. Ze zat nog steeds met haar gezicht afgewend, haar blik op de weg gericht. Ze reageerde zelfs niet toen hij de contactsleutel omdraaide.

Het was al tien uur 's ochtends toen Veronika Undset nog een keer uit de cel werd gehaald. Frølich stond naast Rindal naar het tv-scherm met beelden van de verhoorkamer te kijken. Ze was volkomen door de mangel gehaald en hoewel ze een blanco strafblad had, was ze toch grondig vernederd: er waren foto's gemaakt, vingerafdrukken genomen, ze had haar schoenen uit moeten doen en ze had haar persoonlijke eigendommen afgegeven. Daarna had ze een paar uur op de vloer van de kale cel gezeten, was ze verhoord en weer terug naar de cel gebracht. Een hel voor iemand die de hele nacht op is geweest. Ze zat er zonder twijfel helemaal doorheen.

Frølich haalde diep adem en liep met grote passen naar de verhoorkamer. Hij ging naar binnen.

Ze zei niets, staarde met een wezenloze blik naar de muur.

'Het is vijf over tien. Frank Frølich gaat verder met het verhoor van Veronika Undset,' sprak hij in de microfoon.

Langzaam hief ze haar hoofd op en keek ze hem aan.

'Je bent gearresteerd omdat je in het bezit was van meerdere gebruiksdoses cocaïne nadat je vanochtend om vijf voor zes de woning van Kadir Zahid verliet. Je bent geobserveerd toen je om acht minuten over twee bij het huis van Zahid aankwam. Heb je de drugs van Zahid gekocht?'

Ze schudde haar hoofd.

Hij trok zijn wenkbrauwen op.

Ze schraapte haar keel en zei: 'Nee.'

'Van wie heb je de cocaïne gekocht?'

Ze haalde diep adem en grijnsde bij de gedachte dat hij de vraag überhaupt had gesteld.

'De getuige geeft geen antwoord op de vraag. Je hebt om vijf voor zes Zahids woning verlaten...'

'Ik heb nog nooit van iemand drugs gekocht,' onderbrak ze hem geërgerd. 'Die aansteker is niet van mij. Ik heb geen idee hoe hij in mijn tas is terechtgekomen, en dat heb ik al een aantal keren gezegd.'

'Geloof je dat verhaal eigenlijk zelf wel?'

'Waarom val je mij hiermee lastig? Ik heb al meer dan een etmaal niet geslapen. Ik ben moe. Als het verboden is om een lijntje cocaïne in je tas te hebben, moet je me een boete geven. Dan krijg je nu gelijk je geld, als je me maar laat gaan. Waar jij mee bezig bent, is buiten alle proporties.'

'Wat moest je vannacht bij Zahid?'

Ze kneep haar mond weer dicht en maakte een ongeduldige beweging met haar bovenlichaam. Een lok haar liet los en vormde een markante lijn over haar voorhoofd. Haar schoonheid had iets provocerends.

'De getuige geeft geen antwoord op de vraag. Veronika Undset, wil je geen verklaring afleggen over je bezoek aan Zahid?'

'We hebben wat gepraat.'

'Wie waren er in het huis?'

'Alleen Zahid en ik.'

'Hoe lang ken je Kadir Zahid al?'

'Al jaren, we gingen naar dezelfde school.'

'Kadir Zahid heeft over het algemeen een paar lijfwachten bij zich, waren die niet aanwezig?'

Ze schudde haar hoofd.

Vragend keek hij haar aan.

Ze zei: 'Nee, we waren alleen.'

'Waarom was hij alleen, zonder lijfwachten?'

'Dat kun je beter aan hem vragen. Ik heb geen idee.'

'Maar je hebt het je vast afgevraagd?'

'Nee, dat heb ik niet, toen niet en nu niet. We hebben met elkaar gepraat.'

'Waarover?'

'Dat is privé.'

'Privé? Je beseft dat je door de politie wordt verhoord?'

'We hadden een vertrouwelijk gesprek, en ik vertel niets over de inhoud, hoeveel druk je ook uitoefent.'

'Je bent 's nachts om twee uur naar hem toe gegaan om te praten?'

'Dat heb ik toch net gezegd.'

'Ben je met Zahid naar bed geweest?'

Haar volle lippen vertrokken in een schampere glimlach.

'Wil je antwoord geven op mijn vraag?'

'Met wie ik wel of niet naar bed ga, is mijn eigen zaak.'

'Kan Zahid de aansteker zonder jouw medeweten in je tas hebben gestopt?'

Ze bleef hem aankijken zonder een woord te zeggen.

'Wil je alsjeblieft antwoord geven?'

'Het antwoord is nee. Kadir is een fanatiek geheelonthouder. Hij drinkt zelfs geen bier.'

'Was je van plan de drugs aan anderen te verkopen?'

Ze maakte een geïrriteerde beweging. 'Nee. Kun je niet gewoon zeggen wat je nu eigenlijk wilt? Waarom zitten we hier?'

'Je was in het bezit van vijf gram cocaïne. Dat is strafbaar.'

'Je zou je tijd verstandiger moeten gebruiken. Kijk eens op de eerste de beste nieuwspagina op internet, dan zul je ontdekken waar de politie op dit moment zou moeten zijn.'

Ze veranderde van houding en sloeg haar ene been over het andere. 'Zijn we klaar met deze zaak als ik beken dat ik drugs in mijn bezit had?'

Hij voelde de zaak uit zijn vingers glippen. Ze keken elkaar aan, en hij begreep dat zij het begreep. Ze grijnsde. Haar stijl beviel hem wel.

De deur ging open. Emil Yttergjerde stak zijn hoofd om de hoek van de deur.

Frølich zei: 'Het is veertien minuten over tien en Frølich verlaat de verhoorkamer.'

Hij liep naar buiten.

'Het klopt wat ze zegt,' zei Yttergjerde. 'Ze heeft een bedrijf dat Undset AS heet. Iets met schoonmaakwerk. De eigenaar heet Veronika Undset. De firma is geregistreerd in Brønnøysund. De boekhouding is in orde, geen problemen met de belasting. Er zijn geen gekke dingen aan de hand.'

'Wat doet ze dan verdomme midden in de nacht bij Kadir Zahid?'

Rindal kwam de tv-kamer uit.

Frølich zuchtte diep en zei hardop wat ze allemaal dachten: 'Ik zie hier het nut niet langer van in. Ze weet dat we haar elk moment vrij kunnen laten. Ze zit het gewoon uit.'

Alle drie keken ze elkaar aan. Toen vroeg Yttergjerde: 'Dus wat doen we nu?'

Rindal spreidde vrolijk zijn armen. 'We laten haar gaan.'

2

Frank Frølich bleef even in de gang staan en gaapte. Hij had spierpijn en was door en door stijf na een hele nacht in de auto te hebben doorgebracht. Hij schrok toen hij Lena Stigersand zag. Haar linkeroog was helemaal dik en gezwollen.

'Een nieuwe vermissing,' zei ze en ze reikte hem een aangifte aan. Hij bladerde snel door de papieren. 'En wat is er met jou aan de hand?' vroeg hij. 'Ben je van je fiets gevallen of heb je gewoon een nieuwe minnaar?'

'Er is een meisje verdwenen,' ging ze onverstoorbaar verder, 'of beter gezegd, een jonge vrouw, uit Uganda, van de Makerere Universiteit in Kampala. Ze heet Rosalind M'Taya. Dat schrijf je met m en t achter elkaar, net als bij de Mount Everest. Student aan de Universiteit van Oslo, internationale zomercursus. Pienter meisje dus. Het is best moeilijk om daar een plaats te krijgen. Ze heeft woensdag een kamer betrokken in de studentenflat en is daar twee nachten geweest. Maar toen haar kamergenote gisteren kwam, een meisje uit Pakistan, of eigenlijk ook een jonge vrouw, was ze er niet, en niemand heeft haar daarna nog gezien.'

Frølich keek haar sprakeloos aan. 'Lena...' zei hij.

'Het punt is dat ze zonder bericht niet verschenen is bij een heleboel colleges en lezingen. Ik heb uitgezocht dat ze dinsdagochtend met een vlucht vanuit Londen is aangekomen. Die vlucht sloot aan op de vlucht uit Kampala.'

'Wat zie je eruit. Wat is er met je oog gebeurd?'

'Mijn oog?' zei Lena op dezelfde directe toon. 'Er is niets met mijn ogen aan de hand. Misschien moet jij je ogen eens laten testen? Je hebt er de leeftijd voor.'

Frølich liep verder naar zijn eigen deur. Daar kwam hij Emil Yttergjerde tegen. Frank knikte naar Lena's rechte rug. 'Heb je dat blauwe oog gezien?'

Emil knikte.

'Ze wil er niet over praten.'

Emil grijnsde. 'Misschien wat te veel *spanking* gehad?'

Frølich keek twijfelend. 'Lena?'

'Heb je het nog niet gehoord? Afgelopen vrijdag. Ståle Sender en Lena gingen eind van de middag een pilsje drinken. Samen. Echt waar, volgens het roddelcircuit.'

'Lena en Ståle?' Frølich kon het bijna niet geloven.

'Ståle met zijn stalen armen en benen, weet je, goed op temperatuur gebracht met *Blue Velvet*, met of zonder lachgas.' Emil grijnsde weer en liep verder.

Frølich liep zijn eigen kamer in. Lena en Ståle Sender? Ståle, die al zo vaak was overgeplaatst. Nu werkte hij bij de paspoortcontrole op de luchthaven Gardermoen, als hij tenminste niet bezig was asielzoekers te achtervolgen.

Een ongelijk stel: Lena was enig kind, afkomstig uit de rijkeluisbuurten in Bærum. Tijdens een etentje zou ze rustig een fles wijn terug kunnen sturen als die niet op de goede temperatuur was. Lena had het over 'leuk' in plaats van 'cool', en was 'vermoeid' als een ander 'bekaf' was. Ståle was een arbeidersjongen uit Furuset met drie interesses: auto's, horloges en cognac, in die volgorde. In zijn portefeuille had hij een foto van zijn Ford Mustang uit de jaren zeventig die hij elke herfst in de winterstalling zette. Twee keer was er door de Speciale Eenheid een onderzoek gedaan naar Ståle in verband met geweldsmisbruik, en dat nog afgezien van de keren dat dergelijk misbruik was verzwegen of gewoon vergeten.

Frank Frølich keek naar de aangifte. Er zat een stapel fotokopieën bij. De aanvraagformulieren van de verdwenen vrouw voor een plaats aan de ISS, de internationale zomercursus van de Universiteit van Oslo. Rosalind M'Taya studeerde exacte vakken aan de Makerere Universiteit, en – voor zover hij kon zien – met imponerende cijfers. Lovende beoordelingen van twee verschillende professoren. *Letters of invitation* van de Universiteit van Oslo. Ze was uitgenodigd voor een verblijf van zes weken in een internationaal gezelschap met uitstekend gekwalificeerde sprekers. De foto verraadde dat Rosalind M'Taya een meer dan gemiddeld mooie vrouw was. Haar haar was in een artistiek afrokapsel opgestoken; haar schedel bedekt met strak ingevlochten strengen, die eindigden in een volumineuze haarbos. Haar blik op de foto had iets van een ree. Volmaakte lippen, wimpers die omhoog krulden.

Een paar dagen in Noorwegen en dan spoorloos verdwenen? Dit was pertinent geen vrouwenhandel. Rosalind was een serieuze studente, ze was niet het land binnengesmokkeld door lugubere Oost-Europeanen opdat mannen in een appartement aan de Bygdøy allé hun lusten op haar konden botvieren.

Ze landt op Gardermoen. Ze gaat door de paspoortcontrole en de douane. Dan neemt ze de trein of de bus naar Oslo; zeker geen taxi. Ze heeft van de universiteit vast een routebeschrijving ontvangen. De trein is het gemakkelijkst. Dan kan ze op het station Nationaltheatret direct overstappen op de metro naar Blindern. Een mooi meisje, waarschijnlijk arm, met dit verblijf in het buitenland is ze zonder meer in de prijzen gevallen. Ze is onzeker, waarschijnlijk voor het eerst op een buitenlandse reis. Flink, beslist ook voorzichtig, nauwgezet. Wat voor mensen zou ze vertrouwen? Andere Afrikanen? Medestudenten?

Rosalind M'Taya verdween twee dagen nadat ze haar intrek had genomen in de studentenflat.

In Oslo wonen talloze Noren die via Norad of de VN in Oost-Afrika hebben gewerkt. Misschien had Rosalind van huis een adres meegekregen, misschien had ze iemand bezocht? Misschien was ze nog steeds bij die mensen op bezoek. Misschien liet op dit moment een voormalige missionaris haar Oslo en omgeving zien, de Vikingschepen of het park met de beelden van Gustav Vigeland. Misschien was dit soort speculaties gewoon verspilde tijd.

Lena samen met Ståle Sender!

Was dat mogelijk? Een kakmeisje uit Bærum in bed met *the missing link*, een primitieve, racistische straatjongen die al een erectie krijgt bij een gewapende actie.

Frølich stond op. Het was een lange nacht geweest. Hij kon maar beter naar huis gaan.

Anderhalf uur later stond hij in de studentenflat van Rosalind M'Taya. Haar Pakistaanse kamergenote reikte hem tot halverwege zijn borst. De vlecht in haar haar was pure handwerkkunst, dik, lang en zwart, als een klimtouw in een sporthal. Als ze glimlachte, ontblootte ze haar lange, onregelmatige tanden. Ze vertelde dat ze Rosalind nooit had ontmoet, maar dat de spullen in de koffer van haar waren.

Frølich opende de koffer en vond de bevestiging van zijn vermoedens over Rosalinds achtergrond. Ze was arm. De meeste kledingstukken leken zelfgemaakt. Helemaal onder in de koffer lagen enkele *kanga's* en gebatikte stoffen. De sieraden waren typisch Afrikaans, groot en kleurrijk.

De Pakistaanse vrouw bewoog onrustig. 'Het is in orde,' zei hij. 'Ik red me wel.'

Ze verliet de kamer.

Hij legde de inhoud van de koffer op het bed. Twee dingen vielen hem op. Een portefeuille met geld en een goed gevulde toilettas. Ze was verdwenen zonder toiletartikelen mee te nemen, en zonder haar geld goed op te bergen. De koffer had helemaal vol gezeten. Waarschijnlijk had ze geen schone kleren meegenomen. De kans dat Rosalind uit vrije wil was verdwenen, was veel kleiner geworden.

Hij ging bij het raam staan en keek naar de voetpaden en gazons tussen de grote bomen in het park. Hij ontdekte een groep studenten van verschillende nationaliteiten. Een grotere groep zat in een kring op het grasveld. Speelkwartier.

Plotseling liep er een koude rilling over zijn rug, hij draaide zich om en keek de kamer in. Het was net alsof iemand zijn schouder had aangeraakt. Hij hoorde een luid, jankend geluid. Het volgende moment was het geluid weer weg, maar het vulde daarna opnieuw de kamer: in de keuken waren mensen eten aan het koken. In de verte, achter een muur, riep een man iets en er klonk een suizend geluid uit de leidingen.

Hij schudde het gevoel van zich af.

Buiten bleef hij naar de mooie tuinen staan kijken. Toen hij zelf studeerde, was iedereen ervan overtuigd dat de bewoners van de studentenflats de plek op oneerlijke wijze hadden gekregen. Mensen die op slechts een steenworp afstand van het universiteitscomplex woonden, in een huis dat veel weg had van een herenboerderij, hadden extreem veel geluk gehad.

Het probleem is, dacht hij, dat Rosalind M'Taya willekeurig wie heeft kunnen ontmoeten nadat ze vrijdag de studentenflat verliet. Misschien had ze de metro naar het centrum genomen. Het meest waarschijnlijk was dat ze het gezelschap had gezocht van mensen die ze al een beetje kende – medestudenten. Dus moesten ze met een foto rondgaan en navraag doen in de winkels en cafés...

Daar had hij nu geen zin in. Hij moest naar huis om te slapen.

3

Het was vijf uur 's middags toen hij wakker werd van zijn mobiele telefoon. Hij bleef in bed liggen en vroeg zich af waarom hij de wekker had gezet. Toen herinnerde hij zich het feestje. Hij had al jaren geen contact meer met Karl Anders Fransgård en was daarom enorm verrast geweest toen hij de uitnodiging voor het feest ter gelegenheid van de veertigste verjaardag van Karl Anders ontving. Tijdens hun tienerjaren waren ze onafscheidelijk geweest, maar toen ze volwassen waren geworden, hadden ze elkaar niet vaak meer gezien.

Op de lagere school hadden ze elkaar leren kennen vanwege hun gezamenlijke interesse voor modelvliegtuigen en mechanica. Voor kerst had Frank een kleine propellermotor gekregen die hij op zijn schrijftafel had vastgemaakt, met petroleum vulde en op gang bracht door met zijn wijsvinger op de propeller te tikken. Om zo een verbrandingsmotor te starten, de verhouding van benzine en lucht goed op elkaar af te stemmen en de motor gelijkmatig te laten lopen, was tijdens hun jongensjaren het toppunt van geluk geweest. Maar de interesse van zijn vriend voor vliegen ging veel verder dan modelmotoren. Hij was totaal gefascineerd door de techniek van straalmotoren en propellerkracht. Zijn kamer stond vol boeken over vliegtuigmodellen, het leven van vliegpioniers, vliegmaatschappijen en de geschiedenis van de luchtvaart. Bovendien verzamelde hij oude filmfragmenten: Roald Amundsen die gehuld in zeehondenbont voor zijn vliegtuig Latham stond te zwaaien om vervolgens aan boord te gaan voor de zoektocht naar Umberto Nobile, de zeppelin de Hindenburg die in brand vloog boven New York, Lindbergh in zijn vliegtuig Jenny. De kamer van Karl Anders was toen al een klein luchtvaartmuseum.

Iedereen dacht dat Karl Anders piloot zou worden, maar zijn kleurenblindheid had ertoe geleid dat zijn droom nooit werkelijkheid werd.

Karl Anders en hij waren elkaar uit het oog verloren, en als zijn gedachten naar de gebeurtenissen van destijds afdwaalden, voelde Frank nog steeds een klamme rilling van afschuw over zijn rug lopen. Maar het is lang geleden, zei hij in zichzelf. Hij stond op en liep rondjes door de kamer, zoals altijd als dergelijke gedachten hem overmanden. Hij liep het onbehaaglijke gevoel van zich af.

Via via had hij gehoord dat Karl Anders een opleiding tot ingenieur had gevolgd. Een jaar geleden waren ze elkaar toevallig tegen het lijf gelopen. Karl Anders, in een reflecterende hes en met een helm op zijn hoofd, inspecteerde de aanleg van een rioleringsstelsel onder het centrum van Oslo.

Frølich had ervan opgekeken dat hij zijn vriend ondergronds terugvond in plaats van in de lucht. Er kwam al snel een gesprek op gang, ze maakten grapjes en haalden een paar minuten herinneringen op, ze wisselden telefoonnummers uit en kwamen tot de conclusie dat het hoog tijd was om weer eens samen een biertje te drinken.

Maar geen van beiden had het initiatief genomen om te bellen. De keren dat zijn gedachten afdwaalden naar zijn vroegere vriend, dacht Frank Frølich dat het gevoel van twee kanten moest komen. Toch was vier weken geleden de uitnodiging in zijn bus gevallen.

Twintig jaar is een lange tijd. Dingen verwateren, raken overwoekerd en verdwijnen na twintig jaar. Het onbehagen dat hij voelde, werd vooral veroorzaakt door het feit dat hij al lange tijd vrijgezel was. Hij vond het vreemd om op een dergelijk feest alleen te verschijnen als hij was uitgenodigd 'met partner'. De uitnodiging was op mooi papier gedrukt, er stond zelfs een dresscode op vermeld. De meeste gasten waren waarschijnlijk al jaren getrouwd of woonden samen, en gesprekken zouden onvermijdelijk gaan over de belangrijke zaken in hun leven. Hun kinderen, alle leuke en fantastische ideeën die in die kleine hoofdjes ontstonden, de problemen met de oppas, de incompetentie van het personeel op de crèche, de onbeholpen leraren en onmogelijke schooltijden. De stellen die nog geen kinderen hadden, zouden over hun trendy reisbestemmingen en verbouwingsprojecten praten, terwijl vrouwen uitvoerig zouden vertellen hoe ze omgingen met de hebbelijkheden en onhebbelijkheden van hun partner dan wel diens manische interesse voor zalmvissen, elandenjacht of voetbal. Frølich ging ervan uit dat hij, omdat hij vrijgezel was, niets bij te dragen had aan dergelijke gesprekken. Aan de andere kant was het wel altijd leuk om mensen van vroeger te ontmoeten. Met de meesten kon hij na een paar glazen heerlijk mijmeren over hun jeugd.

Hij had dus de keuze om zijn avond op te offeren aan een oude vriendschap of zich onfatsoenlijk te gedragen en thuis te blijven. Dan was het altijd nog beter om zijn avond op te offeren om zijn waardigheid te behouden, dacht hij en hij pakte zijn antracietgrijze kostuum uit de kast.

Het cadeau was al ingepakt en was een van de dingen die hij het liefst zelf had gekregen: een cd met het verzamelde werk van Genesis, met zang van Peter Gabriel. *From Genesis to Revelation, Nursery Cryme, Trespass, Foxtrot, Selling England by the Pound, Genesis Live*, de live-elpee uit 1973 en ten slotte nog de beste dubbelelpee aller tijden: *The Lamb Lies Down on Broadway*. Bijna acht uur meditatieve hersenmassage in een box.

Het feest werd gehouden in een zaal in Eiksmarka, net buiten Oslo.

Vanaf Oslo CS nam hij een taxi. De chauffeur was een Irakese Koerd die de wegen in Bærum net zo slecht kende als de Noorse taal. Ook de navigatie beheerste hij niet. Als Frølich vanaf de achterbank geen aanwijzingen had gegeven, zou de man net zo gemakkelijk naar Drammen of naar Hønefoss gereden zijn. Het was nog net zo licht als midden op de dag toen ze tot stilstand kwamen voor de ingang waar brandende fakkels getuigden van een feestelijke sfeer. Het ene stel na het andere betrad het etablissement toen hij uit de auto stapte.

Tien minuten later stond hij met een glas champagne in zijn hand rond te kijken naar bekende gezichten, terwijl hij ondertussen holle frasen uitwisselde met mensen die hij nog nooit in zijn leven had ontmoet.

'In Trondheim trokken Karl Anders en ik veel met elkaar op,' verklaarde een lange man met een gevoelige mond en achterovergekamd haar. 'Nu wonen we naast elkaar!'

Een lief meisje met zwarte pijpenkrullen vertelde dat ze met Karl Anders had samengewerkt voordat hij bij de gemeente aan de slag ging. Frølich volgde haar blik en ontdekte verderop in de zaal zijn oude vriend. Karl Anders was geen spat veranderd, zorgvuldig nonchalant gekleed in een zwarte spijkerbroek en een colbertjasje op een zwart T-shirt met een verantwoord citaat voorop.

'Kijk, daar hebben we het feestvarken,' zei het meisje met de pijpenkrullen breed glimlachend toen Karl Anders zich losmaakte en op hen af kwam.

'Frenk,' riep Karl Anders, 'mooi dat je er bent. Deze gozer...' zei hij, terwijl hij een arm om Franks schouder sloeg en hem met een kameraadschappelijke grijns gemoedelijk in zijn zij porde, '...ken ik het langst van iedereen hier!'

'Ben jij diegene die in de kelder van het huizenblok waar je woonde een donkere kamer had?' vroeg het pijpenkrullenmeisje. Toen Frølich knikte, voegde ze eraan toe: 'Ik heb zoveel verhalen gehoord over jou en die donkere kamer. Klopt het dat je daar een matras op de vloer had, voor het geval een avondje stappen een staartje kreeg?'

Frølich voelde zich nooit op zijn gemak als hij in gezelschap van vreemden in het centrum van de belangstelling stond en glimlachte geforceerd.

'Sorry,' zei Karl Anders, enigszins aangeschoten, 'ik moet de ster even stelen.'

Hij trok Frølich met zich mee. Deze pakte zijn oude vriend om zijn hals en drukte hem tegen zich aan.

'Gefeliciteerd, Karl Anders.' Eindelijk had hij de kans het motto op het T-shirt van zijn vriend te lezen: *The worst crime is faking it – Curt Cobain.*

'Jij bent de enige van de oude club, Frenk.'

Frølich reageerde niet. De andere jeugdvrienden waren de strohalm waaraan hij zich had willen vastklampen, het weerzien met zijn oude kameraden had hem door de avond moeten slepen.

'Ik heb ze geen van allen uitgenodigd,' zei Karl Anders met zwemmende ogen. 'Niemand, behalve jij. Dit is een speciale dag voor me.'

'Natuurlijk,' zei Frølich leeg.

'Dit is de opmaat voor mijn nieuwe leven,' zei Karl Anders. 'Ik doe alles weg wat ik niet wil zijn! Kijk,' fluisterde hij en hij wees naar een groepje vrouwen dat met de rug naar hen toe stond te praten. 'Vrouwen zijn lekker, Frenk, vrouwen zijn verdomde lekker! Maar voor mij niet meer,' glimlachte hij. 'Ik ben verloofd!'

Met zijn arm om Franks middel geslagen strompelde hij naar de vrouwen toe.

Een vrouw in een korte, zwarte, nauwsluitende jurk draaide zich om. Haar ogen speelden een groen spel in het gedempte licht.

'Veronika,' zei Karl Anders, 'dit is Frenk. Mijn oude vriend Frenk Frølich.'

Frølich schudde Veronika Undsets slanke hand.

Een fractie van een seconde veranderde haar gezicht. Haar ogen verwijdden zich en straalden van schrik, maar daarna leek ze weer volkomen ontspannen en had ze dezelfde berustende blik die hij die ochtend in de auto had gezien.

Zelf was hij zo verrast dat hij niet zeker wist of hij nog wel een geluid uit kon brengen.

'Hebben wij elkaar al eerder ontmoet?' vroeg ze handig.

Hij aarzelde een paar tellen en stelde verstrooid vast hoe het opgestoken kapsel haar fijn gebogen hals onthulde.

'Dan moet je me toch helpen herinneren waar en wanneer dat was,' zei hij met zijn ogen strak op haar gericht. Hij liet zijn hand zakken. 'Hoewel ik ervan overtuigd ben dat ik het me zou herinneren!' voegde hij eraan toe.

Ze zweeg, hield haar glas met beide handen vast en sloeg haar ogen neer.

Karl Anders sloeg zijn arm om haar middel en trok haar tegen zich aan. Ze vormden een mooi paar. Een man met een rockachtige uitstraling en zijn knappe vriendin.

'In april gaan we trouwen,' zei hij. 'In Rome, en weet je wat, Frenk?'

Frank Frølich schudde zijn hoofd.

'Ik wil dat jij mijn getuige bent.'

Frank glimlachte naar hen. Het zou de champagne kunnen zijn, of misschien alleen de algemene sfeer, maar alles draaide hem voor zijn ogen. Hij dronk zijn glas bubbels leeg. Karl Anders toverde op hetzelfde moment een nieuw glas tevoorschijn.

'Ahum,' zei een stem luid en gemaakt.

Frølich draaide zich om. Naast Veronika Undset stond een vrouw met een korenblond pagekapsel. 'Hallo,' zei ze en ze stak haar hand uit. 'Ik ben Janne en ben jouw tafeldame!' Toen barstte ze in lachen uit en hij had het gevoel dat zijn avond was gered.

*

De eettafel strekte zich uit over twee zaaltjes, gescheiden door een brede deur, zodat niet voorkomen kon worden dat het gezelschap in twee groepen werd gedeeld. Gelukkig kregen Janne en hij een plaats toegewezen in de ruimte zonder de gastheer en ceremoniemeester. Er was een groot tapasbuffet, en aan tafel en in de rij voor het buffet werd luid gepraat. Frank bleef zitten wachten tot de meesten zich hadden voorzien. Janne deed hetzelfde en vertelde hem dat ze een alleenstaande moeder was met een zoon van bijna negentien. 'Een ongelukje,' grijnsde ze toen hij grote ogen opzette. 'Ik was zestien.'

'Is dat een geintje?'

Ze perste haar lippen op elkaar en schudde even haar hoofd. 'Lees je geen tijdschriften? Dat deel van mijn leven was net een slechte film gebaseerd op een nog slechter verhaal. Ik werkte als au pair in Frankrijk. Hij was tien jaar ouder dan ik en had een bijzondere tatoeage op zijn bovenarm. Hij was barman in een café in Montpellier, maar ging ervandoor toen ik zwanger bleek te zijn. Nee, het is geen geintje. De geschiedenis van mij en Kristoffer zit vol clichés, maar we hebben ons er wel doorheen geslagen.'

Ze proostten. Haar grijze ogen fonkelden toen ze met haar volle lippen glimlachte en een kleine oneffenheid bij haar linkerhoektand ontblootte. Het gaf haar glimlach een zekere lading.

'Kristoffer, dat is mijn zoon.'

Ze hadden zich net van eten voorzien, toen de ceremoniemeester aan het andere einde van de lange tafel opstond en enkele goed voorbereide, geestig bedoelde opmerkingen afvuurde die golven van gegrinnik rond de tafel veroorzaakten. Frank had even met de gedachte geworsteld of hij misschien de moed moest vatten om ook een paar woorden te zeggen, omdat geen van de andere vrienden uit hun jeugd aanwezig was. Maar, dacht hij, als Karl Anders een groot deel van zijn leven uitvlakt, is het niet netjes van mij om daar tegenin te gaan. Als hij zou willen dat ik wat over vroeger zou vertellen, had hij dat wel gevraagd. Hij besloot het dus maar te laten. Toen de ceremoniemeester klaar was met iedereen welkom te heten, nam het geroezemoes weer toe.

'Moet je niet vragen wat ik in het dagelijks leven doe?' vroeg ze.

'Ik zat erover te denken om aan de andere kant te beginnen,' reageerde hij alert, 'bijvoorbeeld door te vragen wat je lievelingsgerecht is.'

'Wafels en champagne,' lachte ze. 'Het eerste wat je in Frankrijk over wijn leert, is dat champagne overal bij past.' Ze knipoogde. 'Champagne is voor vrouwen wat melk is voor kinderen. Volgende vraag.'

'Zou je op een verlaten eiland naar je werk verlangen?'

'Dat ligt eraan wat er op dat verlaten eiland te beleven valt,' pareerde ze. 'Waar ligt het?'

'Als ik mocht kiezen, in het Caraïbisch gebied,' zei hij.
'En moet ik nu zeggen dat ik het liefst vakantie vier in Griekenland?'
'Als dat zo is, ja.'
De ceremoniemeester stond weer op en tikte met een vork tegen zijn glas.
'Kao Lak,' fluisterde ze vlug. 'De plaats van mijn dromen in Thailand. En verder werk ik als boekhouder, maar ik ben niet zo gortdroog als boekhouders volgens de verhalen zijn.'
Frank merkte nauwelijks dat de tijd verstreek. Janne vertelde dat ze Veronika kende uit hun middelbareschooltijd, in Nadderud. Veronika was vanuit een arbeiderswijk aan de oostkant van Oslo verhuisd naar de villabuurten in Bærum. Janne had vanwege haar zoon een paar jaar achterstand opgelopen en sloot de middelbare school pas af toen ze vierentwintig was. Zij en Veronika waren even oud, en ze hadden elkaar gevonden in hun gezamenlijke frustratie over het kinderlijke gedrag van hun medescholieren. Sindsdien hadden ze contact gehouden, en nu deed Janne de boekhouding van haar vriendin.
'Waarom ging Veronika zoveel later dan anderen naar de middelbare school? Jij had een kind op sleeptouw, maar...'
'Hebben we niet allemaal het nodige op sleeptouw?' klonk haar wedervraag. 'Maar vertel jij eens wat meer over die donkere kamer waarover ik zoveel verhalen heb gehoord? Ik ben nieuwsgierig naar het echte verhaal.'
Het echte verhaal, dacht hij en hij verzonk in gedachten.
'Wat is er?'
'Niets.'
'Maar ik zie toch dat er iets is.'
'Herinner jij je dat het Chinese politbureau ooit alle schuld voor de Culturele Revolutie op de zogenoemde Bende van Vier schoof?' vroeg Frank. 'Ze herschreven de geschiedenis, vlakten het viertal uit op foto's en dergelijke. Je zag een lange rij prominenten en een gat waar het viertal had gestaan.'
'Maar wat heeft dat met jouw donkere kamer te maken? Hield jij je ook bezig met actief uitvlakken?'
Frank pakte zijn glas. 'Ik vraag me af hoe prettig het is om hier als enige getuige van de jeugdjaren van het feestvarken te zijn.'

Het was al middernacht toen het diner was afgelopen. Hij bleef met Janne op een bank zitten. Ze dronken koffie met een glaasje erbij, en daarna volgden er meer glaasjes. Naarmate het later werd, begon de muziek harder te spelen, maar niemand waagde zich op de dansvloer. Iedereen stond of zat in groepjes te praten. Pas toen de eersten om hen heen opstapten, besefte Frank dat hij de hele avond samen met Janne had doorgebracht en nauwelijks met iemand anders een woord had gewisseld. Hij knipoogde toen hij haar die bekentenis deed. 'Beetje laat om er nu nog iets aan te veranderen,' zei ze. 'Ze gaan al naar huis.'

'Ik ga een taxi bellen,' zei hij.
'We kunnen de kosten delen.'
Ze gedroegen zich haast als een echtpaar. Toen ze haar schoenen met hoge hakken uitdeed om een paar gemakkelijke schoenen aan te trekken, bleef hij wachten en hield hij haar tasje vast. Ze namen samen afscheid van de gastheer. Veronika Undset knuffelde haar vriendin, wendde zich tot Frølich en omhelsde hem ook.
Het was al drie uur geweest toen hij het portier van de taxi voor haar openhield. 'Ik wist het wel,' zei ze toen ze instapte. Hij sloot het portier, liep om de auto heen en stapte aan de andere kant in.
'Dat jij een gentleman bent,' zei ze en ze giechelde even toen ze elkaar aankeken. 'Of is dat jouw versiertruc, de deur openhouden voor vrouwen?'
'Høvik,' zei hij tegen de chauffeur die de auto startte. 'Eerst naar Høvik,' voegde hij er schuldbewust aan toe.
Frank leunde achterover. Zuchtte een keer. Het was voorbij. Het was een leuke avond geweest. Nu zat hij met een mooie vrouw in een taxi.
De chauffeur reed snel. Toen de auto een scherpe bocht maakte, liet zij zich met de middelpuntvliedende kracht in zijn armen glijden. 'Goh...' fluisterde ze met de nodige zelfironie en ze keek naar hem op. Hij proefde voorzichtig haar lippen.
De stilte daalde neer in het schemerduister op de achterbank. Toen ze eindelijk besloten weer adem te halen, trok ze zich terug in de hoek.
De auto was nu bijna bij de kerk van Høvik.
Ze pakte zijn hand. 'Ik wil niet dat dit soort dingen te snel gaan,' zei ze toen hij in het halfduister haar grijze blik vond. Ze schraapte haar keel. 'Bovendien is Kristoffer thuis.'
'Je hoeft je niet te verontschuldigen,' zei hij. 'Ik kan je een keer mee uit vragen.'
Ze gleed weer in zijn armen. 'Zou je dat willen?'
'Hier moet ik er uit,' zei ze even later tegen de chauffeur.
'Wat denk je van...'
Ze schudde haar hoofd. 'Bel me maar.'
De auto stopte. Ze waren er. Hij keek naar de haag rond een oudere vrijstaande woning.
'Dus hier woon je,' zei hij en hij keek haar aan. Ze boog naar voren en kuste hem licht. Een tel later was ze de auto uit en liep ze zonder om te kijken het huis in.
'Ryen,' zei hij tegen de chauffeur, die de auto in de eerste versnelling zette. 'Dezelfde weg terug en dan de hele stad door.'

4

De zondag beloofde wederom een hete dag te worden. De zon zou zinderend aan een strakblauwe hemel staan, het vee zou liggen soezen in de schaduw en geen fut hebben om op te staan en te grazen. Op de onverharde weg wolkte het stof nu al op. Het was zo stil dat je de zon haast kon horen branden en het zweet gutsen, een stilte die slechts werd doorbroken door geïsoleerde woorden die tussen de boomstammen door slopen, brokstukken van gesprekken tussen mensen die slechts in staat waren tot een lome gedachtewisseling.

Gunnarstranda had nog een week vakantie voor de boeg. Het was tien uur en hij wandelde op zijn gemak van de brievenbus terug naar zijn vakantiehuisje. Hij had de *Aftenposten* onder zijn arm en genoot van het begin van de nieuwe dag.

Hij had al twee maanden geen sigaret gerookt. In plaats daarvan consumeerde hij een indrukwekkende hoeveelheid nicotinekauwgum. Hij begon de dag met één stukje, maar ging dan gestaag door en verslond per week meerdere pakjes. Tove vond dat hij er vreemd uitzag als hij kauwde, daarom drukte hij de kauwgum tegen zijn tandvlees.

Ze waren nu al twee weken in het huisje. Gunnarstranda genoot van het leven met Guiness en schoffelen in de tuin, zonder ook maar één gedachte aan zijn werk te wijden. Maar zodra hij zich daarvan bewust werd, was het al te laat. Dan vulde het werk zijn hele bewustzijn, zoals een spons water opzuigt in het bad.

Hij liep naar binnen, tilde het kelderluik op, pakte een blikje Guiness en nam een glas mee naar de veranda.

Daar vond Tove hem met het koele glas tegen zijn voorhoofd gedrukt.

'Waar zit je aan te denken?'

'Mustafa Rindal,' zei hij. 'Morgen is het maandag en dan is er nog maar één week over.'

'Noem hem geen Mustafa, dat klinkt neerbuigend.' Ze toonde hem het boeket dat ze had geplukt. Rode pekanjers, Noords walstro en boterbloemen.

'Maar zo heet hij.'

Ze gaf geen antwoord, maar ging naar binnen om een vaas te halen. Ze kwam terug, zette het boeket erin en schikte de bloemen zorgvuldig.

'Ze zijn getrouwd,' zei hij en hij nipte van zijn bier.

'Wie?'

‘Rindal en die ingenieur die bij de landelijke recherche werkt. Leyla. Lang, donker haar, een stuk jonger...’ Toen Tove knikte, ging hij verder: ‘Ze komt uit Syrië. Omdat ze moslim is, wilden ze een islamitisch huwelijk, maar dan moest hij ook moslim worden. Hij heeft de getuigenis afgelegd in de moskee aan de Åkebergveien. Bij de getuigenis neem je ook een nieuwe voornaam aan, en hij koos Mustafa, dus heet hij nu Mustafa Rindal.’

‘Maar je hoeft hem toch niet zo te noemen?’

‘Hij heeft die naam bij zijn getuigenis gekregen, voor het oog van Allah.’

‘Voor het oog van Allah? Denk eraan dat je ook collega’s hebt die vanaf hun geboorte moslim zijn. Die vinden dit niet komisch. We weten allebei dat je Rindal niet mag en dat je het komisch vindt dat je chef moslim is geworden, maar hij heeft die getuigenis afgelegd omdat hij van die vrouw houdt. En diep vanbinnen weet je dat dat goed is. Natuurlijk weet Rindal dat jullie hem achter zijn rug uitlachen. Dat wist hij ook voordat hij zijn getuigenis aflegde. Rindal heeft een offer gebracht voor de liefde. Waarom lach je?’

Gunnarstranda hinnikte en herhaalde: ‘Heeft een offer gebracht voor de liefde? Hallo! We hebben het hier wel over Rindal, hè!’

Ze stond op het punt om te reageren toen hij ineens opstond.

‘Wat is er?’

Gunnarstranda hield zijn wijsvinger tegen zijn mond. ‘Luister,’ fluisterde hij.

Tove spitste haar oren. Na een poosje trok ze haar wenkbrauwen vragend op.

‘Dat gezoem.’ Gunnarstranda wees naar boven, naar de kap boven de veranda.

Een handvol bijen zoemde rond.

Ze keken elkaar even aan. Tove sperde haar ogen open en liep snel naar binnen.

Gunnarstranda bleef naar de bijen staan kijken. Hij kende dat gezoem. Het waren speurbijen op zoek naar een nieuwe woning, en ze hadden de overkapping van de veranda van zijn vakantiehuisje uitgekozen. Dat kon hij niet laten gebeuren.

Speurbijen op zoek naar een woning betekende een bijenzwerm in een tros.

Hij stond op en liep met grote passen naar de bijenkasten. Waar was de zwerm? Die bevond zich altijd in de buurt van de kasten. Hij schrok toen hij de tros bijen ontdekte. De oude koningin was uitgevlogen. Ze was niet verder gevlogen dan naar de dichtstbijzijnde boom, de oude eik. Ze had alleen geen tak gekozen. Nee, ze had zich vastgezet in de bast, met als resultaat dat de tros enorm groot en langgerekt was, net een verdikking van de boomstam – een gezwel. Hij liep terug om een strohoed te halen, de beroker en een wit laken.

Tove stond veilig achter het raam te kijken. Ze had een hekel aan bijen. Ze had eigenlijk een hekel aan alle insecten. Ze wist er ook te weinig van, maar alles wat hij zou vertellen zou toch niet binnenkomen. Bijen die zwermen steken niet, ze zijn druk met heel andere dingen. Hij had het al minstens vijftig keer verteld, maar ze pikte het niet op.

Hij spreidde het laken uit op de grond voor de boom. Daarna hield hij de strohoed onder het dikste deel van de tros en veegde de bijen in de hoed. Pijlsnel draaide hij de hoed om en legde hem op het laken. Er vlogen nu tienduizenden bijen om zijn hoofd, maar die waren volkomen onschuldig. Ze wilden naar hun koningin. Gunnarstranda pakte een stokje en wipte de hoed iets op. Hij keek naar het enorme gekrioel van de bijen. Een voor een kropen ze onder de hoed. Hij had de koningin dus gevangen. Hij stak de beroker aan en met behulp van een veger en de rook spoorde hij de achterblijvers aan. Toen ze allemaal weer bij de oude koningin zaten, knoopte hij het laken om de strohoed en zette het pakket in de schaduw. Nu moest hij een nieuwe woning vinden voor de zwerm en dus een nieuwe kast timmeren.

5

O ja, de vrouw achter de bar wist het zeker. Ze vergiste zich echt niet. Het was namelijk een heel mooi meisje. Donker hè, en dan dat haar. Met een vlecht, heel kunstig in elkaar gedraaid. Ze moest uren bezig zijn geweest met zo'n kapsel. 'Ze was zó mooi!'

Hebbes, dacht Frank Frølich tevreden. Al bij de eerste poging. Dit is mijn dag, het geluk is met mij. Het studentencafé was nog niet geopend, de vrouw was bezig alles klaar te zetten voor vanavond. Ze had een Noord-Noors accent en droeg een zwarte jurk met een hoog aangesloten hals en kwastjes aan de mouwen, alsof ze meedeed in een dansshow. Ze had vrijdag ook gewerkt. En het meisje met het afrokapsel had alle aandacht getrokken.

'Het was erg laat, want het was heel druk, en voor middernacht is er in het centrum van de stad nog niets te beleven.'

'Kwam ze samen met iemand anders binnen?'

'Geen idee.'

'Stond ze aan de bar of...'

'Nee, ze zat aan een tafeltje.'

'Alleen?'

De vrouw achter de bar kneep haar mond stijf dicht terwijl ze nadacht. 'Er waren wel een paar players.'

'Players?'

'Rokkenjagers.'

'Bekenden?'

Ze schudde haar hoofd.

'Kunt u ze beschrijven?'

Ze aarzelde. Dat soort beschrijvingen was niet eenvoudig.

'Studenten, gewone types. Je moet wel bedenken dat het hierbinnen donker is.'

Als op een teken werd er een deur geopend en het zonlicht stroomde van buiten naar binnen. Een man met een gladgeschoren hoofd, getatoeëerde onderarmen en witte benen kwam binnen. Hij was zomers gekleed in een driekwart broek en een T-shirt dat strak over zijn buik stond gespannen. In een hand hield hij een cola, in de andere een dvd en in zijn mond een krant, net als een hond. 'Wat is er aan de hand?' De krant viel op de bar. De *VG*.

Frølich toonde hem de foto van Rosalind M'Taya. Het was duidelijk dat deze man zich haar ook herinnerde.

'Hebt u gezien wie bij haar was?'
'Mister Blaaskaak,' antwoordde hij vlug.
De vrouw achter de bar schrok. De twee keken elkaar even aan.
'Wie is Mister Blaaskaak?'
Ze wisselden weer een blik.
'Kom op,' drong Frølich aan.
'Hij houdt zich bezig met films. Dat is alles wat ik weet.' Hij knikte naar de vrouw achter de bar. 'Jij kent hem beter dan ik.'
'Ik weet alleen niet hoe hij heet,' zei ze. 'En ík heb niet gezien wie bij haar was.'
'Hij houdt zich met films bezig?'
'Reclame,' zei ze.
'Hij is nogal arrogant,' voegde de man eraan toe en hij begon de glazen te stapelen. 'Lang, donker, dun snorretje en ongetwijfeld een *sixpack*. Een klein litteken in zijn mondhoek.' Hij nam een slok cola en grijnsde naar de vrouw achter de bar. 'De vrouwen vallen op hem, en dat straalt hij ook uit.' Hij grijnsde weer.
Haar wijsvinger vond een paar kruimels op de bar. Ze trok ze een voor een naar zich toe.
'Weten jullie waar ik hem kan vinden?'
'Vast ergens in een filmstudio. Dat soort types is ook vaak op de hogeschool of het conservatorium te vinden.'
'Westerdal, reclameopleiding,' corrigeerde zij. 'Daar geeft hij les.'
De man met de cola knipoogde naar Frølich.
'Hij is leuk, daar is toch niets mis mee?'
Hij dook weg toen ze met de vaatdoek naar hem uithaalde.

Toen Frank in zijn auto stapte en zijn mobiele telefoon controleerde, had hij twee oproepen van Rindal gemist. Hij moest hem vlug terugbellen.
Eigenlijk had hij Janne Smith willen bellen. Hij had gisteren de hele dag aan haar gedacht, en hij wilde de intieme sfeer die tussen hen was ontstaan graag vasthouden. Oké, ze hadden elkaar nog maar één keer ontmoet, ze waren door anderen naast elkaar gezet. Maar dat was niet belangrijk. Het ging erom dat ze dezelfde humor hadden, van dezelfde muziek hielden, dezelfde boeken hadden gelezen, op dezelfde manier in het leven stonden. Hij kon zich niet herinneren wanneer hij voor het laatst zo ontspannen met een vrouw had gepraat. Dat hij tijdens het feest naast haar had gezeten, voelde als een perfecte jamsessie. Geen valse tonen, nauwelijks een onderbreking in het ritme. Haar lach en blik, ze wekte de indruk een vrolijk meisje te zijn. Haar lichte lach was hem bevallen, haar rijpheid, dat ze ondanks de nare dingen die ze had meegemaakt toch met beide benen op de grond stond. Als tiener al zwanger worden – en dan nog wel in het buitenland – en dan toch besluiten om het kind te houden en op te voeden. Dat soort

beslissingen vereiste een sterke wil, zorgzaamheid, kracht, zelfopoffering, optimisme, en vooral geloof in jezelf. Als hij zich concentreerde, voelde hij nog de zachte aanraking van haar lippen, vlak voordat ze uit de taxi stapte.

Hij startte de motor om de airconditioning aan te zetten. Hij pakte zijn telefoon en besloot dat werk voor het meisje ging. Hij belde Rindal.

Een nieuwe inbraak. De zaak-Kadir Zahid.

Frølich voelde dat de klauw, die ook wel 'bang voorgevoel' werd genoemd, hem bij de keel greep. 'Wat wil je dat ik ermee doe?' vroeg hij.

'Hou die vrouw in de gaten die we vlak voor het weekend hebben laten gaan; die dat bedrijf heeft voor huishoudelijke hulp aan particulieren.' Frølich opende het portier en stapte uit de auto terwijl Rindal hem de zaak uit de doeken deed.

'Rij er nu heen,' commandeerde Rindal ten slotte. 'Neem haar verklaring op.'

Frølich aarzelde. Zou hij Rindal vragen er een ander naartoe te sturen?

'Wat is het probleem?'

Frølich aarzelde nog een paar seconden. 'Niets,' zei hij en hij verbrak de verbinding.

Hij bleef nog een tijdje staan nadenken over het feest. Hij had een raar gevoel in zijn maag gehad toen de verloofde van zijn jeugdvriend zich omdraaide en hij ontdekte wie ze was. Aan de andere kant had de avond wel een tamelijk positieve wending gekregen.

Maar nu ben ik weer aan het werk, dacht hij. Ik krijg een telefoontje en moet ineens weer met de blik van een politieman naar Veronika Undset kijken.

Hij ging weer in de auto zitten, maar aarzelde nog steeds.

De uitnodiging voor het feest was al vier weken daarvoor in de brievenbus gevallen. De gebeurtenis tijdens de nacht van vrijdag op zaterdag, dat hij juist degene was geweest die Veronika had gearresteerd, berustte op puur toeval.

Iedereen had die nacht voor het huis van Zahid in de auto kunnen zitten. Als hij die avond niet naar het feest was gegaan, had hij nooit geweten dat de vrouw die hij had gearresteerd, verloofd was met Karl Anders. Je kon wat hem en Karl Anders betrof nauwelijks van een relatie spreken. Het was immers jaren geleden dat ze elkaar hadden gezien.

Het enige wat er tijdens het feest was gebeurd, was dat hij Janne had ontmoet. Het feest had hem niet dichter bij Veronika Undset gebracht, dacht hij, en zonder veel overtuiging herhaalde hij het nog een keer: op geen enkele manier.

Hij keek afwezig naar het stuur en de versnellingspook.

Oké, zei hij in zichzelf. Het is helemaal niet zeker dat Veronika Undset nu aanwezig is. En als ze er wel is en het gesprek wordt onaangenaam, dan vraag ik of ik van de zaak kan worden gehaald. Zo moet het maar.

Hij gaf richting aan naar links en trok op.

*

Op de deur hing een onooglijk bord: UNDSET AS. Hij voelde aan de deur.

Op slot.

Opgelucht liep hij achteruit over het stukje asfalt voor de ingang. Door de etalage, die bijna de hele muur op de begane grond besloeg, onderscheidde hij een soort kantoor. Het gebouw maakte een verlaten en een beetje een vervallen indruk. Op de begane grond was vermoedelijk ooit een kruidenier gevestigd geweest, waarschijnlijk in de jaren zestig, toen er in dit soort buurten nog heel veel van die kleine winkeltjes te vinden waren.

Zijn horloge stond op vijf over drie. Over het trottoir kwamen twee jonge meisjes aanlopen. Hij overwoog ze te vragen of ze bekend waren met het gebouw. Ze keken hem aan, wisselden even een blik, giechelden en liepen door.

Aan de stoeprand kwam een taxi tot stilstand. De chauffeur draaide zich om naar de achterbank en nam het geld aan dat de passagier hem aanreikte. Het was Veronika.

'Zo zien we elkaar al weer,' zei hij toen ze het portier opende en uitstapte.

Haar antwoord verdronk in het geluid van de taxi, die gas gaf en doorreed. Ze liep langs hem heen en rommelde met haar sleutels.

'Vond je het gezellig zaterdag?' vroeg ze en ze hield de deur voor hem open.

'Ja, uitermate...'

Ze stapten een rommelig kantoor binnen dat vol stond met kartonnen dozen schoonmaakmiddelen en stapels plastic emmers. Een enorme hoeveelheid dweilstokken in de hoek achter het bureau deed denken aan een ingepakte indianentent.

'Het was wel even een schok,' zei ze. 'Karl Anders heeft het natuurlijk over je gehad, maar ik had geen idee dat jij dat was, als je begrijpt wat ik bedoel.'

Een schok, dacht hij en hij zei: 'Ik ben hier in verband met mijn werk.'

Nu zweeg ze.

Hij wilde doorgaan, maar toen zei ze: 'Ik dacht dat de zaak was afgedaan met die boete. Ik heb hem vandaag betaald, hoewel ik nog nooit van mijn leven cocaïne heb aangeraakt.'

'Het gaat over iets anders.'

Ze hield haar hoofd een beetje scheef.

'Regine Haraldsen.'

Ze zei niets en liep naar het bureau. Ze morrelde even met de telefoon, drukte op een toets en las de tekst op het display.

'Heeft hij gebeld?' vroeg Frank Frølich.

Ze keek op. 'Hè?'

'Grapje. Het leek alsof je een telefoontje had verwacht.'

Ze rechtte haar rug. 'Tja, Regine Haraldsen,' zei ze en ze glimlachte ontwapenend. 'Had je me naar haar gevraagd als ze níét een van mijn cliënten was geweest?'

'Er is bij haar ingebroken.'

'O? Vertel.'

Frølich nam de tijd. Hij leunde tegen de wand. 'Nu moeten we ons goed aan onze rol houden,' zei hij en hij probeerde niet kil of arrogant over te komen. 'Ik ben nu politieman en jij vertelt mij wat je weet.'

Ze sloeg haar ogen neer. 'Maar ik heb geen idee waar je het over hebt.'

De stilte werd onaangenaam. Zij verbrak haar. 'Hoe is het met Regine? Ze is toch niet gewond?'

'Geen lichamelijk letsel. Ze was niet thuis toen het gebeurde. Ze was het weekend bij haar zoon in Fredrikstad. Maar toen ze thuiskwam, was het huis helemaal leeg. Je begrijpt waarschijnlijk wel dat ze totaal wanhopig is.'

'Ik moet haar bellen,' zei ze.

'Ken je haar goed?'

Veronika schudde haar hoofd.

'Denk even na voordat je belt. Het is een vrouw die al een lang leven achter zich heeft, ze heeft altijd op de kleintjes gelet. Ze is alles kwijt. Vreemden zijn haar huis binnengedrongen en hebben alles meegenomen. De schok na een dergelijke gebeurtenis is voor iedereen enorm. Maar zij is echt alles kwijt wat ze had, alles wat ze de afgelopen 84 jaar heeft verzameld, dingen die haar kinderen zouden erven.'

Ze bleven elkaar even zwijgend aankijken. Haar blik had iets koppigs, ze was helemaal in zichzelf gekeerd. Het gezicht met de mooie, klassieke trekken leek plotseling stijf en gestileerd, als een porseleinen masker.

'Regine Haraldsen is oud, maar niet dom,' ging Frølich verder. 'Zij, en de politie, geloven niet dat het toeval is dat de dieven juist dit weekend hebben toegeslagen. De mensen die dit hebben gedaan, moeten hebben geweten dat ze weg was en dat het huis een bezoekje waard was.'

'Ja, en?' zei ze fel.

'Wat, en?'

'Wat probeer je eigenlijk te zeggen?'

'Regine Haraldsens kennissenkring is de laatste jaren steeds kleiner geworden. Ze krijgt geen thuiszorg...'

'Denk je dat een van mijn mensen erbij betrokken is?'

Hij schudde zijn hoofd.

Veronika maakte een hulpeloos gebaar met haar handen en lachte als een dom blondje in een *high schoolcomedy*: 'Denk je dat ík erbij betrokken ben? Dan kan ik je nu alvast zeggen dat ik er niets mee te maken heb. Maar natuurlijk. Ik zal nakijken wie van mijn werknemers bij Regine is geweest. Je kunt met ze praten, je kunt de telefoonnummers krijgen van iedereen die bij mijn bedrijf werkzaam is. Ik kan het risico niet lopen dat er dergelijke praatjes over mij de ronde doen.'

'Laat me heel eerlijk zijn,' antwoordde Frølich. 'De politie zou geen mankracht en middelen inzetten voor een grondig onderzoek naar deze zaak als we geen verband met andere zaken zouden zien. De mensen die deze inbraak op hun geweten hebben, waren geen verslaafden op zoek naar geld of drugs. De mensen die dit hebben gedaan, werken als een verhuisbedrijf. Ze wisten dat de vrouw in het weekend niet thuis zou zijn, er zijn handlangers in het huis geweest, mensen die nauwkeurig hebben bijgehouden welke waardevolle spullen er waren. De inbrekers hebben niets vernield. Ze hebben niet huisgehouden of naar dingen gezocht. De politie weet ook bijna zeker wie erachter zit: jouw "oude vriend" Kadir Zahid. En hoewel jij de hele tijd hebt begrepen waarom ik hier ben, ben ik nu eindelijk bij de kern van de zaak aangekomen: wij denken nu te weten waarom jij Kadir in de nacht van vrijdag op zaterdag hebt bezocht. We geloven dat jij in deze zaak de *missing link* bent. Jij regelt niet alleen de huishoudelijke hulp bij mevrouw Håraldsen.' Hij zwaaide met zijn notitieboekje. 'In maar liefst vier van zes van dergelijke zaken regelt jouw bedrijf de huishoudelijke hulp in de woning waar werd ingebroken. Dat is een score van bijna zeventig procent!'

Veronika nam met een afwezige blik in haar ogen plaats op de draaistoel achter het bureau.

Frølich schoof het notitieboekje naar haar toe. 'Ben je niet benieuwd hoe het er met jouw cliënten voor staat?'

Ze keek zonder iets te zeggen naar het notitieboekje. De stoel kraakte zachtjes toen ze heen en weer draaide. Buiten passeerde een auto. Het was warm in het kantoor. Haar gezicht leek echt een masker, een carnavalsmasker voor de Italiaanse donna, een hoog voorhoofd boven diepliggende ogen, hartvormige lippen.

'Ik wil dit gesprek helemaal niet voeren,' zei hij. 'Maar ik doe het omdat ik je wel mag, hoewel dat misschien raar klinkt. Jij en Karl Anders gaan trouwen. Ik wens jullie alle goeds en daarom kom ik hier niet nog een keer terug. Ik ken Karl Anders en ik kan niet met jou omgaan zolang er nog onderzoek wordt gedaan naar Zahid. Ik ben hier nu om je het volgende te vertellen: deze zaak is een kat in 't bakkie. Kadir Zahid hangt, geloof mij maar. We hebben zoveel mankracht en middelen ingezet, dat het slechts een kwestie van tijd is voordat we hem oppakken. Ik weet niet hoe hij jou in zijn macht heeft, maar ik kan je één ding beloven: als Kadir ondergaat, word jij in zijn kielzog meegesleurd, als je er tenminste niet als de wiedeweerga voor zorgt dat je veilig aan land komt. Je kunt nog steeds voorkomen dat je wordt aangeklaagd als je samenwerkt met de politie en open kaart speelt. Je hoeft je kaarten nu niet voor mij op tafel te leggen, wacht!' zei hij toen ze hem wilde onderbreken. 'Ik wil zelfs niet dat je met mij praat, maar praat tenminste met iemand. Ik kan een rechercheur naar je toe sturen met wie je kunt praten. Als je je kaarten op tafel legt, kom je er met een boete of een sepot vanaf. Zo niet...'

'Bespaar je de moeite,' onderbrak ze hem met opgeheven kin. 'Ik heb hier helemaal niets mee te maken,' ging ze verontwaardigd verder. 'Luister gewoon naar wat ik zeg! Ik weet niet waar je het over hebt! En als er verder niets is, dan kun je beter gaan!'

Hij was met stomheid geslagen.

'Ik heb werk te doen,' voegde ze er nog aan toe.

'Als Zahid jou op de een of andere manier in zijn macht heeft, of iemand die je kent, kunnen we de dingen zo regelen dat niemand er problemen mee krijgt.'

Ze glimlachte met een neergeslagen blik en schudde even haar hoofd.

Hij probeerde te begrijpen wat ze met dat gebaar probeerde uit te drukken, maar gaf het op. 'Hoe langer je afwacht, hoe minder geloofwaardig je wordt,' benadrukte hij.

Haar ogen vonkten. 'Minder geloofwaardig? Sta je me er nu van te beschuldigen dat ik mijn eigen cliënten besteel? Je hebt het mis. Ik ben geen dief en ik heb niets met die zaak te maken.'

'Toch moet ik je vragen of je met Kadir Zahid over Regine Haraldsen hebt gesproken.'

'Nee.'

'Op geen enkele manier?'

'Nee, zeg ik!'

'En over Harder Skaare?'

'Nee.'

'En over het echtpaar Solfrid en Henrik Gravdal?'

'Nee, en je hoeft niet nog meer namen te noemen, ik heb met niemand over mijn cliënten gesproken! Luister Frenk, zo noemt Karl Anders je in elk geval. Ik begrijp dat jij gewoon je werk doet. Maar dan moet je ook mij en mijn werk respecteren. Ik heb verder niets te zeggen. Als het je niet bevalt, dan moet je...' Ze zocht naar woorden: 'Dan moet je me maar weer opsluiten. Wil je nu alsjeblieft gaan?'

Frølich vond de rol die hij zichzelf had opgelegd heel vervelend, maar hij kon niet veel meer doen, behalve omkeren en vertrekken.

Buiten bleef hij staan en hij wierp een blik door het grote raam. Veronika zat met de telefoon aan het oor. Toen ze hem ontdekte, draaide ze de stoel rond zodat ze met haar rug naar hem toe zat. Ik durf er wat om te verwedden dat ze Kadir Zahid nu aan de lijn heeft, dacht Frølich en hij stapte in zijn auto.

6

Hij luisterde naar de cadans van de trein over de rails. Hij zat in een ouderwetse coupé met gordijntjes voor de ramen. Toen hij naar buiten keek, zag hij het groene landschap, een golfbaan, onderbroken door rijen loofbomen. Achter het groen glinsterde de blauwe zee en aan de horizon ging het blauw geleidelijk over in de lichtere lucht. Hij stond op en leunde uit het raampje naar buiten. De wind streek langs zijn gezicht. De locomotief floot. Het was een zwarte stoomlocomotief, uit de schoorsteen kwam een dikke, grijze wolk van damp en rook. De locomotief floot nog een keer, nu met een lichtere toon. Gunnarstranda draaide zijn hoofd naar de zon en sloot zijn ogen. Opnieuw klonk het geluid van een fluit, maar deze keer was het niet de trein. De locomotief speelde een vreemde mechanische versie van Mozarts veertigste symfonie. Tegelijk porde iemand hem in zijn zij. Op dat moment begreep hij dat hij niet in de trein zat maar in bed lag. Het geluid kwam van zijn eigen mobiele telefoon, en de hand die hem wakker schudde was van Tove.

'Je telefoon,' fluisterde ze.

Hij opende zijn ogen. 'Laat maar gaan, ik bel wel terug.'

Moeizaam kwam hij overeind.

Eindelijk zweeg de telefoon.

Het blauwgrijze licht in de slaapkamer betekende dat het nog vroeg was, heel vroeg, nog voordat de zon echt was opgekomen. Hij keek op zijn horloge. Tien voor vier.

'Je weet alleen niet wie het was,' zei Tove.

Gunnarstranda gaapte. 'Jawel. Ik weet wie het was.'

De telefoon piepte toen er een sms-bericht binnenkwam.

'Adam moet het paradijs verlaten,' zuchtte hij. 'Slaap maar lekker verder. Of...' voegde hij er een paar tellen later aan toe. 'Eigenlijk moeten we hier even over praten.'

'Waarover?'

Ze zat rechtop in bed, naakt. Haar haren in de war. Ze knipperde met haar ogen. Haar aanblik maakte hem de zin van het bestaan weer duidelijk.

'Of je de vakantie hier alleen wilt voortzetten of dat je liever iets anders gaat doen.'

'Alleen? Ben je gek geworden?'

Hij knikte naar zijn mobiele telefoon op het nachtkastje. 'Ik moet aan het werk.'

‘Hoe weet je dat?’

‘Als ik nee zeg, wordt het een bevel.’

Ze keken elkaar een hele tijd aan. Ten slotte zette ze haar voeten op de vloer. ‘We hebben toch twee prachtige weken gehad,’ zei ze. ‘Zin in koffie?’

Hij knikte en pakte de telefoon.

7

Eindelijk een parkeerplaats! Een opening in de rij geparkeerde auto's voor de huizenblokken aan de Bjerregaards gate. Het was bloedheet en nergens was een mogelijkheid om de auto in de schaduw te parkeren. Frølich liet de raampjes open en wandelde naar de Damstredet en de Telthusbakken. Daar was een groep mensen bezig met filmopnames. De camera stond op een klein karretje met vier fietswielen. Een jonge vrouw met een headset op liep met gebogen rug op een drietal acteurs af. Op het karretje zat een man met een skatebroek en een piratenbandana: de cameraman. Hij kreeg instructies van een magere vent met zijn pet achterstevoren op zijn hoofd.

Twee acteurs waren mannen. Ze droegen kleren die Frølich deden denken aan een toneelstuk van Holberg: hoge hoeden, kniebroeken en slipjassen. De vrouw was gekleed in een lange hoepeljurk en had een kapje op haar hoofd. Ze leek op een van de tantes uit de boeken van Elsa Besko, tante Groen. Het drietal paste perfect in het decor van kleine houten huizen en smalle steegjes. Alleen het asfalt verpestte het totaalplaatje. In de tijd van Holberg hadden ze vast nog geen asfalt gehad, dacht Frølich, maar misschien deed dat er niet toe, in een film kan eigenlijk alles. Hij bestudeerde de man met de pet. Een knappe gozer met een zonnebril en een klein baardje. Een collega bij Westerdal had verteld dat de man Mattis Langeland heette.

Een tiental nieuwsgierigen zat op het gras te kijken naar de gebeurtenissen. Mattis Langeland riep: '*Action*!' Het drietal wandelde in de richting van de camera terwijl twee mannen het karretje voortduwden. '*Cut*!' riep Mattis Langeland. Dit alles herhaalde zich nog een paar keer en toen was het voorbij. De filmmensen pakten alle spullen in, terwijl Langeland samen met de cameraman op een scherm zat te kijken naar de opnames.

Frølich liep naar hen toe.

Niemand wendde het hoofd van het scherm af. Langeland zwaaide met zijn arm en zei: 'Alsjeblieft, ik ben bezig!'

Frølich bleef staan.

'Ben je doof?' vroeg de cameraman met de bandana.

Frølich zwaaide met zijn legitimatie. 'Politie.'

De cameraman zweeg en Langeland draaide zich eindelijk om.

'Wat is het probleem?' Het was onmogelijk het litteken in zijn mondhoek niet te zien.

'Mattis Langeland?'

Langeland knikte.
'Ik heb gehoord dat je vrijdagavond in een studentencafé in Blindern bent geweest,' zei Frølich.
Langeland dacht na. 'Dat zou kunnen.'
'Tja,' zei Frølich afgemeten. 'Dit is een politiezaak, dus was je er of was je er niet?'
'Ja, ik ben er geweest, eventjes.'
Om de een of andere reden was de cameraman blijven zitten. Frølich liet de kopie van de pasfoto van Rosalind M'Taya zien. 'Je zou met haar hebben gepraat.'
Langeland bestudeerde de foto. De cameraman keek over zijn schouder mee. Langeland knikte. 'Dat vrouwtje uit Afrika. Is pas in Noorwegen gekomen.' Hij gaf de kopie terug. 'Hoezo?'
'Vertel mij iets meer over die ontmoeting.'
Langeland haalde zijn schouders op. 'Er is niet veel te zeggen, ik drink daar af en toe een biertje en praat wat met mensen. Dat is alles.'
'Op de versiertoer dus,' zei Frølich.
Langeland glimlachte vaag.
'Doe je het goed bij de vrouwtjes?'
Langeland kromp ineen en maakte een theatraal gebaar met zijn armen terwijl hij uitriep: 'Oké, nu moet je maar eens vertellen wat dit te betekenen heeft.'
'Jij bent de laatste die deze vrouw levend heeft gezien,' zei Frølich koel. Het irriteerde hem dat de cameraman niet het benul had zich even terug te trekken. Hij wendde zich tot de man en stak zijn hand uit. 'Wij hebben ons nog niet aan elkaar voorgesteld.'
De cameraman pakte aarzelend zijn hand. 'Andreas.'
'Andreas, ik praat met Mattis Langeland in verband met een recherche-onderzoek. Zou je ons misschien even alleen kunnen laten?'
De man sjokte weg, als een persiflage van de statisticus in *The Wire* of de ster in een Amerikaanse rap-clip: de piratenbandana strak om zijn hoofd geknoopt, ringetjes in zijn oor en wenkbrauw, een shirt dat, net als zijn skatebroek, minstens vijf maten te groot was.
Frølich wendde zich weer tot Langeland, die zei: 'Andreas is mijn jongere broer. Tja, die vrouw, ze was een schatje, maar ver van huis, veel te serieus en allesbehalve geïnteresseerd in een lolletje. Ik heb maar een paar woorden met haar gewisseld. Hallo, hoe heet je? Rosa of zoiets, en ze kwam uit Afrika en tja... Ik heb misschien twee biertjes gedronken en ben toen de stad in gegaan.'
'Heb je gezien dat ze met iemand anders heeft gesproken?'
Langeland schudde zijn hoofd.
'Was ze er al toen jij kwam?'
'Geen idee.'

'Hoe en wanneer zag je haar?'
'Ik geloof dat ze na mij binnenkwam, of misschien was ze naar de wc toen ik kwam.'
'Was ze alleen toen je haar zag?'
Langeland knikte. 'Daarom ging ik naar haar toe om een praatje te maken, ze was alleen.' Hij knikte afwezig met zijn hoofd. 'Zo was het.'
'Waarover hebben jullie gepraat?'
'Hè?'
'Je bent naar haar toe gegaan om een praatje te maken. Wat zei je?'
Mattis Langeland glimlachte een beetje ongemakkelijk. 'Ik liep nogal hard van stapel. Zei dat ze er lekker uitzag en vroeg of ze in een film wilde spelen.'
'En, wilde ze dat?'
'Het was gewoon een geintje. Goeie versiertruc, weet je. Ze nam me niet serieus, dus ik maakte dat ik weer wegkwam.'
'Ben jij vóór of na haar weggegaan?'
'Voor.'
'Dus ze bleef alleen zitten toen jij vertrok?'
Langeland knikte.
'Het personeel van het café noemde alleen jou toen ik vroeg met wie ze had gesproken.'
Langeland grijnsde. 'Zij? Helemaal alleen in de stad?' Hij maakte opnieuw een gebaar met zijn armen. 'Nou ja, ik ben in mijn eentje vertrokken...'
'Waar ben je daarna heen gegaan?'
'De stad in. Verschillende cafés. *Hells Kitchen, Robinet*. Overal waar mensen waren.' Langeland was plotseling op zijn hoede. 'Waar gaat dit eigenlijk over?'
'Geef gewoon antwoord op mijn vraag. Zijn er mensen die je hebben gezien nadat je die avond Rosalind M'Taya alleen had achtergelaten?'
'Natuurlijk.'
'Dan wil ik graag namen en telefoonnummers.'

Het was al laat in de middag toen hij terug was op het politiebureau.
Frølich hoorde een telefoon overgaan toen hij door de gang liep en de headset van zijn iPod afdeed. Hij liep naar de kapstok en hing zijn jas op. Emil Yttergjerde zat naast de telefoon, maar negeerde die volkomen terwijl hij de foto's in het laatste nummer van *Autofil* bestudeerde.
'Moet je niet opnemen?'
Yttergjerde keek op. 'Het is voor jou.'
'Hoe weet je dat?'
'Omdat hij al drie keer heeft gebeld.'
Frølich en Yttergjerde keken elkaar even aan. Frølich trok een bezorgde rimpel in zijn voorhoofd. 'Hij?'
Emil Yttergjerde knikte grijnzend.

'Ik dacht dat hij vakantie had?'
'Die is ingetrokken.'
Frølich pakte de hoorn. 'Frølich.'
'Ik ben het. Luister, zaterdagochtend heb jij een vrouw gearresteerd, Veronika Undset, klopt dat?'
'Ook leuk om jou weer te spreken,' zei Frank Frølich en hij knipoogde naar Yttergjerde, die grijnzend opkeek van zijn foto's.
'Heb je de krant van vandaag al gezien?'
'Nee.'
'Voorpagina. Die vermoorde vrouw.'
Frølich werd vanbinnen steenkoud.
Gunnarstranda's stem klonk nog steeds kortaf en formeel: 'De vingerafdrukken matchen. Ze is het gegarandeerd. Kun je naar het Gerechtelijk Laboratorium komen om haar te identificeren?'
Frølich keek op zijn horloge. Hij slikte, maar het hielp niet. Het akelige, zware gevoel in zijn maag verdween niet. 'Geef me een halfuur,' zei hij en hij hing op.

8

Nadat ze afscheid hadden genomen van de pathologen, had Frølich behoefte om even alleen te zijn en hij gebruikte de vermissing van de Afrikaanse vrouw als excuus. Hij reed weg zonder een bepaald doel voor ogen en kwam uiteindelijk terecht bij de oude zeevaartschool op Ekeberg. Hij parkeerde de auto en bleef er nog even in zitten.

Hij had al eerder een poging gedaan, maar belde nog een keer naar de mobiele telefoon van Karl Anders. Geen antwoord. Hij belde nog een keer. De voicemail. Hij verbrak de verbinding zonder in te spreken, stopte de telefoon in zijn zak en stapte uit.

Hij wandelde door het park rond het Ekebergrestaurant. Perfect vormgegeven vrouwensculpturen keken hem met hun blinde blik door het gebladerte en struikgewas aan. Hij vond een bank met uitzicht op het havengebied en de heuvels aan de west- en noordkant van de stad. De veerboten naar Denemarken en Kiel lagen aan de kade. Een van de boten naar Nesodden was zojuist vertrokken en van de snelweg onder aan de heuvel klonk zacht het gesuis van passerende auto's.

Hij was geschokt geweest toen hij het lege, witte, kapotgeslagen gezicht van Veronika Undset zag. De toestand waarin het lichaam zich bevond en de omstandigheid waarin het was gevonden, hadden hem gechoqueerd. Hij was nauwelijks in staat eraan te denken. Voor het eerst sinds lange tijd wist hij niet hoe hij privé en werk gescheiden moest houden. Hij zei in zichzelf: *Humpty Dumpty had a great fall. All the king's horses and all the king's men, couldn't put Humpty together again.*

Dit ging niet alleen om moord. Dit ging om Karl Anders en om hem, of hij het nou wilde of niet.

En dat hij juist nu zo'n zaak op zijn bord moest krijgen, nu hij net goed op gang kwam in het onderzoek naar de verdwijning van Rosalind M'Taya. Daar moest hij zijn energie aan besteden, hij moest verklaringen controleren, de gangen nagaan van die aanstellerige filmregisseur-en-god-wat-ben-ik-leuk-kwal en vervolgens zijn verklaring stukje bij beetje afbreken. Een of andere klootzak in het in overvloed badende Noorwegen, wellicht Mattis Langeland, had een misdaad begaan tegenover een arm meisje dat in haar eentje duizenden kilometers van huis was. Dat was tegelijkertijd vernederend en provocerend en had er bovendien voor gezorgd dat hij weer een enthousiasme voor zijn werk voelde dat hij lang niet had gehad, totdat hij geconfronteerd werd met het mishandelde lichaam van Veronika Undset.

Zijn mobiele telefoon ging.

Hij haalde hem met trillende handen tevoorschijn en las wat er op het display stond. Tot zijn teleurstelling zag hij dat het niet het nummer van Karl Anders was.

'Ja?'

'Met Lena. Ik wilde je alleen maar zeggen dat we een bevestiging hebben gekregen met betrekking tot een alibi. Een man met de naam Mattis Langeland was vrijdagnacht in *Bar Robinet*, tot zaterdagochtend sluitingstijd.'

'Alleen?'

'Alleen.'

'Wie zegt dat?'

'Een man die achter de bar staat. Mattis Langeland heeft contact met hem opgenomen en gevraagd of hij dat tegenover de politie wilde bevestigen.'

Frølich stopte de telefoon weer in zijn zak. Het was zijn dag niet. Absoluut niet.

Hij leunde met gesloten ogen tegen de rugleuning van de bank. De zon stond zinderend aan de lucht en het zweet brak hem uit. De vermissing van Rosalind M'Taya verdween naar de achtergrond. Hij kreeg Veronika Undset niet uit zijn hoofd en haalde zich nog eens voor de geest wat er zaterdagochtend was gebeurd: hoe ze het portier van de taxi had geopend en was uitgestapt. Haar schuine blik toen ze hem aankeek, rustig, wetend. Op dat moment had hij het gevoeld, en nu was hij zeker van zijn zaak. Ze had geweten dat iemand de taxi vanaf het huis van Kadir Zahid had gevolgd. Het was overduidelijk. Kadir had haar natuurlijk verteld dat de politie hem in de gaten hield en dat ze erop voorbereid moest zijn dat ze in actie zouden komen als zij zijn huis zou verlaten.

En dat was precies wat ze hadden gedaan. Hij zag voor zich hoe een flauwe glimlach om haar lippen had gespeeld toen ze plaatsnam op de achterbank van de patrouilleauto. Twee plaatjes, dacht hij. *Zoek de verschillen!*

De fout was dat hij iets in haar tasje had gevonden.

Had ze misschien toch de waarheid gesproken?

Ze móést de waarheid hebben gesproken. Juist omdat ze het risico liep van een politieactie toen ze Kadir verliet, was ze *clean* geweest. Ze had geen drugs bij zich. Haar reactie toen hij de aansteker vond, was echt geweest.

Waarom lukte het hem dan niet om te ontspannen als hij daaraan dacht?

Karl Anders en hij hadden een verleden. Een gezamenlijk verleden. Voelde hij zich daarom zo klam en onrustig?

Nee. Dat was niet mogelijk. Dat wat gebeurd was, was meer dan twintig jaar geleden. Dit ging over Veronika Undset, een vrouw met een persoonlijkheid die bestond uit verschillende lagen. *Streetwise* en in moeilijke situaties in staat haar zelfbeheersing te bewaren. Geen ondoordachte acties, ze wachtte, beoordeelde de situatie...

Hij woog zijn mobiele telefoon in zijn hand. Hij had twee keer gebeld zonder antwoord te krijgen. Karl Anders moest zelf maar terugbellen. Hij stopte de telefoon weer in zijn zak. Zijn overhemd plakte aan zijn lichaam. De grond was droog, de bomen in het park hadden alle vocht opgezogen, het gras was geel en dor. Hij verlangde naar een douche. Keek op zijn horloge. Het was tijd om die oude kniesoor op te halen.

*

Frølich zat achter het stuur en ze luisterden naar The Dandy Warhols toen ze de Sognsveien af reden. *You were the last high.* In de bocht bij de oprit naar de universiteit passeerden ze de tram. Bij de rondweg moesten ze stoppen voor rood licht en reed de tram hen weer voorbij. Gunnarstranda, die in gedachten verzonken was geweest, draaide het volume lager en zei: 'Even zonder flauwekul... je hebt haar gearresteerd toen ze vroeg in de ochtend bij Zahid vertrok, je vond een paar gram cocaïne en gooide haar in de isoleer. Dat deed je dus met de verloofde van je oude jeugdvriend?'

'Ik wist toen niets van hun relatie. Dat ontdekte ik pas 's avonds. Karl Anders vierde zijn veertigste verjaardag. We hadden elkaar in geen jaren gezien, maar ik was uitgenodigd, en die uitnodiging had ik al weken geleden ontvangen. Ik kom op het feest, en ik zie háár! Zij schrok net zo erg als ik, maar we wisten allebei de schijn op te houden.'

'Hoewel ze verloofd is met een ander, brengt ze dus wel midden in de nacht in haar eentje een bezoek aan Kadir Zahid? Wat voor type is die Karl Anders, is hij jaloers van aard?'

Het werd groen. Frølich zette de auto in de versnelling. Hij dacht over de vraag na en koos zijn woorden zorgvuldig: 'Ooit kende ik Karl Anders goed. Heel erg goed. Maar toen waren we jong en open, direct, we wisten alles van elkaar, zoals jongeren doen. Maar dat is jaren geleden.'

'Nu ken je hem niet meer?'

'We hebben al jaren geen contact meer.'

'Waarom niet?'

Frølich draaide het raampje open. Hij had de vraag verwacht, maar was er niet klaar voor. In plaats daarvan concentreerde hij zich op een overdreven manier op het verkeer. Het verkeerslicht op de kruising bij Adamstuen knipperde oranje. Agressieve automobilisten drongen voor. Hij wachtte tot er ruimte ontstond in de file. Het duurde even. Een nieuwe tram kwam aanrijden. De auto achter hem toeterde. Frølich trok op en zwaaide met zijn vuist naar een chauffeur die op het laatste moment afremde.

Hij reed verder over de Theresesgate en keek Gunnarstranda aan die nog steeds op een antwoord wachtte. Hij zei niets.

'Als ik die Karl Anders voor verhoor laat opdraven, gebruiken we de tv-kamer. Ik wil dat jij meekijkt,' zei Gunnarstranda ten slotte.

Onwillekeurig wierp Frølich een blik in de achteruitkijkspiegel. Hij herinnerde zich Veronika's enigszins neerbuigende glimlach toen ze zaterdagochtend op de achterbank zat. Hij had haar klemgezet. Ze kon niet meer bluffen, zich niet meer verbergen. Hij had de bevoegdheid om al haar geheimen te onderzoeken, haar privépost te lezen, haar dagboeken, als ze die had, hij kon haar medicijnkast doorzoeken en ontdekken welke kleine kwaaltjes haar dwarszaten, hij kon zich op de hoogte stellen van haar hebbelijkheden en onhebbelijkheden, hij kon zelfs haar vuilnis doorzoeken. Hij voelde een siddering van macht door zijn lichaam trekken. Hij wist dat hij zich verdorven moest voelen, maar dat was niet zo. Hij voelde zich sterk en gefocust, alsof ze op dat moment naakt in het zonlicht onder hem lag.

Frølich knipperde met zijn ogen en haalde diep adem. Zo kon hij niet doorgaan. Bij Bislett zette hij de auto plotseling bij een bushalte aan de kant.

'Wat is er, Frølich? Voel je je niet goed?'

'Misschien moet ik me niet met deze zaak bezighouden,' antwoordde hij. Het was ondraaglijk warm en hij wilde net het bovenste knoopje van zijn overhemd openmaken toen hij ontdekte dat het al los was.

'Waarom niet?'

'Ik sta misschien iets te dicht bij de betrokkenen.'

'Je hebt al onderzoek gedaan naar Veronika Undset. Je kent haar relatie met Kadir Zahid. Natuurlijk doe je mee!' Gunnarstranda snoof. 'Te dichtbij?'

'Het ontbreekt me aan competentie.'

'Met betrekking tot je vriend, ja, maar je kunt je nog steeds nuttig maken voor het rechercheonderzoek.'

Frølich pakte zijn mobiele telefoon, zocht het nummer op en belde nog een keer. De telefoon bleef maar overgaan. Ten slotte klonk er een pieptoon. Frølich zuchtte. 'Hij neemt niet op.'

'Wie?'

'Karl Anders.'

'Iets zegt me dat je dat vandaag al vaker hebt geprobeerd,' zei Gunnarstranda.

Frølich toetste een SMS in: *Hallo KA, we moeten praten. Bel me op dit nummer. FF.*

Hij verstuurde het bericht, legde de telefoon op de middenconsole en keek, voordat hij verder reed, in de spiegel. Hij wachtte op een opening in het verkeer. Hij vroeg: 'Is het mogelijk dat ze is overvallen en verkracht?'

Gunnarstranda schudde nadenkend zijn hoofd. 'Dan hadden we het lichaam op de plaats delict moeten vinden. Haar kleren? Die hebben we niet. We hebben alleen een diamanten oorknopje, in haar linkeroor. Ze werd ergens anders vermoord, vervolgens in plastic gerold, vervoerd, waarschijnlijk in een auto, en in een container voor bouwmateriaal gegooid. Je hebt het misschien niet gezien, maar ze had brandwonden op haar buik en tussen haar benen, enzovoorts. De patholoog denkt dat iemand *post mortem* kokend heet water over haar heen heeft gegooid, vermoedelijk om biologische sporen te verwijderen.'

Ze zwegen allebei.

'Nadat ze eerst is verkracht,' voegde Gunnarstranda eraan toe.

De stilte duurde voort. Frølich dacht aan Karl Anders, dat Veronika juist nu werd vermoord, precies op dit moment.

'Vrienden,' zei Gunnarstranda na een tijdje.

'Hm?' reageerde Frølich, hij deed alsof hij het niet begreep.

'Je kameraad speelt verstoppertje met ons. Maar jij was op zijn feestje. Er moeten daar vrienden van hem zijn geweest, vrienden van het paar. Mensen die haar kenden. Daar moeten we beginnen.'

Frølich knikte. 'Ik heb ook die vermissing nog,' zei hij, 'dat Afrikaanse meisje dat is verdwenen. De kans bestaat dat zij ook is vermoord...'

Gunnarstranda hield zijn hoofd schuin. 'Ja, en?'

'Het is moeilijk om aan beide zaken te werken, twee moorden...'

'Rosalind M'Taya is vermist. Je weet niet of ze is vermoord.'

'Het punt is alleen...'

Gunnarstranda onderbrak hem: 'Veronika's vrienden, Frølich. Namen van mensen die op dat verjaardagsfeest waren en die ons kunnen helpen uit te vinden wat er gisteren is gebeurd. Veronika Undset ís vermoord, dat staat vast.'

'Ik heb Karl Anders in geen jaren gezien. Ik was de enige van de oude vrienden die was uitgenodigd, hij heeft een compleet nieuwe vriendenkring.'

'Je hebt toch wel met iemand gesproken?'

'Ik had een tafeldame die Veronika goed kende. Janne Smith. Daar kan ik wel beginnen.'

Gunnarstranda knikte tevreden. 'Dan praat ik met haar familie.'

*

Terug op het politiebureau belde Frølich eerst het privénummer van Janne Smith. Ze nam niet op. In plaats daarvan werd hij doorverbonden met een antwoordapparaat. Hij aarzelde, maar liet geen bericht achter. Hij belde haar mobiele nummer, maar die telefoon stond uit. Hetzelfde antwoordapparaat meldde zich. Op dat moment ging de deur open en verbrak hij de verbinding. Lena Stigersand kwam binnen.

'Stoor ik?'

Hij schudde zijn hoofd.

'Ik ben bezig opnames van bewakingscamera's op Gardermoen te bekijken,' zei Lena, 'in verband met Rosalind M'Taya. Op de films die ik heb bekeken, heb ik een geel memootje geplakt. Het zou mooi zijn als jij dat ook zou doen. Het zijn er een heleboel.' Ze legde een stapel dvd's op zijn bureau.

'Wat ga jij doen?' vroeg hij.

'Ik ga lunchen,' zei Lena vrolijk, 'en daarna vinden Rindal en Gunnarstranda het belangrijker dat ik aan de zaak-Veronika Undset werk.'

En weg was ze.

Frølich bleef zitten en liet zijn ogen van de deur naar de stapel dvd's en vervolgens naar de telefoon dwalen. Hij opende zijn laptop en deed de eerste dvd erin.

9

De anderen begrepen niet dat ze kon joggen in deze hitte, maar ze hadden geen idee. Ze wisten weliswaar van Ståle, maar ze dachten dat ze alles wisten. Van wat Lena zelf dacht, hadden ze geen flauw benul. Het kon zo niet doorgaan, dat zag ze ook wel in. Ståle dacht waarschijnlijk hetzelfde. Diep vanbinnen wilde hij ook een eind aan hun relatie maken. Misschien gingen ze daarom op deze manier verder. Elke keer wanneer ze samen waren liep het erop uit dat de zaken escaleerden.

Het beviel haar dat hij zo vastberaden was, maar ze haatte zijn sadisme. Ze wilde niet meer aan hun laatste samenzijn denken. Ze probeerde het liever te analyseren; omdat hartstocht het enige was wat hen verbond, werd alle energie tussen hen uitgekanaliseerd in een seksualiteit waarbij ze allebei steeds verder hun grenzen verlegden. Zoals nu, dacht ze vol zelfspot. Het was zijn vrije dag, en ze gaf gehoor aan zijn lunchvoorstel. Een rollenspel.

Ze trok haar loopkleding en sportschoenen aan en ging op weg. Ze had een kleine rugzak bij zich. Ze dribbelde rustig over het voetpad door het Grønlandspark en verder langs de Åkebergveien. Ze hield van hardlopen, te voelen hoe haar knieën, dijen en benen veerden onder het gewicht van haar eigen lichaam. Goed ademhalen. Niet te veel fantaseren. Niet denken aan wat er zou gaan gebeuren. Rennen over de rotonde bij Galgeberg. Nog niet warm. Luisteren. Daar. Ze hoorde de V8-motor ronken, hij speelde met het gas terwijl hij achter haar afremde. Ze draaide zich niet om, rende verder. Ze dacht hoe hij nu naar haar keek, hoe hij fantaseerde. Al gauw kwam hij naast haar rijden. Hij opende het raampje toen ze de bushalte naderde. Ze dacht: daar doet hij het, bij de bushalte.

Ze bereidde zich voor. Niemand bij de bushalte. Ze sprong opzij. Net op tijd. De auto reed naar de kant en drukte haar van de weg. Ze moest wel stoppen, hijgend stond ze naar adem te happen. Het raampje was open. De zonnebril verborg zijn ogen. Hij gebood haar in te stappen. Ze vroeg waarom.

'Stap in,' herhaalde hij luid. Een oudere vrouw kwam hun tegemoet rijden. De auto stond op de weg. Geïrriteerd stopte de vrouw.

'Doe wat ik zeg,' zei Ståle.

Ze gehoorzaamde. Hij schakelde. Zwijgend. In de auto was het heerlijk koel. Koude lucht stroomde langs haar gezicht.

Hij reed over de rondweg om het centrum van de stad en nam de afslag naar de Maridalsveien. Ze kwam weer op adem. De airconditioning koelde haar lichaam af, maar niet genoeg. Hij droeg haar op haar kleren uit te trekken, en ze gehoorzaamde, tot ze uiteindelijk helemaal naakt was.

Hij vertelde wat ze met zichzelf moest doen. Ze volgde zijn bevel op.

Ten slotte parkeerde hij onder de loofbomen en vertelde wat ze met hem moest doen. Ze deed wat haar werd opgedragen. Ze dacht niet na, ze deed het gewoon en genoot ervan. Ze werd meegesleurd, als in een kajak over een snelstromende rivier, geconcentreerd op de vreugde dat ze deze krachten beheerste en de grenzeloze macht die ze haar gaven. Soms voelde ze zich na afloop vies. Soms twijfelde ze aan haar eigen beoordelingsvermogen.

Niemand wist beter dan Lena dat het gewoon theater was. Zij was de dagdroom, ze vervulde de fantasieën die Ståle met zijn vrouw, die in de overgang was en aan botontkalking leed, niet kon realiseren. Hij klaagde altijd over zijn vrouw, en zij liet hem klagen. Die vrouw was een abstractie. Zij was zijn droom over eeuwige jeugd, en zolang het duurde kon het haar niets schelen. Haar zelfverachting woog niet op tegen de vervoering en de macht die ze ervoer als hij zich volledig aan haar overgaf.

Maar na afloop was ook zij een slaaf van haar eigen *Über-ich*: zo zeker als de regen die na zonneschijn komt, namen de verdoemenis en zelfverachting in haar bewustzijn de plaats in van de begeerte. Dan was hij niets. Dan was hij net zo vies als zij zich voelde. Zijn penis stierf in haar, hoewel ze dat niet wenste. Hij zou haar wegschuiven en het condoom uit het raampje gooien zonder te begrijpen dat een dergelijke handeling vulgair en krenkend was, en duidelijk de afwezigheid van echte gevoelens in hun relatie illustreerde. Hij was een kind. Een kind met een borstkas die zich ophief en inzonk als na een lange sprint. De zilverkleurige haren op zijn borst glommen van het zweet. Hij was tevreden. Ze hief haar hoofd op en kuste hem op zijn kin hoewel ze dat eigenlijk niet wilde doen. Ze liet haar vingers dwalen over zijn harde buik- en borstspieren. Haast verbaasd nu, dat dat hetgeen was wat haar prikkelde. Vlees onder een zonverbrande huid. 'Je moet je aankleden,' fluisterde ze.

'Misschien wil ik wel dat je het nog een keer doet,' antwoordde hij.

Zijn woorden versterkten het gevoel van onbehagen en ze kuste hem in zijn hals om te ontkomen aan het gesprek dat dreigde het laatste restje tederheid kapot te maken.

Soepel duwde ze zich op en schoof aan de kant. Ze pakte haar rugzak van de achterbank, haalde haar kleren eruit en trok ze aan.

Hij haalde diep adem en wilde iets zeggen.

'Ik moet je om een gunst vragen,' zei ze vlug. 'Nu.'

'Wat dan?'

'Een lift. Jij bent immers vrij.'

*

Een halfuur later reed hij de Mustang het verlaten plein voor *Dekkmekk* op.
Ze bleef een paar tellen voor zich uit zitten kijken en zei toen: 'Hoewel er hier bijna nooit activiteit te bespeuren is, krijgt hij het voor elkaar om zijn moeder, zijn vader, zijn zussen en broers met dit bedrijf te onderhouden. Geen van zijn broers of zussen heeft betaald werk. Ze slapen overdag en gaan 's nachts de stad in. Vier broers hebben ieder minimaal twee auto's. Allemaal hebben ze een garderobe waar een stervoetballer jaloers op zou zijn. Zijn ouders wonen de helft van het jaar in Peshawar, waar ze een van de mooiste villa's van de stad bezitten.'

'Iedereen maakt zijn eigen keuzes,' zei Ståle. 'Als je in een Rolls of een Ferrari rijdt, gebruik je drie liter op tien kilometer. Als je in een Micra rijdt, gebruik je nul komma vijf.'

Ze wierp glimlachend een blik opzij. 'En wat wil je daarmee zeggen?'

Hij grijnsde terug en keek haar in de ogen. 'Je moet binnenkort dat strakke pakje maar weer eens aantrekken.'

Vlug opende ze het portier en zette een voet op de grond. De warmte drong de auto binnen en bracht hem op andere gedachten.

'Wat is dit voor een plek waar midden op de dag geen mens te bekennen is?' vroeg hij.

'Er zijn hier maar twee keer per jaar mensen aanwezig,' verklaarde ze. 'Dat is bij de overgang van de herfst naar de winter, en van de winter naar het voorjaar. Dan zijn de broers hier om banden te verwisselen voor een enkele klant die hier verdwaald is geraakt. Ze zijn alleen niet goedkoop, en daarom komen de klanten nooit terug. Het bedrijf houdt zich alleen maar bezig met factureren en productie van bijlagen voor de BTW- en belastingaangifte.'

'Volgens mijn vrouw kopen zelfs mensen zonder kinderen een auto met vijf zitplaatsen, geen twoseater. Zo is het nu eenmaal.'

Lena keek hem een hele tijd aan. 'Je moet niet zoveel denken, Ståle,' zei ze zacht.

Dat had ze niet moeten zeggen. Ze zag dat hij woedend werd, en toen ze besefte wat het met hem deed, vroeg ze zich af waarom ze zich zo akelig gedroeg.

Hij wilde iets zeggen, maar ze hield haar wijsvinger voor zijn mond. Daarna boog ze naar voren en raakte ze zijn ruwe mond lichtjes met haar lippen aan.

Een donkerblauwe Audi A6 passeerde hen en reed het plein op.

'Wie is dat?'

'De eigenaar,' zei Lena. 'Hij houdt de boel hier dag en nacht in de gaten. Nu is hij er al na vijf minuten. Niet slecht, als je beseft dat we niet in een politieauto zijn gekomen.'

Ze stapte uit. 'Wacht op mij,' zei ze.

De Audi was voor de garagedeuren gestopt. Een man in een korte broek en een poloshirt stapte uit.

Lena liet haar legitimatie zien. 'Kadir Zahid?'

'Lena,' grijnsde Kadir, 'we hebben elkaar al vaker gezien. Waarom zo formeel?' Hij wierp een blik op Ståles blauwe oldtimer Mustang. 'Dat is een prachtige auto, Lena. Is dat je vriend?'

'Dat is Ståle Sender, politieman. Hij is mijn *back-up*, zoals wij dat noemen.'

'Jammer dat hij een smeris is. Ik mag graag een praatje over auto's maken met jongens die er verstand van hebben.'

'Ik wil het met je hebben over Veronika Undset,' zei Lena.

'Wat is er met haar?'

'Ze is dood. Veronika is de vrouw over wie op het nieuws wordt gesproken. De vrouw die in een container is gevonden, vermoord.'

Kadir Zahid draaide zich op zijn hielen om en trok de garagedeur omhoog. Hij bleef even met de rug naar haar toe staan. Toen ze iets wilde zeggen, liep hij naar binnen, tussen de stapels banden door, langs een heftruck en een paar machines, naar een kantoor met glazen wanden.

Lena wierp een blik over haar schouder.

Ståle Sender opende het portier en stapte uit. Ze wenkte hem en gebaarde: ben zo terug. Hij kruiste zijn enorme armen voor zijn borstkas en leunde tegen de carrosserie van de Mustang. Zijn zonnebril, de V-vorm van zijn bovenlichaam en zijn houding maakten van hem het cliché dat hij het liefst wilde zijn.

Ze liep achter Zahid aan, langs de banden, de heftruck en de hydraulische machines.

In het kantoor hing een muffe geur van oud stof. Zahid zat op een stoel achter een bureau. Hij was aan de zware kant, ontdekte ze nu. Zijn buik drukte tegen het bureau. Hij maakte een uitgeputte indruk. De keurig geknipte baard en het achterovergekamde haar konden niet langer de playboy-look accentueren. Een Rolex met een iets te ruim bandje gleed over zijn onderarm naar beneden en botste met een nauwelijks hoorbaar gerinkel tegen een kettingachtige gouden armband.

'Wat kun je me over haar vertellen?' vroeg Lena.

Aan de wand hing een kalender van een velgenbedrijf. Het voorste blad was vijf maanden oud, van februari. Een naakte blondine met haar in staartjes en rode blosjes op haar wangen hield een aluminium velg onder haar borsten. De lolly in haar mond versterkte het pedofiele idee.

Kadir haalde adem en rechtte zijn rug. 'Op de lagere en de middelbare school zaten we bij elkaar in de klas.' Zijn ogen glansden en zijn lippen trilden toen hij sprak.

Lena nam de show niet serieus, maar zei niets.

'Veronika was mijn Noorwegen-ideaal, Lena, een vriendin. Maar geen gewone vriendin, ze was een Bond-meisje. Stel je voor, de jaren tachtig, ik was een straatjongen uit Pakistan. Maar Veronika was het mooiste meisje van de school, en ze was mijn vriendin.'

'Nadat Veronika jou vrijdagnacht had bezocht, is ze aangehouden en gearresteerd. Waarom was ze die nacht bij je op bezoek?'

'Ik had gevraagd of ze wilde komen.'

'Waarom?'

'Ik moest met iemand praten!'

'Waarover hebben jullie gesproken?'

'Over jou.'

'Over mij?'

'Of de politie, jullie zitten mij de hele tijd op de hielen, jullie laten mij en mijn familie niet met rust. Het is onmogelijk voor mij, ik word er gek van. En mijn vader en moeder, mijn broers en zussen ook. Jullie hebben Veronika zelfs gearresteerd. Ze was mijn gast. Wat had dat voor zin?'

Lena gaf geen antwoord.

'Toen we klein waren, vertrouwde ik Veronika alles toe, als er iets fout ging.' Zahids gezicht werd zachter, alsof hij aan iets leuks dacht. 'We zaten altijd op haar kamer thee te drinken. We konden daar uren zitten praten en lachen. Ze liet me overal het komische van inzien.' Zahids gezicht versomberde weer. 'Die nacht had ik dat juist nodig. Dus in een opwelling belde ik haar op, en ze kwam. Zoals altijd,' voegde hij eraan toe, voordat Lena iets kon zeggen.

Opnieuw glommen zijn ogen.

'Toen ze werd gearresteerd, werd ze bekeurd voor het in bezit hebben van cocaïne.'

Hij hief zijn hoofd op en keek haar wantrouwend aan. 'Jullie weten heel goed dat ik geen drugs gebruik en er niet in handel. Ik ben moslim, Lena. Ik drink geen wijn, geen bier, geen sterkedrank, ik rook geen hasj, ik ruïneer mijn hersens niet met verdovende middelen.'

'En Veronika?'

Kadir Zahid keek naar haar op. 'Geloof je mij als ik antwoord geef op die vraag?'

'Waarom zou ik je niet geloven?'

'Omdat het antwoord nee is. Ik kende Veronika. Ze dronk misschien een glas Campari of een cocktail met een parasolletje op een feestje, maar dat was alles. Verder gebruikte ze geen verdovende middelen. Geloof je me?'

'Je vroeg of ze 's nachts om halftwee voor een praatje bij je thuis kwam, kon dat gesprek niet overdag plaatsvinden?'

'Op het werk?'

'Werk je?' vroeg Lena schamper. 'Hier?'

Ze ging het kantoor uit en liep demonstratief een rondje door de werkplaats. Hij volgde haar. Ze bleef staan kijken naar de geïsoleerde wand en de enorme stapels banden. Ze hief nadrukkelijk haar arm op en keek op haar horloge. 'Het is hier erg rustig vandaag, heb je de jongens misschien een dagje vrij gegeven?'

'Je luistert niet goed,' antwoordde hij kortaf. 'Ik belde Veronika omdat ik op een moeilijk moment met iemand moest praten. Het was niet een of ander consult!'

Hij liep langs haar heen en door de garagedeur naar buiten. Daar, in het zonlicht, bleef hij naar haar staan kijken. Ze liep op hem af, maar bleef in de deuropening staan.

'Had je een verhouding met Veronika?'

Zahid schudde zijn hoofd. 'Ze was verloofd met iemand die bij de gemeente werkt. Ze wilde me uitnodigen voor hun bruiloft, hoewel ze nog geen datum hadden geprikt.'

'Dus haar verloofde was van jullie vriendschap op de hoogte?'

'Natuurlijk.'

'Wat deed je gisteravond?'

'Wat denk je? Ik was thuis. Jullie houden mij de hele tijd in de gaten, Lena. Ik kan me geen meter verplaatsen zonder een smeris op m'n lip. Kijk maar in jullie eigen rapporten, dan zul je ontdekken dat ik thuis was.'

'Alleen?'

Kadir schudde zijn hoofd. 'Twee broers van mij waren er ook.'

Toen Lena in de garagedeur naar Kadir stond te kijken, bekroop haar het gevoel dat hij toneelspeelde. Nadat hij naar buiten was gelopen, had hij geen stap meer verzet, dus ze moesten bijna schreeuwen naar elkaar. Waarom was hij naar buiten gegaan? Wilde hij haar ook naar buiten lokken? Wat had hem zo onrustig gemaakt? Alleen maar om te provoceren draaide ze zich om en liep weer een paar passen naar binnen. Toen viel haar iets op, ze draaide zich weer naar hem om en begreep dat ze iets op het spoor was. Hij was op zijn hoede en volgde haar met zijn blik zoals een vos vanuit zijn hol alles in de gaten houdt. Ze glimlachte, maar Kadir lachte niet terug. Lena liep naar buiten. Ze zette bedachtzaam een paar stappen en deed alsof ze een pientere vraag verzon. Ze keek nauwkeuriger en kreeg de bevestiging van wat ze daarbinnen had ontdekt. De werkplaats was smaller dan het gebouw. Het gebouw was misschien twintig meter breed, terwijl de werkplaats niet meer dan vijftien meter was. Er was dus een extra ruimte in het gebouw, een ruimte zonder ramen. En waar was de garagedeur of de ingang van die ruimte? Waarschijnlijk aan de achterkant.

Het hoefde niets te betekenen, maar er was iets met de lichaamstaal van de man wat haar alarmeerde. Ze maakte een weids gebaar met haar armen. 'Het ziet ernaar uit dat hier elke dag veel klanten komen. Hard werken, hè.'

'Je weet net zo goed als ik dat deze branche seizoenswerk is. 's Zomers wisselen we hooguit banden voor een toevallige toerist die ze lek heeft gereden. Kom in oktober nog maar eens terug. Dan is het hier een heksenketel!'

Nee, dacht ze. Hij was niet langer zo ontspannen als een paar minuten geleden.

'Wanneer heb je Veronika voor het laatst gezien?'

'Zaterdagochtend, toen ze bij me wegging en jullie de taxi zijn gevolgd.'

'Heb je sindsdien nog met haar gesproken?'

Kadir schudde zijn hoofd.

'Heb je met haar over sommigen van haar cliënten gesproken?'

'Wat bedoel je?'

Ze moest glimlachen om zijn geforceerde gelaatsuitdrukking. 'Je weet wat ik bedoel. Je weet waarom we je in de gaten houden. Je bent een dief, Kadir. Volgens ons gebruik je de huishoudelijke hulpen om slachtoffers te vinden bij wie je kunt inbreken. We denken bijvoorbeeld dat je dit weekend een oude vrouw op Malmøya hebt beroofd, ene Regine Haraldsen.'

'Het is een schande om oude vrouwen te beroven,' antwoordde Zahid.

'Regine Haraldsen was een van Veronika Undsets cliënten.'

Kadir Zahid zweeg.

'Weet je zeker dat je geen telefonisch contact met Veronika hebt gehad sinds haar vertrek zaterdagochtend?'

Kadir zuchtte. 'Hou op, Lena. Ik heb Veronika daarna niet meer gezien of gesproken. Zeg eens, weet haar moeder het al? Ik zou haar graag willen condoleren.'

'Ken je haar moeder?'

'Natuurlijk.'

'Natuurlijk weet ze dat haar dochter dood is.'

Kadir rolde de garagedeur met veel gerammel naar beneden. Hij sloot hem af en draaide zich naar haar toe.

'Kan ik je verder nog ergens mee helpen, Lena?'

Ze liep naar Ståle en de auto en dacht: hij voert nog steeds een toneelstukje op.

Toen ze in de Mustang stapte, had Zahid zijn zonnebril opgezet. Het opzichtige logo van Dolce&Gabbana fonkelde aan zijn slaap. Hij zwaaide naar haar.

Ze zwaaide terug.

'Hier heb ik geen tijd voor,' zei Ståle humeurig en hij startte de auto.

Ze hief haar hand op en streelde over zijn arm.

'Laat dat!' was de reactie die ze kreeg.

Ze begreep dat hij zich vernederd voelde met zijn rol als figurant, maar ze kon zich niet druk maken over zijn gevoelens. 'Nog één kleine dienst,' zei ze. 'Als je het terrein afrijdt, ga dan naar rechts in plaats van linksaf.'

Hij zette de auto in de versnelling en deed wat ze had gevraagd.

Ze bestudeerde het gebouw dat ze zojuist had verlaten. Het klopte. Er was een garagedeur aan de achterkant, afgesloten met een enorm hangslot.

'Oké,' zei ze en ze rechtte haar rug. 'Rij nu maar terug naar de stad.'

10

Het was al na elf uur 's avonds toen de deuren van de metro opengingen. Frølich stapte uit. Medepassagiers haalden hem in, gehaast op weg, met hun blikken aan de grond gelijmd en heimwee in hun voeten. Door de koele trek van de avondlucht daalde de temperatuur tot onder de twintig graden. Eindelijk was het aangenaam om buiten te zijn.

Hij slenterde langzaam verder. Toen hij bij de Esso-benzinepomp de weg overstak, claxonneerde een auto. In een geparkeerde, zwarte Volvo zat iemand achter het stuur. Het portier ging open. Het was Karl Anders.

Frølichs vreugde om het weerzien werd getemperd toen hij zag in welke toestand zijn vriend verkeerde: een versufte blik en een halfopen mond met slijm in zijn mondhoeken. Karl Anders was ladderzat en hard op weg de dingen voor zichzelf heel moeilijk te maken.

'Ik heb op je telefoontje gewacht,' zei Frølich afgemeten.

'Heb je tijd om te praten?'

'Zolang je je auto laat staan.'

Ze liepen naast elkaar door de Havreveien zonder een woord te zeggen. Ook in de lift naar boven spraken ze niet. Karl Anders vermeed oogcontact. Zijn adem rook zoet, doordrenkt van bier en sterkedrank.

De lift kwam tot stilstand. Frølich hield de liftdeur voor zijn vriend open, pakte zijn sleutels en draaide de deur van het slot.

Na een lange dag met een brandende zon op de gesloten ramen rook het erg bedompt in het appartement. Om te luchten opende hij de balkondeur. 'Koffie?' vroeg hij met zijn rug naar Karl Anders toe.

'Heb je geen bier?'

Frank Frølich had altijd bier. Er stonden twee sixpacks in de koelkast. Lysholmer Ice; de blikjes stonden in het gelid en bewaakten de typisch Noorse bruine kaas, de onbetwiste heerser in de koelkast, zonder hofhouding of onderdanen.

Hij zette de blikjes bier en glazen op de tafel en plofte op de bank neer. 'Ik heb je een aantal keren geprobeerd te bellen en een sms'je gestuurd of je me terug wilde bellen, maar ik hoorde niets. Je was ook niet op je werk.'

Karl Anders gaf geen antwoord. Er stonden tranen in zijn ogen.

'Ze hadden geen idee waar je was, je collega's.'

Karl Anders dronk van het bier en zette het blikje weer weg, nog steeds even zwijgzaam.

'Ik wilde je vooral condoleren,' zei Frølich, en hij bedacht dat het een akelig woord was, maar dat het goed was om het te zeggen. Het woord bracht hen tot de kern van waar dit bezoek om draaide.

Karl Anders keek naar de vloer. Toen hij weer opkeek, was het duidelijk dat hij vocht met zichzelf. 'Frenk... klopt het dat jij Veronika hebt gearresteerd voor cocaïnebezit?'

'Wie heeft dat gezegd?'

'Veronika.'

Dan heeft ze dat dus aan haar verloofde opgebiecht. Frølich bleef een paar tellen zitten nadenken over hoe hij nu verder moest gaan. 'Karl Anders,' zei hij.

Die pakte zijn blikje bier weer op.

'Ik werk in een team dat probeert uit te zoeken wat er met Veronika is gebeurd. Ik ben tegen iedereen in het team heel open geweest, dat moet ik wel zijn. Ze weten allemaal dat jij en ik vrienden zijn, en dat ik op jouw feest ben geweest. Ik ben daar eerlijk over omdat moord een voedingsbodem is voor wilde speculaties, bij iedereen.'

Karl Anders zei niets.

'Noorwegen is een klein land in deze wereld,' ging Frølich verder. 'Als je op vakantie gaat naar Kos of Cyprus, is de kans groot dat je een buurman of een van zijn familieleden tegenkomt. Zo klein is de wereld, en zo klein is dit land. Veronika dook op in een zaak waaraan ik werkte. Ik had geen idee wie ze was toen we elkaar de eerste keer ontmoetten. Ik kon niet weten dat ze jou kende. Dat begreep ik pas toen ik haar op jouw feest zag. Ik schrok, maar ik moest discreet zijn.'

Karl Anders onderbrak hem plotseling: 'En die drugs?'

Frølich bleef naar hem zitten kijken. Ten slotte zei hij: 'Veronika kreeg een boete vanwege het in bezit hebben van cocaïne. Toen ze de boete had betaald, was de zaak uit de wereld. Hoe dan ook hoefde niemand anders dan Veronika van die zaak op de hoogte te zijn, daarom heb ik erover gezwegen.'

Frølich wist niet zeker of zijn vriend luisterde. Hij zat nog steeds in dezelfde houding, met een afwezige uitdrukking op zijn gezicht.

'Ik ben en blijf politieman, daar doet onze vriendschap niets aan af.'

Karl Anders hief zijn hoofd op. Ze keken elkaar aan. De ander leek ineens niet meer dronken. 'Wat wil je daarmee zeggen?' vroeg hij scherp.

Ze bleven elkaar aankijken. Frank Frølich wist het niet zeker, maar hij had het gevoel dat ze allebei aan hetzelfde dachten. Zo'n heet hangijzer is het dus nog, dacht hij, we durven het geen van beiden hardop te zeggen. Twintig jaar zijn er verstreken, en we zijn net zo ver als toen.

Of was de situatie nu helemaal anders? Zelf was hij nu een representant van een officiële autoriteit, terwijl Karl Anders... Hij durfde de gedachte niet af te maken, en zei in plaats daarvan: 'De politie moet weten wat jij te zeggen hebt. We moeten weten waar jij was toen Veronika werd vermoord, maar je was vandaag onvindbaar. *No problem*, totdat ook niemand anders in staat was je te vinden. Allerlei mensen hebben je de hele dag geprobeerd te bellen, op je mobiele telefoon, thuis, op je werk. Zoals ik al zei, Karl Anders, jij bent een centrale figuur in deze zaak. Waar ben je geweest?'

'Ik dacht dat je er nu wel overheen was,' zei Karl Anders.

Frølich gaf geen antwoord.

'Maar je bent nog net zo. Je bent verdomme nog precies net zo.'

Frølich keek naar zijn vriend, en zweeg.

'Mijn geluk dat Veronika juist jou trof die ochtend.'

Frølich keek naar de handen van Karl Anders. Ze trilden niet. Hij zei in zichzelf: hij is dronken, hij heeft de vrouw verloren van wie hij hield, daarom. Hij schraapte zijn keel en herhaalde zijn oorspronkelijke vraag: 'Waar ben je de hele dag geweest?'

Karl Anders glimlachte koel. 'Jij denkt dat ik het heb gedaan, hè?'

Frølich vond dat het tijd was om zijn eigen bierblikje te openen, en hij schonk zijn glas vol. Hij keek op. Op het gezicht van zijn vriend was nog dezelfde kille glimlach te zien. Een kille glimlach en een stekende blik. Frank zou het liefst het kleed weghalen waarmee het verleden werd bedekt, het moment weer terughalen. Zijn vriend confronteren met dat wat hij eigenlijk dacht, diep vanbinnen.

Toch deed hij het niet. Hij nam een slok bier, zijn ogen hield hij op Karl Anders gericht. Hij had ernaar uitgekeken zich deze avond te ontspannen, lekker landerig op de bank te hangen en te kijken naar een slechte film met veel geweld, auto's en domme replieken. Maar Karl Anders had zijn werkdag verlengd en zijn werk het appartement binnengebracht. Hij had er een hekel aan als hij niet loskwam van zijn werk.

Hij zette zijn glas neer.

'Onze relatie was niet zo vurig als je denkt,' begon Karl Anders. 'Ik heb een ex,' ging hij verder terwijl hij dromerig voor zich uit staarde.

'Wie niet?' zei Frølich om hem weer op dreef te krijgen.

'Ik was bij haar.'

'Wanneer?'

'De hele tijd.'

Frølich leunde achterover en besefte dat je het idee hebt dat vrienden uit je jeugd altijd dezelfde blijven als toen, ook als je ze na lange tijd weer terugziet. Toen hij Karl Anders op het feest ter gelegenheid van zijn veertigste verjaardag weer zag, had hij de tiener in hem weer gezien: onbewust had hij gedacht dat het uiterlijk niet meer was dan een omhulsel, waarin de vriend van vroeger zich verschool, onveranderd. Hij had door het omhulsel heen gekeken en gedacht dat hij in de mimiek, de lichaamstaal en in de ogen van zijn vriend een glimp van vroeger had teruggevonden. Maar nu zag hij ineens Karl Anders zoals hij was geworden: een man met een anoniem uiterlijk, bijna mager. Kortgeknipt haar zonder een spoortje grijs. Holle wangen die in zijn dronkenschap iets doodshoofdachtigs kregen. Een klein gouden ringetje in zijn oor, een poging tot een signatuur van het type Mr. Cool. Karl Anders droeg zelfs een ring aan zijn linkerduim. Als hij uit het blikje dronk, schoof de mouw van zijn overhemd een stukje omhoog en werd de punt van een blauwe tatoeage onthuld.

Hij schraapte nog een keer zijn keel en zei: 'Veronika werd ergens tussen elf uur en even na middernacht vermoord. Waar was je toen?'

'Thuis.'

'Alleen?'

'Ze was bij mij.'

'Wie?'

'Mijn ex.'

Frank Frølich merkte dat het gesprek hem irriteerde, het ging zo traag en weloverwogen. Hij zei: 'Wij, de politie, moeten ook met haar praten.'

Karl Anders draaide zijn gezicht naar hem toe. Zijn scheve glimlach was bepaald honend. 'Jij denkt toch niet dat ik Veronika heb vermoord?'

Nu hij weer sprak, kon Frank maar met moeite zijn irritatie onderdrukken: 'Ik denk niets. De politie denkt niets. Wij proberen de puzzelstukjes in elkaar te leggen, uit te zoeken wat er is gebeurd. We brengen in kaart wat Veronika heeft gedaan in de periode vlak voordat ze werd vermoord, uur na uur, minuut na minuut. Veronika's moordenaar bevond zich op dezelfde plek als zij. Mensen die heel ergens anders waren, zijn dus niet bij de zaak betrokken. Zo simpel is het. Jij zegt dat je samen met je ex was, dus je was niet samen met Veronika. Maar voordat ook anderen dan ik je kunnen geloven, moet je ex dat tegenover de politie bevestigen.'

'Veronika en ik hebben ruzie gemaakt, ja, over dat gedoe met die cocaïne. Ze vertelde het nadat de gasten van het feest waren vertrokken. Het was vijf uur 's ochtends toen ze het vertelde. We kregen ruzie. We hebben nog nooit zo'n ruzie gehad. Je hoeft het niet te vragen. Ik heb haar niet geslagen. Ik heb haar niet eens aangeraakt. Het enige wat gebeurde, is dat ik plotseling dingen begreep. Er waren kanten aan Veronika die ik niet kende, begrijp je, Frenk? Ineens wordt duidelijk dat de vrouw met wie je een relatie hebt een spelletje speelt! Ik dacht: en we gaan verdomme trouwen. Ga ík trouwen met een vrouw die ik niet ken?'

'Wat voor spelletje?'

Karl Anders nam nog een slok uit het blikje bier. 'Ik weet het niet. Spelletje is misschien niet het goede woord, maar ineens zie je een heel ander mens staan! Je vraagt je af wat er gebeurt. De volgende dag zag ik ertegenop om met haar te praten. Ik dacht alleen maar: als ze niet thuis is als ik bel, als ze de telefoon niet opneemt, wat doet ze dan op dat moment? En als ik het haar vraag, speldt ze me misschien wel weer iets op de mouw!'

'Weer?'

'Hm?'

'Je zei "speldt ze me misschien wel wéér iets op de mouw". Heeft ze dat al vaker gedaan?'

Karl Anders gaf geen antwoord. De stilte duurde voort en Frølich zei: 'Ze beweerde dat de cocaïne niet van haar was en dat ze niet begreep hoe die in haar tasje terecht was gekomen. En weet je...' Frølich probeerde oogcontact te krijgen met zijn vriend. 'Ik geloofde haar. Ik geloof dat de verrassing, toen ik de cocaïne in haar tasje vond, echt was. Maar het was niet aan mij om te beslissen. Mijn superieuren kwamen tot de conclusie dat ze de wet had overtreden. Ze kreeg een boete, en daarmee was de zaak afgedaan.'

Karl Anders zat nog precies zo. Hij keek de andere kant op, zwijgend.

'Hoe hoorde jij van de moord?' vroeg Frølich.

Karl Anders aarzelde even voor hij antwoord gaf. 'Haar moeder,' zei hij eindelijk. 'Ze belde me op mijn werk.'

'Dus je was op je werk. Ik heb ook geprobeerd je op je werk te bellen.'

'Ik ben weggegaan. Ik kon er niet langer blijven.'

Karl Anders schudde zijn hoofd, leunde toen achterover en sloot zijn ogen. 'Ik heb er lang over nagedacht,' zei hij, 'en ik weet dat veel mensen me zullen verachten omdat ik zoiets heb gedaan. Haar moeder belde om te vertellen dat Veronika dood was. Ze wilde dat ik naar haar toe zou komen om erover te praten. Maar ik kón het niet. Ik kon daar niet samen met Veronika's moeder gaan zitten huilen. Ik was... het was net alsof ik was opgeladen. Het enige wat in mijn hoofd opkwam, was teruggaan naar een andere vrouw om seks te hebben. Daarna hebben we erover gepraat. Om in die situatie seks te hebben, gaf me het gevoel dat het leven de moeite waard was, Frenk. Ik had het nodig, en ik geloof zij ook.' Karl Anders opende zijn ogen en ademde diep in. 'Na het feest, toen Veronika vertelde dat ze was gearresteerd...'

'Haar naam, Karl Anders, hoe heet je ex?'

'Janne Smith, je kent haar, ze was zaterdag je tafeldame.'

Het lukte Frølich niet om rustig te blijven zitten. Hij stond op en keek door de openstaande balkondeur naar buiten. Hij voelde maar één behoefte. Alleen te zijn. Hij leunde tegen de deurpost en liet de koele tocht over zijn gezicht waaien.

'Janne en ik hebben besloten het rustig aan te doen. Gezien het feit dat Veronika dood is en zo.'

Frølich wendde zich weer tot zijn vriend. 'Het is laat,' zei hij. 'Het is een lange dag geweest.'

Karl Anders knikte, maar bleef zitten. De lange stilte werd steeds onbehaaglijker. Ten slotte stond hij op en bleef staan, zwaaiend op zijn benen. Hij hield zijn ogen neergeslagen en het leek alsof hij zich schrap zette voordat hij vroeg: 'Is ze verkracht?'

Frølich begon te zweten. Hij voelde de nabijheid van zijn vriend als een onaangenaam zware deken op zijn schouders liggen. Hij wilde dat hij wegging. Hij zei: 'Ik kan het rechercheonderzoek niet met jou bespreken, Karl Anders.'

'In de *VG* staat dat ze is verkracht.'

Frølich liep naar de deur, zwijgend en afwijzend.

Karl Anders pakte hem bij zijn arm.

Frølich keek naar zijn hand.

Karl Anders liet hem weer los. 'Ik wil je om een gunst vragen,' zei hij. 'Ik wil graag dat het onder ons blijft, wat ik je heb verteld.'

'Wat?'

'Dat van Janne en mij, dat ik bij haar was toen Veronika werd verkracht en vermoord. Mensen oordelen zo gauw.'

Frølich keek zijn vriend fronsend aan. 'Zoals ik al zei, het is een lange dag geweest.'

'Omdat we oude vrienden zijn,' zei Karl Anders. 'Ik heb het er zelf al moeilijk genoeg mee, Frenk. Ik verwijt het mezelf, wat had ik kunnen doen, wat was er gebeurd als ik de maandagavond niet samen met Janne had doorgebracht?'

'Weet jij of Veronika die avond concrete plannen had?' vroeg Frølich.

Karl Anders schudde zijn hoofd. 'Ik heb sinds ons afscheid zondagochtend niet meer met Veronika gesproken. Het is niet gemakkelijk om daaraan te denken, Frenk, dat we met ruzie uit elkaar zijn gegaan.'

Ze bleven naar elkaar staan kijken, zwijgend, alsof het woord ruzie op hen sloeg.

Uiteindelijk verbrak Karl Anders de stilte: 'Dan ga ik maar. Ik kan niet naar huis gaan, ik...'

'Ik zou een taxi bellen, als ik jou was.'

Ze keken elkaar secondelang aan. Karl Anders maakte een volkomen nuchtere indruk.

'Ik weet wat je denkt,' zei hij ineens, met vaste stem. Hij pakte zijn mobiele telefoon uit zijn broekzak en toetste een nummer in.

'Wat denk ik?' vroeg Frølich fel.

Karl Anders glimlachte kil. Hij draaide Frank zijn rug toe, liep naar buiten en trok met een knal de voordeur achter zich dicht.

Frølich bleef een tijd lang staan kijken naar de gesloten deur.

Uiteindelijk draaide hij zich om, liep naar de bank en plofte erop neer. Hij leunde met zijn hoofd achterover en bedacht dat hij eigenlijk muziek zou moeten opzetten. Maar hij was moe. Op dit moment stond zelfs de gedachte aan muziek hem tegen.

Hij keek naar het bierblikje waaruit zijn vriend had gedronken. Ten slotte pakte hij het op. Er zat nog wat in. Karl Anders had het niet leeggedronken. Frølich zette het blikje op de schouw. Een halfleeg blikje bier, dacht hij berustend. Een gedenksteen voor een vriendschap.

11

Toen hij wakker werd, waren zijn gedachten onmiddellijk bij zijn vriend, Veronika en Janne.

De geschiedenis was te persoonlijk geworden. Dat kon hij niet toelaten. De woorden van Karl Anders hadden zich vastgezet in zijn hersenschors. *Om in die situatie seks te hebben, gaf me het gevoel dat het leven de moeite waard was.*

Frølich probeerde het beeld van Janne Smith op te roepen. Het was een beetje versluierd. Er was een vonk overgeslagen, er was iets tussen hen geweest. Hij kon niet toelaten dat de beweringen en het pompeuze gebabbel van zijn vriend over dood en leven die vonk zouden doven. Hij wilde haar versie horen. Eerst met haar praten, dacht hij, en dan pas de volgende stap bepalen.

Hij parkeerde ongeveer op dezelfde plek als waar de taxi was gestopt toen ze de nacht na het feest hierheen waren gereden. Toen hij eindelijk uit de auto stapte, herkende hij de omgeving nauwelijks. Bij daglicht werd het beeld van die nacht gevuld met details. De contouren van het huis waren gelijk. De kruin van een boom welfde zich over het dak. Om de kleine tuin stond een hoge haag. Jaren geleden had een bewoner een paar bloembedden aangelegd, die nu volledig overwoekerd waren. Gunnarstranda had kunnen vertellen hoe de gewassen die er groeiden heetten, bedacht hij en hij bekeek de overjarige klimplant die zich aan de dikke stam van de esdoorn vastklampte. Een geel met zwarte motormaaier stond tegen de muur van het huis. Midden op het gazon stond een oude, verroeste barbecue. Frølich hief zijn hoofd op. Achter een gordijn ontwaarde hij een gezicht. Zij was het niet, dus moest het haar zoon zijn. Hij belde aan, deed een stap achteruit en keek langs de façade omhoog. Het huis moest nodig worden geverfd.

De deur werd geopend door een magere, bleke jongen met lang, zwartgeverfd haar en de eerste baardharen zorgvuldig opgespaard en op zijn kin bijeengekamd in een spits sikje. Op zijn T-shirt stond het logo van een metalband; zijn blote armen waren net zo wit als zijn gezicht.

'Ben jij Kristoffer?'

'Wie ben jij?'

'Ik zou graag met je moeder willen spreken.'

'Maar wie ben je?' drong de jongen aan, een tikkeltje onzeker.

'Zeg tegen Janne dat Frank Frølich er is, een politieman die ze kent.'
De jongen bleef hem staan aankijken.
Binnen klonken voetstappen op een trap. 'Kristoffer?' Een hand schoof de jongen aan de kant.
Er viel een stilte toen ze elkaar aankeken. 'Jij bent het,' zei ze toen, op een toon die hem in het diepst van zijn ziel trof.
'Ik ga ervandoor,' zei Kristoffer en hij liep het trapje af. Zijn skatebroek reikte tot iets onder zijn knieën. Hij pakte een skateboard en stepte weg. Het hoofd met het zwarte haar gleed langs de haag. Na een paar meter keek hij over zijn schouder. Frølich zag zijn blik, hij wist niet zeker hoe hij die moest interpreteren.
Hij wendde zich tot Janne die nog steeds op dezelfde plek stond. Ze had sandalen, een spijkerbroek en een lichtgeel topje aan. Ze hield een wasmand onder haar arm.
'Aardige jongen.' Hij hoorde zelf hoe dom het klonk.
Gelukkig negeerde ze zijn woorden en zei: 'Ik was in de kelder. Ik moet alleen dit even ophangen.'
Ze liep langs hem heen naar buiten, het trapje af en over het grindpad. Hij volgde haar. Achter het huis stond een droogmolen. Het terrein liep af. Een muurtje van granietblokken ving het hoogteverschil op. Hij ging op het muurtje zitten. Steeds als ze zich uitrekte om een stuk wasgoed op te hangen, piepte haar navel even tevoorschijn.
'Ben je gekomen om over Veronika te praten?'
'Dat ook.'
'Dat ook?' Ze stopte even. Haar haren waaiden even op in de wind. De zon trof haar grijsblauwe irissen zodat ze glinsterden als edelstenen.
'Tja, dom gezegd. Ik kom praten over Veronika.'
Driehoekige slipjes in allerlei kleuren hingen als petieterige wimpels te wapperen aan de lijn. 'Ja, en?' vroeg ze ineens, zonder dat ze ophield met was ophangen en zonder zich om te draaien.
'Heb je de laatste dagen voor haar dood nog contact gehad met Veronika?'
Langzaam bukte ze zich en pakte een rode beha die ze omstandig met drie knijpers ophing. 'Nee,' zei ze uiteindelijk, 'dat heb ik niet. De laatste keer dat ik haar gesproken heb, was toen jij en ik het feest verlieten, toen we die taxi namen.'
'Jij doet toch haar boekhouding?'
'Ja, maar ik praat niet elke dag met haar... praat...' herhaalde ze verward. 'Ik bedoel... praatte. Het is zo moeilijk om te wennen...' Ze veegde met de rug van haar hand onder haar ogen en keek de andere kant op.
'We proberen in kaart te brengen wat ze heeft gedaan voordat ze werd vermoord. Weet jij of ze die dag bepaalde plannen had, of ze met iemand had afgesproken?'

Ze schudde haar hoofd.
'De gasten op het feest, waren dat ook Veronika's vrienden?'
Ze knikte. 'De meesten wel, in elk geval.'
Hij schraapte zijn keel. 'Zou jij een lijst kunnen maken van alle vrienden die je kent, mensen die ons kunnen helpen uit te vinden welke concrete plannen ze die dag had?'
Ze knikte. 'Heb je een e-mailadres?'
Hij zocht in zijn zak en gaf haar zijn kaartje. Ze stopte het vlug in haar achterzak, zonder ernaar te kijken. 'In de loop van vandaag,' zei ze.
Haar toon en lichaamstaal waren nu afwijzend.
'Wat denk je?' vroeg hij.
De mand was leeg. Ze pakte hem op en draaide zich naar Frank toe. 'Waarvan?'
'Wat denk je van de moord?'
'Niets. Het is gewoon verschrikkelijk.'
Hij wilde het niet, maar moest de volgende vraag wel stellen. 'Heb je daarna nog contact gehad met Karl Anders?'
Ze knikte. 'Hij kwam hierheen. Hij had haar moeder aan de telefoon gehad en was helemaal overstuur. Hij woont hier nu praktisch, hij wil niet alleen zijn.'
'Is hij er nu?'
Ze schudde haar hoofd. 'Hij is naar zijn werk gegaan.' Ze keek op haar horloge. 'Een uur geleden.'
'Je zegt dat Karl Anders hierheen kwam nadat het lichaam van Veronika was gevonden?'
Ze knikte.
'En de avond daarvoor?'
Ze glimlachte vragend. 'Hoe bedoel je?'
'Karl Anders zegt dat hij de avond van de moord samen met jou heeft doorgebracht.'
Nu keek ze op, ze was op haar hoede.
Hij schraapte zijn keel en stelde de onvermijdelijke vraag: 'Waren jullie die avond bij elkaar of niet?'
'Hij kwam de volgende dag hierheen. Hij had een telefoontje gehad van Veronika's moeder. Zij had hem verteld dat Veronika dood was.'
'Ben je thuisgebleven?'
'Ik voelde dat ik er die dag moest zijn voor Karl Anders.'
Ze bleven elkaar aankijken. Hij moest nog een paar keer zijn keel schrapen om zijn stem kracht te geven: 'Karl Anders was gisteravond bij mij. Hij vroeg me of ik tegen niemand wilde zeggen dat jullie samen...'
Toen hij zijn zin niet afmaakte, keek ze naar hem en bestudeerde hem alsof ze ergens in zijn ogen op zoek was naar een angel. 'Je bent anders nu,' zei ze.

Hij zweeg.
'Anders dan laatst.'
Hij keek de andere kant op, liet zijn blik langs het huis glijden. Een eindje verderop waren achter een haag een paar kinderen op een trampoline aan het springen. Hun bovenlichamen rezen op en daalden neer achter de beplanting. Ze schreeuwden en lachten.
'Karl Anders zei dat jullie vroeger een relatie hadden,' zei hij.
Ze knikte. 'We zijn drie jaar samen geweest.'
'Waarom ging het mis?'
Ze keek bedachtzaam naar beneden. 'Wat is het klassieke excuus? Ik wilde een time-out. Ik was niet zeker en voelde dat mijn leven werd gereduceerd tot routines en saaie tv-avondjes. Bovendien was Kristoffer op een lastige leeftijd en vroeg veel aandacht. Ik wilde geen conflicten met een man vanwege mijn eigen kind.' Ze haalde een keer diep adem en ging verder: 'Er gebeurde veel tegelijk. Mijn moeder stierf, haar huis kwam leeg. Karl Anders en ik hadden problemen in onze relatie. Ik voelde dat ik een keuze moest maken tussen verschillende rollen, en koos ervoor om moeder te zijn. Kristoffer en ik zijn hierheen verhuisd.'
'En nu?' vroeg hij.
'Wat bedoel je?'
'Nu hebben jullie de draad weer opgepakt?'
Nu was het haar beurt om haar blik naar de kinderen op de trampoline te laten dwalen. Ze zei niets.
Hij wilde dat ze dit gesprek onder heel andere omstandigheden hadden kunnen voeren, maar hij dwong zichzelf te vragen: 'Waar was je toen Veronika werd vermoord?'
'Hier.'
'Alleen?'
Ze schudde haar hoofd. 'Kristoffer was er ook. Het was een gewone avond. Televisie en andere "hoogtepunten" zoals een glas wijn uit een kartonnen pak. Ik ben rond middernacht naar bed gegaan. Kristoffer was me net voor. Dat gebeurt nogal eens, merkwaardig genoeg.'
'Heeft je zoon een mobiele telefoon?'
'Natuurlijk, hoezo?'
Hij antwoordde niet. In plaats daarvan vroeg hij: 'Heeft Karl Anders tegen jou gezegd waar hij die avond was?'
Ze schudde haar hoofd.
Frank stond op. 'Dan zal ik je niet meer lastigvallen.' Hij liep langs haar heen naar zijn auto.
'Hé!'
Hij bleef staan en draaide zich om. 'Ja?'
Ze sloeg haar ogen neer en schudde even haar hoofd. 'Niets.'

Hij aarzelde een paar tellen. Als ze iets wilde zeggen, wilde hij het horen. 'Wat is er?' herhaalde hij, zonder enige reactie te krijgen. Toen besloot hij tot het uiterste te gaan. 'Voor de duidelijkheid,' zei hij, 'waarom denk je dat Karl Anders zegt dat hij die avond bij jou was?'

Er was weer oogcontact. 'Geen idee.'

Plotseling schrok ze, alsof ze ineens een of andere verborgen toespeling in de vraag vermoedde. Haar ogen vernauwden zich. 'Hij zou Veronika nooit iets aandoen,' zei ze zacht en beheerst. 'Jij kent hem, dus weet jij dat ook. Als jij tenminste de vriend bent die hij zegt dat je bent.'

Frank had niets meer te zeggen. Hij wilde alleen maar dat hij op een knop kon drukken en het hele gesprek weer kon overdoen.

Janne liep naar hem toe met de mand onder haar arm. Toen ze bleef staan, waren haar ogen nog net zo samengeknepen. 'Is het nooit in je opgekomen dat je wat je nu doet ook kunt laten?'

Haar woorden deden pijn. Toch vroeg hij: 'Wat bedoel je?'

'Je zei het zelf toch, hij heeft je gevraagd ons niet door het slijk te halen.'

Ze liep langs hem het trapje op zonder nog een keer om te kijken, haar rug recht. De deur viel met een klap achter haar dicht, en het enige wat hij zeker wist, was dat hij geen verzoek zou indienen om van de zaak te worden gehaald, nog niet.

Terwijl hij terugliep naar zijn auto belde hij de inlichtingendienst en kreeg het nummer van haar zoon. Even later hoorde hij de heldere stem van Kristoffer Smith.

Frank opende het portier. 'Je spreekt met Frølich, de politieman met wie je net hebt gesproken,' zei hij en hij stapte in.

12

De gang was zo goed als leeg. Emil Yttergjerde stond in de deuropening van de tv-kamer. 'Weet je wie vrijwillig een bijdrage heeft geleverd in de zaak van dat Afrikaanse vrouwtje?' vroeg hij grijnzend. 'De man in het leven van Lena Stigersand, onze asielzoekerkiller in hoogst eigen persoon, Ståle Sender. Hij was hier vandaag. Het schoot me te binnen dat hij op de luchthaven werkt, dus ik heb hem gevraagd naar Rosalind M'Taya. Ik vond het eigenlijk wel vreemd dat Lena hem niets heeft gevraagd, maar waarschijnlijk hebben zij als ze met z'n tweeën zijn wel iets anders aan hun hoofd dan politietaken, hahaha. In elk geval, Ståle belde naar Gardermoen en heeft met de vrouw gesproken die bij de paspoortcontrole zat toen het toestel uit Londen aankwam. Ze had inderdaad Rosalind M'Taya eruit gepikt, maar onze dame had een visum en *letters of invitation* van de universiteit en ga zo maar door, dus na een korte controle bij de douane mocht ze het land binnen. Maar dat betekent wel dat we precies weten hoe laat ze de aankomsthal verliet. Dus kon ik de camera's gaan controleren en ik keek uit naar een donkere vrouw in een witte broek en een wit jack. Het was zo gemakkelijk dat het gewoon leuk was om smeris te zijn. Laat de film maar draaien,' sloot Emil zijn verhaal af.

Het beeld op het scherm toonde de aankomsthal met de roltrappen naar het treinstation. 'Het is ook een beetje geluk,' ging hij verder. 'Er zijn ongeveer zeshonderd camera's op Gardermoen. Maar kijk eens aan... daar hebben we onze dame!' Hij zette het beeld stil.

Op het scherm stond een vrouw met een prachtig figuur en een mooi kapsel. Ze droeg een strakke broek en hoge hakken. Het korte jack reikte tot haar taille. Emil liet de film weer draaien. De vrouw sleepte een koffer en een paar draagtassen mee de trap af.

'Zij? Hoe weet je dat dat Rosalind is, we kunnen alleen haar rug zien!'

'Wacht even,' grijnsde Emil.

De vrouw verdween naar beneden. Emil spoelde versneld verder. Mensen stoven de trap op en af. 'Nu,' zei hij en hij liet de film weer op normale snelheid draaien. 'De linkerroltrap.'

Een donkere vrouw kwam de roltrap op. Toen haar bovenlichaam zichtbaar was, zette Emil het beeld opnieuw stil. Hij zoomde in. De beeldkwaliteit was slecht, maar niet zó slecht. Het was Rosalind M'Taya. Geen twijfel mogelijk.

'Naar boven? Is ze niet met de trein gegaan?'

'Ze verlaat de terminal en loopt over het parkeerterrein. Maar interessant is dat ze iemand bij zich heeft die haar koffer draagt.'

Emil zette de film weer aan. Rosalind M'Taya kwam de roltrap op. Achter haar stond een jongeman. Toen hij de trap afstapte, zag je dat hij haar koffer droeg.

'Dit is zeven minuten later,' ging Emil verder. 'Ze is op het perron geweest waar de gewone trein vertrekt. Die is goedkoper dan de speciale lijn tussen Oslo en Gardermoen. Maar ze arriveert tussen twee vertrektijden in. De trein van Lillehammer naar Skien via Oslo CS is net vertrokken. Het duurt nog een halfuur voordat de volgende trein vertrekt, de trein naar Kongsberg. Ik ga ervan uit dat ze naar het perron is gegaan en daar aan de praat raakte met die gozer die haar op de hoogte heeft gebracht van de treintijden en haar heeft aangeraden de bus te nemen, of heeft aangeboden haar een lift te geven. Wat denk jij?'

'Hij heeft haar een lift gegeven,' zei Frølich.

'Waarom denk je dat?'

'Ik weet wie hij is.'

*

Minder dan een uur later zat Frølich in de trein naar de luchthaven. Door de airco was het er koel. Hij keek naar de weilanden waar tractoren machines voorttrokken die gras opraapten dat vervolgens als grote witte eieren of in vierkante blokken werd verpakt. Naakte bovenlichamen onder een brandende zon. Zijn gedachten dwaalden af naar Janne Smith en Karl Anders. Zijn gladde vriendjes-onder-elkaar-vraag: *ik wil dat het onder ons blijft*. Wat had Karl Anders verwacht? Moest hij zwijgen omdat zijn kameraad loog over zijn alibi? Hij was verdomme politieman.

Hij zuchtte en wreef stevig met zijn handen over zijn gezicht. Vroeger of later was hij genoodzaakt hiermee verder te gaan. Of niet? Moesten zijn collega's weten wat er in het verleden was gebeurd? Hoe dan ook, hij móést iets zeggen: Karl Anders heeft gelogen om zich een alibi te verschaffen voor de avond dat Veronika werd vermoord. Toch wilde Frølich niet degene zijn die Gunnarstranda het hoofd van zijn vriend op een zilveren schaal zou aanbieden. De oude kniesoor moest het zelf maar uitzoeken.

Hij pakte zijn mobiele telefoon en toetste een bericht in: *G! Hoop dat je het goed vindt dat jij Karl Anders Fransgård voor je rekening neemt. Ben om 16.00 uur terug. Bereikbaar op dit nummer. F.*

Een halfuur later kreeg hij een gele hes en een gehoorbeschermer aangereikt door Ståle Sender.

Als het onvermijdelijk zou worden om *good cop, bad cop* te spelen, was Ståle de perfecte keuze: hij had het model van een Chinese turner en een even scherpe vouw in zijn broek. Kille, blauwe ogen en smalle lippen. Zijn baardstoppels net zo kort als zijn haar, het uniformoverhemd open aan de hals waar een dikke, gouden ketting rustte op zonverbrande zandbanken. Frank bekeek Ståles grote handen. Bij het zien van de trouwring voelde hij nog meer genegenheid voor Lena. Haar eeuwige jacht op een partner had iets weg van zelfverloochening.

Ze zeiden niet veel tegen elkaar. Dat had ook geen zin, want ze werden belemmerd door gehoorbeschermers die het gebrul van de straalmotoren veranderden in een luidruchtig, maar enigszins gedempt achtergrondgeluid. Er blies een koel windje over de startbanen op Gardermoen. Achter de enorme glazen wanden waren de passagiers druk bezig sterkedrank en tabakswaren in te slaan voor hun vakantie aan de stranden van Zuid-Europa. Een vliegtuig had de landing ingezet, de neus opgetrokken, als een gans op weg naar het wateroppervlak. Ze passeerden lange rijen bagagewagentjes, cateringkarretjes en passagiersbusjes. Door de gangen marcheerden colonnes toeristen op weg naar huis; zonverbrand, zwaarlijvig en gekleed in kleurige shorts en dure sandalen met ergonomische riempjes en zolen, met roekeloos ingekochte cowboyhoeden die al gauw op zolder zouden belanden. Rijen passagiers in de sluizen naar de vliegtuigen, cabinepersoneel in zijn gewone tred, met vlugge passen door de met tegels geplaveide gangen – goed verzorgd, langbenig en geüniformeerd, met neergeslagen ogen en hun praktische koffer in een stevige houdgreep – op weg naar de lange, bolle vliegtuigen die weldra over de startbaan zouden suizen, dan hun neus zouden opwippen om vervolgens op te stijgen naar het wolkendek met eenzelfde aerodynamische hoofd en rugvin als haaien.

Waar was Andreas Langeland?

Ståle wees met een dikke, trillende wijsvinger.

Frølich kende de cameraman van de filmset nauwelijks terug. Hier geen piratenbandana of skatebroek. In zijn blauwe werkbroek en gele, reflecterende vest maakte hij een kleine, magere indruk. Hij zag er net zo saai uit als Frølichs eigen spiegelbeeld op een grauwe doordeweekse dag.

Even later wandelden ze achter elkaar langs het rvs-toilet waar drugssmokkelaars mochten zitten tot hun lichaam uit eigen beweging de zakjes die ze hadden geslikt weer kwijtraakte, langs de kleedkamers en de scanners naar een Spartaans ingerichte verhoorkamer. Andreas Langeland, bleek, maar beheerst. Frølich begreep direct dat hij een harde dobber zou worden en vroeg hem of hij begreep waarom hij door de politie werd verhoord.

Het antwoord klonk vrijpostig. Het was toch aan de politie om die informatie te verstrekken?

'Het gaat over Rosalind M'Taya.'

'Wie?'

Nu heb ik je, dacht Frølich en hij zei: 'Kun je je niet herinneren dat ik met je broer Mattis over haar heb gesproken, toen jullie aan het filmen waren bij St. Hanshaugen?'

Hij kon het zich niet herinneren.

Frølich legde een aantal foto's van beveiligingscamera's voor zijn neus.

'O, zij! Dat was vorige week, op een avond. Ze vroeg de weg naar de bushaltes.'

'Ze vroeg de weg naar de bushaltes? Toen ze op het perron van het treinstation stond?'

De informatie kwam aan. De blik van Andreas Langeland kreeg iets bedachtzaams. Treinstation. Die smeris wist iets. Ståle en Frølich keken elkaar even aan. Ze konden bij wijze van spreken de raderen achter zijn gesloten oogleden zien draaien. Andreas Langeland koos voor een voorzichtige benadering: 'Ik heb toch geen idee wat zij dacht.'

'Oké, heb je haar laten zien waar de bus stopt?'

Hij knikte.

'Kun je fatsoenlijk antwoord geven?'

'Ja, ik heb haar de bushaltes gewezen.'

'Wat gebeurde er verder nog?'

'Ze stapte in de bus.'

Frølich en Ståle keken nog eens naar elkaar. *Smeris-boef: twee-nul.* De eerste leugen was een feit. De jongen was nog dommer dan hij zelf vermoedde.

'Hoe kan ze dan in jouw auto zijn gestapt?'

'Wat?'

'Jij hebt een parkeerplaats op P11, op de begane grond, hè? De bewakingscamera's van Europark laten zien dat jij en Rosalind M'Taya in jouw auto stappen, een gele Minicooper, model 2007. Moet ik het kentekennummer ook nog voorlezen?'

Langelands ogen schoten alle kanten op.

'Vervolgens wordt de auto 27 minuten later geregistreerd bij de tolpoort bij Alnabru, en dat zijn nog maar een paar van de feiten die bij ons bekend zijn, Andreas. Kom op, je hebt Rosalind M'Taya een lift gegeven van de luchthaven naar de campus bij Blindern, dat klopt toch?'

Andreas Langeland schudde zijn hoofd.

'Wil je beweren dat wij liegen?' vroeg Ståle.

Frølich had spijt dat hij Ståle erbij betrokken had.

'Ik beweer niets,' zei Andreas Langeland. 'Maar ik weiger antwoord te geven op jullie vragen. Ik wil een advocaat bellen.'

'Waarom?'

'Jullie willen mij allerlei dingen laten zeggen die niet kloppen en die jullie later tegen mij kunnen gebruiken. Ik weet wat jullie van plan zijn.'

'Weet je waar Rosalind M'Taya is?'

Langeland zweeg. Hij keek hen met gesloten mond aan, in zijn mondhoek zat wat speeksel. Hij had een weerbarstige blik in zijn ogen.

'Denk je dat een advocaat ons ervan kan overtuigen dat ze niet in jouw auto is gestapt?'

Andreas Langeland bleef zwijgen. Hij straalde nu woede uit. Frølich had vaker dat soort blikken gezien. Hij werd er voortdurend mee geconfronteerd en gezond verstand kon het hoe dan ook nooit winnen van koppigheid.

'Dan gaan we nu twee dagen verder,' zei Frank Frølich. 'Naar afgelopen vrijdag, de vrijdag voor dit weekend. Waar was je toen?'

'Aan het werk.'

'En na het werk?'

Andreas Langeland haalde zijn schouders op. 'Ik ben naar huis gegaan, heb een computerspel gespeeld en ben daarna de stad in gegaan. Ik ben overal en nergens geweest, tot diep in de nacht.'

'Samen met Mattis?'

Het was een schot voor de boeg, maar hij miste doel. Hij zag hoe Andreas het projectiel wist te ontwijken en zwijgend bleef zitten.

'Was je samen met Rosalind M'Taya?'

Grijnzend schudde Andreas Langeland zijn hoofd.

'Mattis zegt dat hij Rosalind vrijdag in het studentencafé heeft ontmoet,' zei Frølich. 'Dat heb je met eigen oren kunnen horen.'

De jonge man antwoordde niet.

'Hij zegt dat hij vrijdag samen met jou was.'

Andreas glimlachte. Frølich doorzag hem, maar hij had niet genoeg om iets te kunnen ondernemen. Hij moest eerst meer te weten zien te komen.

'Heb je misschien later nog met Mattis gesproken?' vroeg Andreas. 'Ik heb hem dat namelijk niet horen zeggen.'

'Dus jij zegt dat je Rosalind vrijdag niet hebt gezien?'

'Heb je misschien foto's die bewijzen dat ik lieg?' vroeg Andreas Langeland met dezelfde zelfverzekerde glimlach op zijn gezicht.

Frølich bekeek het harde, maar tegelijkertijd geforceerd rustige gezicht. 'Ga maar,' zei Frølich.

Ståle bewoog onrustig op zijn stoel, maar Frølich negeerde hem.

'Bedoel je dat ik kan gaan?'

'Uiteraard.'

De jonge man in de gele hes en blauwe werkbroek stond aarzelend op. Het geluid van de stoel schraapte door de stilte. Hij liep geluidloos naar de deur en draaide zich om. 'Jullie hadden me moeten vertellen dat ik het recht had om geen verklaring af te leggen,' zei hij opstandig. 'Nu kan ik jullie aangeven.'

Frølich knikte.

'Ik denk dat ik dat ga doen.'

Frølich knikte nog een keer.

Andreas draaide zich om naar de deur en opende hem.

'Andreas,' zei Frølich.

Andreas wierp een blik over zijn schouder.

'Je bent goed op de hoogte van je rechten, je hebt je huiswerk goed gedaan. Ik ben echt onder de indruk. Maar nog één ding: waarom heb je je zo goed voorbereid?'

Toen Andreas geen antwoord gaf, richtte Frølich theatraal zijn vinger op hem en drukte af. 'Piu,' siste hij toen de deur dichtviel.

'Je bent te slap, Frank,' stelde Ståle Sender vast.

'Hij liegt,' zei Frølich. 'We weten dat hij haar woensdag naar de campus heeft gebracht. Maar Rosalind M'Taya was alleen toen ze zich inschreef. Het probleem is dat we nadat ze zich heeft ingeschreven niets kunnen aantonen. Ze was springlevend, nam deel aan de activiteiten van de zomercursus en sliep twee nachten op haar studentenkamer, voordat ze verdween. Er zitten dus twee dagen tussen haar ontmoeting met Andreas en haar verdwijning. Ik verhoor hem nog een keer, maar eerst moet ik wat meer te weten komen.'

Frølich stond op.

'Doe Lena de groeten,' zei zijn collega.

'Heb je haar verteld dat je bent getrouwd?' vroeg Frølich. Het commentaar was hatelijk bedoeld, maar klonk slechts platvloers.

Ståle Sender grijnsde. 'Schijn bedriegt, Frank. Ik heb het Lena direct verteld. "Je weet nooit wat er onder het pantser van een auto zit," zei ik. "Ook al zit een auto niet meer zo strak in de lak, je moet toch eerst achter het stuur zitten voordat je gas kunt geven."'

Frølich bleef hem een reactie schuldig, zoals altijd wanneer hij met deze man werd geconfronteerd.

'Ze rijdt nog steeds, Frank. Zoals ik tegen mijn kameraden zeg: "Het is misschien goedkoper om in een kleine, niet al te dure auto te rijden, maar rijden heeft niet alleen te maken met de hoeveelheid geld die je op je bankrekening hebt staan. Het gaat ook om comfort. In een klein autootje rij je hortend en stotend weg en hang je scheef in de bochten, en als je uiteindelijk op de plaats van bestemming aankomt, ben je veel vermoeider dan wanneer je gerieflijk in een grote Amerikaan zit met een behoorlijke motor en goede vering".'

Wat probeert hij nu eigenlijk te vertellen, dacht Frølich, maar hij bracht het niet op om iets te zeggen. Hij draaide zich op zijn hakken om en liep weg.

13

'De laatste dag van Veronika Undset,' zei Rindal en hij stak zijn beide handen in zijn broekzakken. In zijn bruine broek en witte overhemd, het bovenste knoopje open, leek hij net als altijd op Gene Hackman. Blonde haargolven boven zijn oren, zijn kale kruin zonverbrand. Alleen de kauwgum ontbrak, dacht Frølich. Alsof hij over telepathische gaven beschikte, peuterde Rindal op dat moment het papiertje van een stukje Extra en stak het tussen zijn tanden. Hackman in *Enemy of the State.*

Met zijn blik volgde Frølich een stroomkabel van het stopcontact in de muur naar de schakeldoos en verder naar de tl-armatuur. Die deed hem denken aan de sierstrip op de kajak van Karl Anders. Een zomer lang hadden ze met de tweepersoonskajak bijna elke dag op het Bogstadvannet gevaren. Eigenlijk was het Franks project; hij was verliefd geweest op een Zwitsers meisje dat hij een aantal dagen achter elkaar op een van de drijvende steigers had geobserveerd. Ze werkte als au pair bij een gezin in een van de villawijken van Oslo, en elke dag nam ze de kinderen mee naar Bogstad om te zwemmen. Hij moest nu lachen om zijn eigen doorzichtigheid, de smoezen, eerst Karl Anders met de kajak bellen...

'Hallo,' brulde Rindal.

Frank schrok op. Lena Stigersand en Emil Yttergjerde meden zijn blik. 'Je trof Veronika Undset maandag 6 juli om vijf over drie in haar kantoor, de dag dat ze werd vermoord. Hoe laat ben je bij haar weggegaan?'

'Rond halfvier. Ze had niet zoveel te vertellen. Ze gaf toe dat het slachtoffer van de inbraak, Regine Haraldsen, haar cliënt was, maar ontkende dat ze Zahid had getipt over haar of over de andere cliënten van wie je me de namen had gegeven. We hebben hooguit twintig minuten met elkaar gepraat.'

'Verder nog iets?'

'Ik spoorde haar aan om samen te werken met de politie, wees haar op alle cliënten van haar die waren beroofd, vertelde dat ze misschien haar huid kon redden als ze het zou toegeven en zou meewerken aan het onderzoek.'

'En verder?'

Frølich vertelde dat Veronika onmiddellijk haar mobiele telefoon had gepakt toen hij vertrok. Waarschijnlijk had ze Zahid gebeld. Daar was hij in elk geval van uitgegaan.

'Zou het kunnen dat ze gedreigd heeft hem aan te geven?' vroeg Rindal. 'Hadden onze rechercheurs het niet moeten zien als Zahid haar had vermoord? Ze verliezen die man geen moment uit het oog!'

'Toch kan Zahid best achter de moord zitten, hij zou het vuile werk nooit zelf opknappen,' meende Yttergjerde.

Lena Stigersand keek vragend naar Emil: 'Een huurmoordenaar?'

Ze dwaalden af van het onderwerp en Frank Frølich was terug bij het Zwitserse meisje. Ze heette Irene, en als zij en de kinderen bij het Bogstadvannet waren, liep ze rond in een witte bikini. Haar huid was donkerbruin verbrand. Elke ochtend vulde ze een grote fles met water waar ze zeezout in oploste. Met dat zoute water smeerde ze haar lichaam in als de zon op zijn hoogste punt stond. Ze vond dat zout water de mooiste bruine kleur opleverde. De zoutwaterfles was de aanleiding tot plagen en dialoog. Hij was verliefd op haar, maar zij was vooral geïnteresseerd in Karl Anders. En ze werden ook een stel, totdat haar vriendje uit Zwitserland plotseling opdook. Een grote, pafferige vent, minstens tien jaar ouder dan zij. Hij kwam aanrijden op zijn Harley, in een leren pak en met een Duitse soldatenhelm uit de oorlog op zijn hoofd. Frank grijnsde bij de gedachte.

'Wat is er zo leuk?' vroeg Rindal. Hij speelde met de kauwgum tussen zijn voortanden.

'Ik moest ergens aan denken.'

'Denk liever hieraan,' zei Rindal. 'We weten dat Veronika Undset die maandagavond drie keer haar bankpasje heeft gebruikt. Om acht minuten over acht uur gebruikte ze het pasje in een parfumerie in het winkelcentrum Byporten. Ze kocht een pakje nagelvijltjes en een potje huidcrème. De verkoopster kan zich haar nog vaag herinneren. Ze droeg een gebloemde zomerjurk en sandalen en had een schoudertas bij zich. Even later kocht ze een caffè latte en een brownie bij Stockfleths op de hoek van de Prinsens gate en de Dronningens gate. De patholoog bevestigt dat ze daarna niets meer heeft gegeten. Maar een uur na haar cafébezoek, om zeven minuten voor halftien, nam ze achthonderd kronen op bij de pinautomaat van Nordeas aan de Karl Johans gate. Dat is het laatste levensteken dat we van haar hebben.

Maar wat deed ze in de stad? Waarschijnlijk had ze met iemand afgesproken. Waarschijnlijk had ze met haar verloofde afgesproken, maar ik kan verdomme nergens een verslag vinden van het verhoor van Karl Anders Fransgård!'

De echo van Rindals uitroep weerkaatste tussen de wanden. Ze keken allemaal naar Frølich. Hij keek terug en hield zijn mond.

Rindal kauwde als een bezetene.

Frølich staarde terug, zwijgend.

'Morgen wil ik dat verslag lezen,' eiste Rindal. Hij draaide zich om naar het bord met de foto's van het lijk en een schema van al haar relaties.

'Het lichaam van Veronika Undset werd even voor drie uur 's nachts gevonden, in plastic gewikkeld in een container aan Kalbakken. De container werd door de firma *Ragn-Sells* verhuurd aan een woningbouwvereniging.

Ze was naakt.' Rindal wees naar de foto's van het lichaam. 'Er kwam een melding binnen op het politiebureau in Stovner van een huurder van de woningbouwvereniging, die ervan overtuigd was dat vreemden vuilnis dumpten in de container die zijn woningbouwvereniging had besteld. Vreemd genoeg rukten ze uit. Aspirant-politieagent Bodil Sydengen ontdekte het lijk om twaalf minuten voor drie. Haar jurk, ondergoed, sandalen, tas, geld en bankpasje zijn niet gevonden, en de container is met de stofkam nageplozen. Het lichaam was gewikkeld in doorzichtig plastic, dat was vastgeplakt met brede, bruine tape. Het plastic is van een soort dat per meter wordt verkocht bij alle bouwmarkten. Het wordt gebruikt bij de isolatie van woningen. Het wordt gekocht door handwerkers en particulieren, dagelijks, in het hele land. We weten waar het is geproduceerd en in welk jaar, maar om uit te zoeken waar het plastic is verkocht en wanneer het is verkocht, is nog erger dan zoeken naar een naald in een hooiberg. En de tape is net zo moeilijk te achterhalen. Het is een soort tape die wordt gebruikt op postkantoren en in particuliere huishoudens, en hij wordt in het hele land verkocht in boekhandels en bij de meeste supermarktketens.

Degene die haar heeft ingepakt, heeft geen vingerafdrukken achtergelaten.

De overledene heeft zware verwondingen aan het hoofd en is bovendien meerdere keren met een mes in de borst gestoken. De dood is ingetreden tussen halftwaalf en halfeen 's nachts. Na het intreden van de dood is er kokendheet water over haar buik en kruis gegoten. Het lichaam heeft vaginale verbrandingen. Volgens de patholoog heeft de dader het water over het lichaam gegoten om biologische sporen van een verkrachting te verwijderen en daarin is hij geslaagd. De plaats delict is onbekend. De verhoren van de huurders van de woningbouwvereniging hebben tot dusver geen resultaat opgeleverd. Niemand kent Veronika van gezicht. Niemand heeft kreten gehoord of geluiden die erop kunnen duiden dat ze is overvallen in een van de appartementen van de woningbouwvereniging, maar verschillende huurders hebben buiten een auto gehoord, op een tijdstip dat overeen kan komen met het tijdstip waarop ze in de container werd gedumpt. We moeten er daarom van uitgaan dat ze met een auto van de plaats delict naar de container is getransporteerd. Tot op dit moment zijn er geen observaties van de auto te melden. Het verhoor van de huurders wordt voortgezet. Tot nu toe is het enige concrete wat we hebben een oorknopje. Een kleine diamant.'

Rindal knikte naar Gunnarstranda, die een klein plastic zakje oppakte en het aan Lena Stigersand gaf. Ze bestudeerde de inhoud en gaf het zakje door.

Frølich greep het. Het oorknopje was een onooglijk klein steentje, een bloemkroon op een rozet van gouden blaadjes. Hij kon zich niet herinneren dat hij het eerder had gezien.

Rindal keek op zijn horloge. 'Ik wens jullie verder succes. Ik weet dat jullie het kunnen. Jullie hebben verstand van zaken. Dan geef ik nu het woord aan Gunnarstranda,' zei Rindal en hij liep naar de deur.

Gunnarstranda wachtte met praten tot de deur achter Rindal dichtviel. 'Geen diamant in haar rechteroor,' begon hij. 'Veronika Undset had in beide oren gaatjes. Waarschijnlijk is er nog een steen nummer twee. Volgens mij heeft de dader het oorknopje over het hoofd gezien. Waarom zou iemand die zo nauwgezet te werk gaat als onze dader, die het lijk met kokendheet water overgiet om sporen te verwijderen, met opzet een diamant in Veronika's oor laten zitten? En als deze diamant over het hoofd is gezien, dan kan dat ook het geval zijn bij de andere. Met andere woorden: de andere diamant kan dus nog steeds op de plaats delict aanwezig zijn.'

Gunnarstranda bleef even staan nadenken voordat hij verderging. 'Haar kleding en andere eigendommen zijn weg, het lichaam is schoongespoeld, ingepakt in plastic dat met tape is vastgemaakt, het hele pakket is in een auto gelegd en in de container gegooid. De dader is grondig te werk gegaan, heeft de tijd genomen en heeft rustig doorgewerkt. De moord is gepleegd op een plek waar hij ongestoord kon werken, bijvoorbeeld bij hem thuis. Veronika heeft in de stad koffie gedronken, geld opgenomen en vervolgens heeft ze hem bij hem thuis ontmoet. Wellicht heeft ze een taxi genomen. Haar foto is verspreid onder de taxichauffeurs, maar er heeft zich nog niemand gemeld. Aan de andere kant, Veronika was verloofd. De meest simpele verklaring is dat ze gewoon met haar verloofde had afgesproken. Hij heeft haar opgepikt, ze zijn naar huis gereden en hebben ruzie gekregen, die uiteindelijk uit de hand is gelopen.' Gunnarstranda keek naar Frølich. 'Hoe zit het met je vriend, kan hij gewelddadig zijn?'

Frølich staarde naar het tafelblad terwijl hij afwezig met zijn mobiele telefoon speelde. Hij schraapte zijn keel. 'Ik wil daar niet over speculeren.'

'Jij kent de man,' zei Gunnarstranda.

Frølich keek naar zijn telefoon. Zijn hand trilde. 'We hebben de laatste twintig jaar geen contact gehad,' zei hij en hij moest nog een keer zijn keel schrapen. 'Ik geloof dat je gelijk hebt dat ze de dader in de stad heeft ontmoet, maar het kan iedereen zijn. Ik heb zelf gezien dat ze vorige week vrijdag Zahid heeft bezocht. Hoe toevallig is dat contact met hem? Veronika kwam uit zijn huis en kreeg een bekeuring voor het in bezit hebben van cocaïne. Daarna wordt ze beschuldigd van het lekken van informatie over haar cliënten naar een zware crimineel. Ik heb het haar zelf voor de voeten geworpen, ik heb haar beschuldigd van deelname aan diefstal en georganiseerde criminaliteit. Ik weet wel zeker dat ze, toen ik wegging, contact heeft opgenomen met Kadir Zahid.'

'Het huis van Zahid is maandagavond voortdurend in de gaten gehouden,' zei Gunnarstranda afgemeten. 'Er is niemand bij het huis aangekomen. Niemand heeft het huis verlaten, volgens Rindal.'

'Zahid zegt zelf dat hij thuis was met twee van zijn broers,' mengde Lena zich in het gesprek.

'Maar niemand weet zeker dat hij inderdaad thuis was,' bracht Frølich ertegen in.

Gunnarstranda hield zijn hoofd een beetje scheef. 'Je moet wat duidelijker zijn.'

'Het huis wordt de hele nacht in de gaten gehouden, om Zahid op heterdaad te kunnen betrappen als hij een inbraak pleegt. Als hij de hele nacht niet thuis was, is het niet ondenkbaar dat onze jongens steeds voor een leeg huis hebben gestaan of dat ze alleen op de broers hebben gelet. Het is dus wel degelijk mogelijk dat Zahid Veronika heeft ontmoet en dat hij haar heeft vermoord.'

Gunnarstranda dacht daar even over na.

'De dader is hoe dan ook iemand uit haar kennissenkring,' zei Lena Stigersand. 'Waar kwam ze die avond vandaan, en waar ging ze naartoe?'

Gunnarstranda grijnsde. 'Waar komen we vandaan en waar gaan we naartoe? Vragen we ons dat niet allemaal ons leven lang af?'

Hij keek hen om beurten aan en schraapte zijn keel: 'We moeten uitzoeken wat Karl Anders Fransgård die avond deed, begrepen?'

Frølich besloot dat het moment daar was. Hij schoof op zijn stoel heen en weer.

'Ja?'

'Ik heb hem gesproken.'

Stoelpoten schraapten over de vloer toen iedereen zich naar hem toekeerde. Het werd stil. Iedereen keek naar Frank Frølich, die zijn rug rechtte en van de een naar de ander keek.

'Wat heeft hij gezegd?'

'Hij liegt over waar hij is geweest.'

'En jij weet dat?'

Frølich knikte. 'Hij beweert dat hij die avond bezoek heeft gehad van zijn ex, Janne Smith. Ik heb met haar gesproken. Ze zegt dat ze in haar eigen huis was, samen met haar zoon, Kristoffer, die bevestigt wat ze zegt.'

'En dat zeg je nu pas?' Dat was Lena Stigersand. De bloeduitstorting boven haar oog was nog nauwelijks zichtbaar.

'Pas toen ik met haar sprak, ontdekte ik dat hij loog,' zei Frølich rustig. 'Ik heb trouwens al een paar keer duidelijk tegen Gunnarstranda gezegd dat ik in deze zaak niet competent ben en er niet aan deel zou moeten nemen.'

'Maar dat verzoek is afgewezen,' zei Gunnarstranda en hij keek op de klok. 'Vanaf nu neem ik Fransgård voor mijn rekening, en daarmee basta. Nou, waar wachten we nog op?'

14

Er zat een vlieg in de auto. Hij kroop langs het glas omhoog. Gunnarstranda opende het raampje en de vlieg verdween. Hij reed langzaam langs de ingang van het zwembad. Het gegil en geschreeuw van de kinderen golfde over de hekken, vermengd met de geur van chloorwater. Hij reed verder langs de parkeerplaats bij het Frognerpark. Hier moest ergens de zogenaamde pompenput zijn, wat dat dan ook maar mocht betekenen. Hij bevond zich aan de zijkant van het gewelfde gebouw van het Water- en Energiebedrijf toen hij een betonnen wand ontdekte met aan de linkerkant een grote roldeur. Het bord op de muur was van de gemeente Oslo. Hij reed zijn auto naar de kant en stopte.

Eigenlijk was hij niets opgeschoten. Er was geen mens te zien. Geen geparkeerde auto's. Hij pakte zijn telefoon en belde nog een keer het nummer dat hij van de gemeentelijke administratie had gekregen. De telefoon ging drie keer over voordat de man opnam.

'Fransgård?'

'Ja, dat ben ik.'

Gunnarstranda verklaarde dat hij voor de roldeur in de Middelthuns gate geparkeerd stond. Nog voordat hij was uitgesproken, ging de poort open en kwam de inrit tevoorschijn van een tunnel die de rots in voerde.

Gunnarstranda zette de auto in de versnelling en reed naar binnen. Kleurrijke schilderingen sierden de betonnen wanden in de tunnel. Graffiti op de wand, hulde aan Pythagoras en Archimedes, een rechthoekige driehoek met een afgeleide wiskundige formule en daarnaast een voorstelling van een man in een bad die luidkeels *Eureka* riep terwijl het bad overstroomde. Gunnarstranda stopte voor een verkeerslicht aan het plafond dat al snel op groen sprong. Hij liet de auto in de tweede versnelling naar beneden rollen. Hij passeerde graffiti met kopieën van schilderijen van Edvard Munch. De grot slingerde zich naar beneden, de ene bocht na de andere, naar het binnenste van de rots. Ten slotte eindigde de weg op een geasfalteerde parkeerplaats. Daar stond nog een andere auto geparkeerd, een donkere Volvo.

Gunnarstranda stapte uit. Er hing een vreemde geur, niet direct vies maar toch onaangenaam. Hij hoorde lawaai. Er klonk gedreun van machines, dat weer werd overstemd door een nog harder geluid.

Aan de andere kant van de parkeerplaats was een enorme stalen poort geplaatst. In de buurt van de tunnelopening voerde een of andere installatie met kranen en loopbruggen verder de rots in. Daar, in een grote put, stonden zes grote machines op een rij. Die maakten het zware geluid. Alle machines waren met grote bouten vastgezet. Elke bevestiging was versterkt met stalen dwarsliggers. Gunnarstranda klom op een metalen brug die over de put met machines voerde. Daar ontdekte hij Fransgård achter een machine; een magere, pezige man in een groen reflecterend vest en met een blauwe helm op.

'Fransgård?'

De man draaide zich om en klom de ladder op. Ze gaven elkaar een hand.

Gunnarstranda moest roepen om het lawaai te overstemmen. 'Dus dit is de pompenput?'

Fransgård knikte. 'Achter die wand is een megagroot bassin. Het merendeel van het riool en de afwatering van de stad wordt hierheen afgevoerd en vervolgens verzameld. Deze zes machines pompen het rioolwater dertig meter omhoog naar een grote buis die daarna met gebruik van het natuurlijk verval helemaal naar Slemmestad loopt.'

Ze bleven zwijgend naar de blauwe pompen staan kijken.

'U hebt al met Frank Frølich gesproken,' zei Gunnarstranda eindelijk.

Fransgård knikte.

'Omdat jullie elkaar al van vroeger kennen, moet u ook nog een keer met mij praten, hoewel uw hoofd er waarschijnlijk niet naar zal staan. Zullen we ergens naartoe gaan waar het niet zo'n lawaai is?'

'Dat is goed.'

'Mijn auto,' zei Gunnarstranda. Hij liep naar beneden en hield het portier voor hem open.

'Bent u hier met onderhoud bezig?' vroeg hij, nadat hij achter het stuur was gaan zitten.

'Ik ben eigenlijk een soort libero,' zei Fransgård. 'Projectleider, ik ben overal waar riolen zijn.'

Gunnarstranda knikte, wat hem betreft had het beleefdheidspraatje lang genoeg geduurd. 'Wat denkt u dat er die avond is gebeurd?' vroeg hij. Ineens besefte hij dat hij de man op zijn mobiele telefoon had gebeld. Zestig meter onder de grond, en dan nog bereik. Niet gek. Toen het antwoord op zich liet wachten, draaide hij zich naar Fransgård toe, die zijn helm afzette.

'Ik vind het nogal moeilijk om daarover te praten.' Fransgård haalde een blikje nicotinepoeder uit zijn zak en stopte een balletje onder zijn bovenlip. Hij veegde zijn vingers schoon, stopte het blikje terug in zijn zak en bleef met getuite lippen voor zich uit zitten kijken.

'Iedereen begint met andere ideeën en verwachtingen aan een relatie,' ging hij ten slotte verder. 'Je respecteert de ander, je denkt dat je je partner kent. Gevoelens overheersen. Je definieert het als liefde. Dieren hebben het gemakkelijker dan wij, meneer Gunnarstranda. Ze zijn één keer per jaar bronstig en daarmee is de kous af. Maar wij mensen moeten als het ware twee routes tegelijk afleggen, als we aan een relatie beginnen. De ene weg wordt gestuurd door gevoelens. De andere weg is de rationele, die wordt gestuurd door het dagelijks leven, door werk en routines. Je vindt een bepaald evenwicht in een relatie; over bepaalde onderwerpen ben je helemaal open, over andere dingen wordt niet gesproken. Het heeft ongetwijfeld met je persoonlijkheid te maken. Voor sommigen is het volkomen natuurlijk om overal open over te zijn. Ik heb een nicht die op een feestje iedereen, zelfs totaal vreemde mensen, gratis en voor niets lastigvalt met allerlei details over haar aambeien. Sommigen vinden het afschuwelijk, terwijl anderen het een volkomen natuurlijk en interessant thema vinden en vrolijk de dialoog aangaan. Een ander voorbeeld: een van mijn collega's had een haast hysterische openheid tegenover zijn partner. Ze woonden samen, hij stond erop dat zij toegang had tot zijn bankrekening, dat ze zijn brieven las, en natuurlijk verlangde hij ook dezelfde openheid van haar. Uiteindelijk kon zij er niet meer tegen en ze ging weer op zichzelf wonen. Het was onmogelijk om in hun relatie ook maar iets privé te houden. Waarom zeg ik dit? Mijn vriend Frølich, die u zojuist noemde, heeft vorige week op een nacht Veronika gearresteerd. Ze heeft me dat verteld, maar pas nadat ze Frølich op het feest voor mijn veertigste verjaardag had ontmoet en ze begreep dat wij vrienden waren. Toen bracht ze me op de hoogte, om mijn vriend te vlug af te zijn, voordat hij zijn versie kon vertellen, begrijpt u. Ze had wat cocaïne bij zich, maar ze vertelde me niet waarom ze die cocaïne bij zich had, en waar of van wie ze die had gekregen. Ze sloot zich helemaal af en wilde er niet over praten.

Ik had geen idee dat ze dergelijke drugs gebruikte. Wat ik probeer te zeggen is dat toen ze ervoor koos om mij die dingen te vertellen, ze de hele tijd selectief was in wat ze vertelde. Ze vertelde bijvoorbeeld niet wát de aanleiding was voor het feit dat de politie haar aanhield en waar ze was vóórdat ze werd gearresteerd, waar ze was tóén ze werd gearresteerd of wáárom dat überhaupt gebeurde. Maar na dat gesprek vielen er wel een aantal dingen op hun plaats. Ik begreep ineens dat ik Veronika eigenlijk niet kende. En dat was nogal een choquerende *aha-erlebnis*. Je bent al een hele tijd bij iemand, je bent zelfs met haar verloofd, je hebt besloten dat je jouw toekomst met haar wilt delen, en plotseling ontdek je dat je haar eigenlijk niet kent! Je begint te denken, je laat je hele relatie nog eens de revue passeren en je wordt steeds meer paranoïde. Je denkt: die en die dag wilde ze niet met me afspreken, waarom niet? Waarom moet alles in deze relatie zo uitentreuren gepland worden? Leeft ze een dubbelleven? Zijn er vrienden en mensen en dingen in dat andere leven waar je geen flauw idee van hebt?'

Fransgård legde zijn handen op de helm die op zijn schoot lag.

'U hebt geen antwoord gegeven op mijn vraag,' zei Gunnarstranda. 'Wat denkt u wat er is gebeurd op de avond dat ze werd vermoord?'

'Er gebeurden veel rare dingen rond Veronika. Ik móét dit vertellen. Het is belangrijk voor mij, en het zegt veel over haar. Ik had een keer een vreemde ervaring. Of eigenlijk, het is vaker gebeurd. Maar er was een man die zich in de tram heel erg aan ons opdrong. We kwamen uit de stad en wilden naar huis gaan, het was heel druk, maar hij was opvallend opdringerig om het maar zo te zeggen. Ik dacht dat het een toevallige gek was, maar na een tijdje zag ik hem weer. Ik heb hem twee keer gezien. Op een avond was ik bij haar op bezoek geweest en ik zou naar huis gaan. Hij stond op het trottoir naar mij te kijken toen ik naar buiten kwam. Ik liep naar mijn auto en wilde instappen, toen ik merkte dat hij nog steeds naar me stond te staren met zo'n idiote blik in zijn ogen. Ik keek terug, en toen draaide hij zich om en liep weg.

Ik herinner me dat ik dacht: verdomme, dit is toch niet mogelijk. Het werd zo'n gebeurtenis die maar steeds door je hoofd blijft spelen, maar die je uiteindelijk toch weet weg te duwen. Maar toen gebeurde het verdomme nog een keer. Ik kwam naar buiten en botste bijna tegen die vent op. Hij deed snel een paar stappen achteruit en ging er toen vandoor alsof ik iets besmettelijks had. Toen dacht ik niet na, ik rende achter hem aan, maar hij wist te ontkomen. Ik liep terug en had het erover met Veronika, maar zij begreep er ook niets van. Een vent? In de tram? Hier buiten? Waar heb je het over? En ik... tja, ik liet het toen maar. Maar toen had ik een keer beloofd om op mijn nichtje te passen, ze is tien, mijn zus en haar man zouden een weekend met de boot naar Kiel op en neer om hun relatie weer wat op te frissen, om het zo maar te zeggen. Veronika en ik namen de meisjes, mijn nichtje en haar vriendinnetje, mee naar een pretpark, naar Tusenfryd. Het was een mooie dag. De kinderen kregen kaartjes en geld en waren de hele dag door het dolle heen. Veronika en ik deden het rustiger aan, we hebben wat gegeten en hebben een paar van die achtbanen en dat soort dingen geprobeerd. We zijn onder andere in zo'n boomstamattractie geweest. Later kun je dan een foto van jezelf kopen. Zij heeft onze foto gekocht.

Aan het einde van de dag gingen we naar haar huis. De foto zat in haar tas en ik wilde hem bekijken. Toen ontdekte ik dat ze twee foto's had. De ene was van haar en mij, op de andere stond dat opdringerige type. De foto was een paar minuten na die van ons genomen.' Karl Anders Fransgård schudde zijn hoofd en maakte een hulpeloos gebaar met zijn handen. 'Ze beweert dat ze er helemaal niets van begrijpt als ik over die vent vertel, maar als ze een foto van hem ziet in de kiosk in Tusenfryd, dan koopt ze die zonder iets tegen mij te zeggen en verstopt ze hem in haar tas.'

Hij zweeg.

'Hebt u haar ermee geconfronteerd?'

'Nee.'

'Waarom niet?'
'Het was nogal een schok om op die manier te ontdekken dat ze tegen me loog. Een klap in je gezicht is er niks bij. Maar ik wilde vooral geen scène maken waar die beide meisjes bij waren. En later... durfde ik het niet, ik liet het er in elk geval bij zitten. Ik weet niet waarom. Maar ik heb er sindsdien wel honderd keer aan terug gedacht!'
Fransgård zat met zijn ogen gesloten. Het leek alsof hij het zichzelf verweet, dacht Gunnarstranda, en hij vroeg: 'Waarom vertelt u dit?'
'Ik denk dat die man haar heeft vermoord.'
'Die man?'
Fransgård knikte.
'Een man van wie u de naam niet weet?'
Fransgård knikte weer.
'Hoe ziet die man eruit?'
Fransgård dacht even na en zei toen: 'Gewoon, tussen de veertig en de vijftig, dun haar, een beetje krullerig op zijn voorhoofd, verder een doodgewone man.'
'Blank?'
'Ja.'
'Dat is alles wat u weet?'
Fransgård knikte. 'Hij woont waarschijnlijk bij haar in de buurt, omdat ik hem twee keer bij haar voordeur heb gezien. Ik denk dat hij daar woont, vlakbij.'
'En Veronika heeft een foto van die man, een foto die genomen is in een attractie in Tusenfryd?'
'Gelooft u me niet?'
Gunnarstranda gaf geen antwoord en vroeg in plaats daarvan: 'Weet u waar ze is geweest of waar ze naartoe zou gaan op de avond dat ze werd vermoord?'
'Nee.'
'Heeft ze daarover niets gezegd?'
Fransgård schudde zijn hoofd.
'Zelfs geen aanwijzing gegeven?'
'Nee.'
'En er is ook niet iets wat ze regelmatig deed op maandag, wat ons op een spoor kan brengen welke plannen ze die dag kan hebben gehad?'
'Geen idee.'
'U hebt ook geen vaag vermoeden?'
Fransgård keek hem aan zonder iets te zeggen.
In de auto bleef de stilte in de lucht hangen. Het lawaai van de machines perste zich door het raampje naar binnen. Fransgård keek op zijn horloge. Hij schraapte zijn keel en wilde iets zeggen, maar Gunnarstranda was hem voor: 'U zei dat u achter die opdringerige kerel aan bent gegaan. Wanneer was dat?'

'Dat was op een woensdag. Een paar weken geleden.'
'U herinnert u wel dat het een woensdag was, maar niet hoe lang geleden?'
'Ik ging altijd op woensdag naar haar toe. Dat was zo onze gewoonte.'
'U zei dat hij wist te ontkomen?'
Fransgård knikte.
'Kunt u iets specifieker zijn?'
'Hoe bedoelt u?'
'Hoe wist hij te ontkomen?'
'Ik heb het opgegeven, ik heb hem laten lopen.'
'Kon hij goed sprinten?'
'Waar wilt u eigenlijk heen?'
Gunnarstranda haalde diep adem en telde vanbinnen langzaam af. Hij ging een raket afvuren, en daar hoorde aftellen bij: 'Is het niet duidelijk waar ik heen wil? U kletst maar wat, en dat weet u donders goed.'
Fransgård schrok. Hij drukte zijn schouder tegen het portier en keek de politieman met opengesperde ogen aan. 'Wat?'
'Nul,' mompelde Gunnarstranda zacht en hij zei hardop: 'Volgens Frølich hebt u beweerd dat u de avond dat Veronika werd vermoord met Janne Smith hebt doorgebracht, klopt dat?'
Fransgård veegde zich over zijn voorhoofd. Hij wist zich met moeite te beheersen maar zei ten slotte: 'Dat klopt.'
'Janne Smith beweert dat dat niet klopt. Wat zegt u daarvan?'
Fransgård keek Gunnarstranda afwezig aan. 'Daar heb ik niets op te zeggen.'
'Wilt u uw verklaring aanpassen?'
Fransgård wendde zijn hoofd af en keek leeg voor zich uit, alsof hij de vraag niet had gehoord.
'Wilt u uw verklaring over wat u deed en waar u was op het moment dat Veronika werd vermoord, veranderen?' herhaalde Gunnarstranda.
Fransgård slikte en schudde zijn hoofd. Zijn ogen ontweken Gunnarstranda.
'Moet ik dit opvatten als een teken dat u uw verklaring niet wilt veranderen? U beweert nog steeds dat u de maandagavond met Janne Smith hebt doorgebracht en dat u niet in de buurt van Veronika bent geweest?'
'Ja.'
Gunnarstranda draaide de contactsleutel om, zette de auto in de versnelling en reed de tunnel in die naar buiten leidde.
'Wat doet u?' vroeg Fransgård stomverbaasd.
'Fransgård,' zei Gunnarstranda minzaam. 'Ieder mens met een beetje balgevoel weet wanneer het spel is afgelopen. Ik arresteer u, *in naam van de wet*, zoals ze dat in oude films zeggen. We rijden nu naar het politiebureau en zullen uw verklaring keurig volgens de regels opnemen.'

Ze bleven zwijgend zitten, bocht na bocht.
Gunnarstranda stopte voor de gesloten poort.
Die bleef dicht.
Hij keek naar Fransgård die hulpeloos voor zich uit zat te staren. Het schilderij op de betonnen muur achter Fransgårds hoofd was een kopie van *De schreeuw*.
'Mijn auto,' zei Fransgård. 'Ik kan met mijn eigen auto gaan.'
'U luistert niet,' zei Gunnarstranda vriendelijk. 'U bent gearresteerd.'
Gunnarstranda keek naar de gesloten poort en zag, zonder te glimlachen, de ironie van zijn eigen antwoord in. 'Sesam, open u!' mompelde hij zachtjes.
Alsof de rots hem had gehoord, ging de poort langzaam open.
Hij reed naar buiten, stopte en zag in zijn spiegel dat de poort weer dichtging.

15

Lena Stigersand voelde zich altijd lachwekkend als ze zat te prutsen met de radio. Het had iets doms en tv-serieachtigs om te klungelen met een radio als je een uniform droeg, maar ze zat naast Rindal in de commandowagen en moest wel haar werk doen. Ze hadden radiocontact met de rechercheurs op Karihaugen en werden voortdurend op de hoogte gehouden. Abid Iqbal rapporteerde dat de bakwagen die was gestopt op de parkeerplaats voor het gebouw van *Dekkmekk*, nu met open deuren stond.

Rindal grijnsde en knipoogde naar haar.

Even later werd er activiteit gemeld. De bakwagen reed achteruit naar de achterkant van het gebouw. Een roldeur die was afgesloten met een hangslot, werd geopend. Er waren drie mannen bezig rond de vrachtwagen.

'Zie je Zahid?'

'Nee.'

Rindal keek naar Lena en grijnsde nog een keer, hij startte de auto en reed weg.

Abid rapporteerde: 'Er staat een logo van het verhuurbedrijf op de opbouw van de bakwagen, *Hent og Vent AS*.'

Rindal keek haar aan. 'Ooit van gehoord?'

Ze schudde haar hoofd.

Rindal gaf grijnzend bericht aan alle eenheden om rustig af te wachten.

De rechercheur rapporteerde dat de drie mannen nu binnen waren.

Rindal vroeg de rust te bewaren.

Hij beet op zijn onderlip.

Lena keek door het zijraampje. Ze passeerden Lindeberg. Rindal hield zich aan de maximumsnelheid. Een lange rij auto's reed achter hen, niemand durfde een politieauto in te halen.

Een nieuw rapport van Abid: een van de drie was om het gebouw heen gelopen en had zojuist de garagedeur van *Dekkmekk* geopend.

'Yes!' brulde Rindal in de microfoon.

Nieuw rapport: de man had een heftruck uit het gebouw van *Dekkmekk* gehaald.

Rindal zette het zwaailicht en de sirene aan. Hij trapte het gaspedaal helemaal in. De automatische versnelling schakelde, en Lena werd krachtig tegen haar rugleuning gedrukt.

Rindal brulde: 'Eropaf, nu meteen!'

Toen ze arriveerden, wemelde het van de politiemensen op de parkeerplaats voor *Dekkmekk*. Lena sprong uit de auto. Ze wilde niets missen. Drie mannen werden net naar een wachtende politieauto geleid. Ze kende ze geen van drieën. Ze droegen trainingsbroeken en anoraks die allang uit de mode waren, een van de mannen droeg een paar versleten schoenen, de anderen liepen op slippers. Polen of Litouwers, dacht ze, in elk geval Oost-Europeanen, een herkomst die haar kijk op de operatie veranderde.

Ze liep om de bakwagen heen. De roldeur die de vorige keer gesloten was geweest, stond nu open. Een smalle ruimte, een soort lange garage. Flatscreens, spelcomputers en laptops stonden op elkaar gestapeld. Kartonnen dozen met digitale fotoapparatuur, mobiele telefoons en grote bakken vol zilverwerk. Geen twijfel mogelijk, dit was gestolen goed. Toch was het rare gevoel dat ze had alleen maar sterker geworden.

Rindal draaide zich naar haar toe. 'Bingo, Lena. Goed werk.'

Ze schudde haar hoofd. 'Ik heb er geen goed gevoel bij. Volgens mij hadden we er verstandig aan gedaan als we ze de wagen gewoon hadden laten laden en ze weg hadden laten rijden.'

Rindal keek haar een paar tellen aan. Hij begreep haar, maar gebruikte zijn eigen argument: 'De heftruck. Die is van Zahid.'

Lena keek om zich heen. Emil Yttergjerde stond met een van de drie mannen in de anoraks te praten. Die zwaaide met een stapeltje papieren. Het leek een lange discussie te gaan worden.

Rindal sprong op de treeplank van de auto. Hij torende nu een halve meter boven iedereen uit.

'Oké!' riep hij luid. 'We halen de boel hier leeg, het gestolen goed wordt in beslag genomen. Kom op, aan het werk!'

Lena draaide zich om en keek naar de villa's die een paar honderd meter verderop lagen. Hij stond hen met een verrekijker in de gaten te houden, Zahid. Ze hief demonstratief haar arm en stak haar middelvinger op naar de dure huizen.

16

De zon had zich teruggetrokken achter een sluier van nevel, waardoor de intense hitte iets werd gedempt. De middag ging langzaam over in de avond. Frank Frølich stond voor de schouw bedachtzaam te kijken naar het halflege bierblikje dat Karl Anders daar had neergezet. Als hij terugdacht aan hun gesprek werden de woorden gekleurd door wanklanken. Hij draaide zich met zijn rug naar het blikje en keek nu naar de plank met dvd's. Hij liet zijn ogen over de titels dwalen voor het geval hij de moed kon opbrengen nog een keer naar een van de films te kijken: *Heat, Once upon a time in America, Departed, Casino*. Eigenlijk kon geen enkele titel hem verleiden. Hij had er de rust niet voor om geduldig een hele film uit te kijken. Zou hij een pilsje pakken, op het balkon gaan zitten en doen alsof hij aan de waterkant zat? Zou hij iets gaan eten? Nee, hij had geen trek. Naar muziek luisteren? Hij bracht het niet op om de installatie aan te zetten.

Er werd aangebeld.

Om de een of andere reden keek hij op zijn horloge. Waarom keek hij op zijn horloge als er werd aangebeld? Hij liep op zijn gemak naar de hal en pakte met een vragend 'Ja?' de hoorn van de intercom terwijl hij tegelijk op de schakelaar drukte die de deur beneden opende. Hij kreeg geen antwoord van de bezoeker, hoorde alleen het zoemen van het slot en de dreun toen de deur dichtsloeg achter degene die was binnengekomen.

Hij bleef in de deuropening staan terwijl de lift omhoog kwam. Op zijn verdieping hield de lift stil. De liftdeur ging open.

Uit de lift kwam Janne Smith.

'Ik moet met je praten,' zei ze.

'Natuurlijk, kom binnen.'

Terwijl hij naar binnen liep, probeerde hij in paniek de ergste rommel bij elkaar te rapen. Godzijdank! Geen ondergoed of vieze handdoeken te zien. Hij bleef gebogen over de salontafel staan en legde een paar oude kranten aan de kant. 'Kan ik je iets aanbieden?'

'Nee, dankjewel.'

Haar toon maakte hem alert. Ze was in de deur van de hal blijven staan. Geel topje, shorts, sandalen, rode teennagels. Een klein schoudertasje en haar handen in haar zakken. Haar blik dwaalde langs de wanden.

De stilte was voelbaar. Zij was degene die het zwijgen verbrak.

'Waarom doe je dit?'

'Wat?'

'Karl Anders achter de tralies zetten.'

Diep vanbinnen had hij natuurlijk allang begrepen waar dit om ging, maar toch kon hij zijn teleurstelling niet verbergen toen de aap uit de mouw kwam. Hij zuchtte diep en liet zich op een stoel zakken. 'Je weet dat dit geen zin heeft, hè?'

Ze was verontwaardigd. Haar lippen trilden toen ze sprak: 'Karl Anders heeft misschien gelogen toen hij vertelde dat hij bij mij was toen Veronika werd vermoord. Maar jij bent zijn vriend. Jij moet weten dat hij haar niet heeft vermoord. Zo goed moet je hem toch kennen! En dan heb je toch het lef om hem te arresteren?'

'Dat heb ik niet gedaan.'

Haar ogen stonden kil en hard. 'O, nee? Houdt hij misschien vakantie daarbinnen?'

'Hij wordt verhoord. Daarna wordt hij misschien voorgeleid en dan beslist de rechter-commissaris of hij in voorlopige hechtenis wordt genomen of niet.'

'Maar jij moet toch weten dat hij onschuldig is.'

'Ik had niets te maken met die arrestatie.'

'O, nee? Wie heeft dan in twijfel getrokken wat hij heeft verteld over de avond dat Veronika werd vermoord?'

'Dat moest ik wel vertellen.'

'Dat moest je niet.'

'Ik zat met een ethisch dilemma, maar ik ben tot de conclusie gekomen dat het niet goed was om in deze zaak informatie achter te houden.'

Ze keek hem aan met een blik vol verachting. 'Godallemachtig, wat ben jij sneu,' zei ze met zachte stem.

Hij begon genoeg te krijgen van het gezeur, maar wist zich te beheersen: 'Karl Anders kan op elk moment zijn verklaring veranderen, maar dat heeft hij niet gedaan. Als jij nu eens rustig nadenkt over waar deze zaak precies over gaat...'

'Ik weet waar deze zaak over gaat,' onderbrak ze hem schel.

'Er is in deze zaak maar één slachtoffer,' ging hij net zo beheerst verder. 'Veronika is een afschuwelijke dood gestorven. Het is de taak van de politie om de dader te vinden en die voor het gerecht te brengen, zodat hij zijn verdiende straf krijgt. Als iemand liegt over zo'n belangrijke vraag, is hij zelf verantwoordelijk voor de gevolgen.'

'Maar je bent zijn vriend!'

'Dat heeft niets met zijn waarheidsliefde te maken.'

'Wat heb je aan vrienden als je elkaar in dit soort omstandigheden niet kunt steunen?'

'Natuurlijk steun ik hem.'

'O, ja?' Haar ogen stonden net zo onverzoenlijk, haar mond was smal en giftig. 'Als dat waar jij mee bezig bent, vriendschap genoemd moet worden, wat doe jij dan wel niet met je vijanden? Hij mag geen bezoek hebben. Als die behandeling het gevolg is van zijn belachelijke noodleugen, dan wil ik mijn verklaring wel veranderen. Roep me maar op voor verhoor. Ik kan zeggen dat ik me vergist heb, dat we wel samen waren. En dan heb jij geen zaak meer. Toch?'

'Ik ben bang dat het niet veel zal helpen.'

'Zie je wel, je geeft het zelf toe. Dit gaat niet over leugen en waarheid. Het gaat over jouw wraak op iemand die jou ziet als zijn vriend.'

'Wraak? Wat bedoel je met wraak?'

Janne wendde haar blik af en zei: 'Ik weet wat er is gebeurd.'

Frølich verstijfde. Zijn borstkas voelde aan als een ijsblok. Hij wist niet zeker of hij het goed had gehoord en koos zijn woorden zorgvuldig: 'Wat bedoel je?'

'Ik weet wat er tussen jullie tweeën is gebeurd, waarom jullie het contact hebben verbroken.'

'Dus dat weet je? Nu ben ik echt nieuwsgierig. Vertel!'

Zijn houding verraste haar. Haar ogen leken te verkleuren van onzekerheid. 'Je hoeft je niet aan te stellen,' zei ze vlug.

'Ik stel me niet aan, maar ik kan moeilijk geloven dat Karl Anders ook maar iemand zou toevertrouwen wat hij destijds heeft gedaan.'

Ze keek hem nerveus aan, maar hij had nu genoeg van haar. Hij was boos. Dit was zijn huis. Hij had geen zin om hier te worden lastiggevallen over zijn werk of met wat voor lasterpraat dan ook.

'Wat bedoel je?' vroeg ze.

'Niets. Ik heb niets te zeggen. En nu heb ik er genoeg van om in mijn eigen huis te worden uitgescholden!'

Janne Smith zonk neer op de bank. Ze verborg haar gezicht in haar handen.

'Ga naar huis!' zei hij hard. 'Zodra Karl Anders betrouwbare antwoorden geeft op een paar vragen, mag hij naar huis en kunnen jullie een feestje bouwen met wafels en champagne. Als je hem vertrouwt, komt dat wel goed. Ga naar huis en naar je zoon, dan komt Karl Anders waarschijnlijk in de loop van de avond wel naar je toe.'

Ze stond op. Het leek alsof de tengere vrouw een gedaanteverwisseling had ondergaan. Ze veegde met de rug van haar hand onder haar ogen langs, en keek naar de restanten make-up die op haar hand achterbleven. 'Ik ga weg, maar mag ik even gebruikmaken van je badkamer?'

Ze ging naar binnen en liet de deur open staan. Ze waste haar gezicht en keek in de spiegel. Toen pakte ze een mascara uit haar tas en maakte haar ogen op terwijl ze sprak: 'Ik heb met een buurman gepraat die advocaat is.

Hij vertelde dat Karl Anders beslist vast wordt gehouden, anders was hij nu al wel vrij geweest.'

'Daar weet ik niets van. En een willekeurige advocaat weet dat ook niet.'

Ze bestudeerde haar spiegelbeeld.

'Janne,' zei hij.

Ze ontmoette zijn blik in de spiegel.

'Waarom heb je eigenlijk je relatie met Karl Anders verbroken?'

'Eigenlijk? Ik heb toch gezegd dat we problemen hadden. Het ging niet goed tussen hem en Kristoffer. Ik móést een keuze maken. Dus ik maakte er een eind aan... of eigenlijk... nou ja, je weet hoe dat gaat. Je stelt een time-out voor, dat soort dingen.'

'Is er niets gebeurd?'

Ze draaide zich om en keek hem nerveus aan. 'Wat bedoel je?'

De stilte bleef even hangen. Op dat moment wist hij het zeker. Wat Karl Anders haar ook had verteld over zijn verleden, het was in elk geval niet de waarheid. Hij keek diep in haar ogen en zei kil: 'Ik bedoel niets, ik vroeg alleen of er een concrete gebeurtenis ten grondslag lag aan de breuk, maar nu begrijp ik dat het niet zo was, dat jullie gewoon uit elkaar groeiden, zoals dat ook in boeken gaat.'

Hij zag dat zijn reactie haar verontrustte, maar ze durfde er niet op door te gaan.

Ze zei: 'We hebben elkaar toen maandenlang niet gezien, misschien wel een halfjaar. Toen we elkaar weer ontmoetten, leek het uitzichtloos. We spraken een paar keer af, maar we voelden dat het geen zin had om opnieuw te beginnen. Toch hielden we contact, op feestjes en zo. Zo ontmoette hij Veronika, op een feest.'

Ze keek een hele tijd leeg voor zich uit. Plotseling schoot haar arm naar voren en ze leunde tegen de muur.

'Gaat het wel goed?' vroeg hij.

'Nu is Kristoffer volwassen,' zei ze. Ze had haar zelfbeheersing weer terug. 'De dingen liggen nu anders.'

'En Veronika?'

Ze sloot haar ogen.

Hij draaide zich om, liet haar met rust.

Toen ze even later uit de badkamer kwam, leek ze rustiger en zelfverzekerder. Ze bleef staan, haar armen had ze voor haar borst over elkaar geslagen. 'Ik weet dat het koud en cynisch klinkt,' zei ze. 'Maar Veronika is dood. Ze is er niet meer. Ik noch Karl Anders kan ophouden met leven, omdat zij dood is.'

Ze dacht even na en vervolgde: 'Ik had hier misschien anders tegenaan gekeken als ik Karl Anders al niet zo door en door kende. Toen we weer bij elkaar kwamen, voelde dat alleen maar goed. Een enorm, diep gemis verdween bij ons allebei. We waren hoe dan ook weer bij elkaar gekomen. Ik weet dat. Hij weet dat. Daarom is het zo ontzettend belangrijk dat de dood van Veronika niet tussen ons komt te staan als we opnieuw beginnen. Ik hield van Veronika. Karl Anders hield ook van haar. Maar er was geen liefde tussen hen. Ik weet dat het vreemd klinkt als ik dat beweer, maar het is waar. Ik weet het, diep vanbinnen weet ik het. En na haar dood heb ik één grote fout gemaakt. Het was fout van mij om jou de waarheid te vertellen. Als ik had geweten wat Karl Anders je had verteld, dan had ik alles aan elkaar gelogen. Ik zou hebben gezegd dat Karl Anders en ik de avond dat ze werd vermoord samen waren. Dan had niemand een reden gehad om hem te verdenken, dan had niemand een reden gehad om hem te arresteren. Daarom kan ik het niet laten om jou verwijten te maken. Je hebt me erin laten lopen. En toen je mij erin liet lopen, heb je Karl Anders verraden. En zo heb jij dat kleine beetje liefde waaraan we ons probeerden vast te klampen om opnieuw te beginnen, weten te bezoedelen. Ik zal je dat nooit vergeven, en Karl Anders zal dat ook niet doen. Je hebt je spelletje heel chic gespeeld, je hebt zelfs Kristoffer erbij betrokken en het mij op die manier onmogelijk gemaakt om te liegen, je hebt me de mogelijkheid ontnomen om Karl Anders te redden. Maar je weet net zo goed als ik dat Karl Anders Veronika niet kan hebben vermoord. Dat geloven we niet, geen van beiden.'

Hij liep langs haar heen, opende de voordeur en hield die wijd open.

Zij stond op dezelfde plek.

'Verdwijn,' zei hij.

Ze aarzelde een paar tellen, maar liep toen langs hem naar buiten.

Frank Frølich sloot de deur zonder haar na te kijken. Hij bleef op dezelfde plek staan toen de lift op een van de lager gelegen verdiepingen in beweging kwam. Hij stond nog steeds op dezelfde plek toen de lift tot stilstand kwam, de liftdeur opende en weer dichtging en Janne Smith naar de begane grond werd gebracht.

Toen liep hij de kamer in en ging zitten op de bank. Hij leunde achterover en keek naar het bierblikje op de schouw. Het was alsof het blikje zijn oude vriend representeerde. Het had alles gezien en gehoord, namens Karl Anders.

17

'En waar ben jij mee bezig?' vroeg Gunnarstranda verbaasd vanuit de deuropening.

Frank Frølich keek op van het bureaublad, schuldbewust. 'Rosalind M'Taya,' verklaarde hij. 'Ik probeer een reconstructie te maken van wat ze heeft gedaan voorafgaand aan haar verdwijning.'

'Is de zaak-Veronika niet belangrijker?'

'Jij hebt toch iemand gearresteerd,' zei Frølich kortaf.

Gunnarstranda reageerde niet meteen. Hij deed de deur achter zich dicht. 'Bewakingscamera's,' zuchtte hij. Hij pakte een dvd en schudde zijn hoofd. 'Ik haat bewakingscamera's. Al dat technische spul is rotzooi. Elektronische sporen, zeggen ze, en dan willen ze mij laten geloven dat de wereld van vandaag anders is dan die van gisteren. Maar de wereld is niet anders. De mensen zijn precies hetzelfde. Twintig jaar geleden was het nog niet mogelijk om mobiele telefoons te registreren, waren er nog geen tolpoorten of stationaire radarsnelheidsmeters die registreerden waar mensen reden, en hadden we nog geen bewakingscamera's op elke straathoek in het centrum, maar toch lukte het ons om moordenaars op te pakken. We deden politiewerk. We maakten gebruik van onze kennis en ervaring. Nu moeten we als een of andere filatelist met een loep aan een bureau zitten om uit lijsten op te maken wie op een bepaald moment was ingelogd op het internet of om te kijken wie er hoe laat een sms aan iemand heeft verstuurd. Ik heb geen zin om daar mijn dag mee door te brengen. Dat is geen politiewerk. Politiewerk is praten met mensen, mensen verhoren, hun reacties interpreteren, het nauwkeurig afstellen van psychologische mechanismen...'

'Of gewoon de hele nacht op je kont in een auto zitten terwijl de hoofdverdachte zich uitleeft in de slaapkamer,' onderbrak Frølich hem enigszins geïrriteerd omdat Gunnarstranda hem van zijn werk hield. 'Je hoeft niet zo bang te zijn voor vooruitgang,' zei hij. 'Ik weet zeker dat veteranen op dezelfde manier zaten te klagen toen de politie gebruik ging maken van vingerafdrukken, toen ze begonnen te zoeken naar huid onder de nagels van slachtoffers van een verkrachting en vooral toen we DNA als bewijs konden gaan gebruiken en...'

'Veteranen? Vind je mij oud soms?'

Frølich sloot zijn ogen om zich niet van de wijs te laten brengen. 'Ik geloof gewoon niet dat jij zo'n hekel hebt aan kantoorwerk, je bent alleen maar allergisch voor vooruitgang. Nieuwe technologie betekent nascholing, en nascholing betekent verandering van iets in jezelf.'

Gunnarstranda rolde met zijn ogen.

Frølich ging onverstoorbaar verder: 'Wat betreft Rosalind M'Taya weet ik niet eens of er wel sprake is van een misdrijf, maar ik kan het niet uitsluiten. Als ze ergens vermoord is, moet ik uitzoeken wie een motief en de mogelijkheid had. Hetzelfde werk deden ze honderd jaar geleden ook. Het verschil is alleen dat ik met grotere waarschijnlijkheid kan bewijzen wie de mogelijkheid had haar iets aan te doen. Mijn intuïtie zegt me dat Andreas Langeland weet wat er is gebeurd met Rosalind. En hij liegt tegen mij. Hij kijkt me recht in mijn ogen en zegt dat hij haar niet heeft gezien, maar de camera op Gardermoen bewijst dat hij liegt. Hij werkt daar, hij laadt koffers in en uit de vliegtuigen. Als hij klaar is met zijn werk, ontdekt hij haar in de aankomsthal. Hij volgt haar naar het treinstation en weet haar zover te krijgen dat ze zich omdraait. Twee dagen later zit ze samen met zijn broer in een studentencafé in Blindern. Hoe is het mogelijk dat ze precies op de avond van haar verdwijning met zijn broer zit te praten? Het antwoord is logisch genoeg. De ene broer stelt haar voor aan de andere. Mijn intuïtie zegt dat Andreas Langeland Rosalind in het studentencafé heeft ontmoet. Hij weet dat ze nieuw is in het land en dat ze mensen wil leren kennen. Hij heeft haar een lift gegeven. Vrijdags neemt hij contact met haar op en nodigt haar uit om mee te gaan naar het café om mensen te ontmoeten, kennis te maken met zijn broer en al hun vrienden. Ze gaat erheen. Er werkt een meisje in het café dat smoorverliefd is op Mattis Langeland. Hij is een charmeur. Hij heeft een litteken in zijn mondhoek en blablabla. Het meisje in het café ziet Andreas niet, maar hij is er wel, gegarandeerd. Zo móét het gegaan zijn. Mattis probeert namelijk Rosalind niet te versieren. Ze is die avond van zijn broer. Mattis vertrekt en zij blijven met z'n tweeën achter. Ik ben ervan overtuigd dat Andreas heeft geprobeerd haar te verleiden. Toch is híj degene die ontkent dat hij haar heeft gezien.

Stel je voor: het meisje heeft twee dagen meegedaan aan de zomercursus. Dan gaat ze naar een café en verdwijnt. Zo maar!' Hij knipte met zijn vingers. 'Geen van haar medestudenten of docenten weet wat er is gebeurd. Dan vraag ik je: waarom ontkent Andreas Langeland dat hij haar heeft gezien? Wat heeft dat voor zin? Er zitten twee dagen tussen de beelden van Gardermoen en de verdwijning. Hij had niet hoeven ontkennen dat hij haar heeft gezien en naar Oslo heeft gebracht. Er is maar één reden voor zijn ontkenning: hij weet wat er met haar is gebeurd.

Ik kan niet bewijzen dat ze is vermoord, maar mijn intuïtie zegt dat dat wel is gebeurd. Ze heeft geen geld meegenomen, geen toilettas en geen kleren. Is ze vrijwillig verdwenen? Nee. Is ze ontvoerd voor losgeld? Een arm meisje uit een arm land in Afrika dat geld moet krijgen van Buitenlandse

Zaken in Noorwegen voor een vliegticket? Onwaarschijnlijk. Heeft ze na die avond zelfmoord gepleegd? Een meisje dat de kans van haar leven krijgt, een reis naar een welvaartsland als Noorwegen voor een prestigieus studieproject, een meisje dat tweeënveertig inspirerende dagen voor de boeg heeft in een internationaal gezelschap, met uitstekend gekwalificeerde sprekers, nieuwe vrienden, nieuwe netwerken zowel uit als thuis, dus een zee van mogelijkheden? Nee. Rosalind M'Taya was nieuw in Noorwegen en ontmoette de verkeerde man op het verkeerde moment. Andreas Langeland heeft haar vermoord. Mijn zesde zintuig – als ik dat al heb – fluistert mij dat in. Het maakt mij woedend dat hij haar heeft vermoord. Het zal me lukken om die klootzak achter slot en grendel te krijgen, maar ik weet dat dat staat of valt met één punt: ik moet haar lichaam vinden. Ik weet niet waar het is, maar ik kan in kaart brengen wat Andreas die avond en nacht heeft gedaan door elektronische sporen te controleren. Ik krijg een overzicht waar zijn auto is geweest, welke tolpoorten hij is gepasseerd. Ik zal uitzoeken waar zijn mobiel zich op elk moment bevond, waar hij geld heeft uitgegeven en waar hij geld heeft opgenomen. Op die manier kan ik een geografisch gebied afgrenzen. En als ik dat heb gedaan, ga ik desnoods met een lijkhond op pad. Ik zal het lichaam vinden en die klootzak zal voor het gerecht komen!'

'Amen,' zei Gunnarstranda. 'Als ze maar arm en mooi genoeg is, kan het toch ook zijn dat ze nu op dit moment op een hotelkamer een man ligt te pijpen? Ze zou niet het eerste Afrikaanse meisje in dit land zijn dat haar geld op die manier verdient.'

'Op dat soort opmerkingen wil ik niet eens reageren,' zei Frølich nijdig.

Gunnarstranda haalde zijn schouders op. 'Ik kan het ook niet laten om gebruik te maken van moderne technologie, mijn punt is alleen dat ik er een hekel aan heb om urenlang lijsten door te nemen in plaats van gesprekken te voeren met mensen van vlees en bloed. Trouwens...' voegde hij eraan toe terwijl hij zich omdraaide op weg naar buiten.

'Trouwens wat?'

'Ik zou willen dat je net zo geïnteresseerd was in de zaak-Veronika. Heeft jouw ontwijkende gedrag in die zaak er misschien mee te maken dat de hoofdverdachte een vriend van je is?'

Frølich moest die woorden even laten bezinken voordat hij antwoord kon geven: 'Wie zegt dat?'

'Frølich. Pas op!' zei Gunnarstranda zacht. 'Het is gewoon een feit dat Veronika Undset vermoord is. Haar lichaam is gevonden. Hoogstwaarschijnlijk is het jouw oude vriend die haar heeft vermoord, maar jij houdt je alleen maar bezig met het zoeken naar een lijk waarvan niemand iets weet. Je gebruikt je energie op een verkeerde manier!'

Frølich keek hem scheef aan. 'Vreemd dat jij je zo betrokken toont,' zei hij rustig. 'Wat is er gebeurd?'

'Het bewijs is plotseling erg mager geworden!'

Frølich stond op. Hij ademde uit. De arrestatie van Karl Anders had als een steen op zijn maag gelegen. Het bezoek van Janne Smith had die steen nog zwaarder gemaakt. Nu werd hij weer iets lichter. Hij haalde opgelucht adem. Hij voelde zich al iets beter. Hij moest zijn hoofd afwenden om een kleine glimlach te verbergen: 'Hoe reageerde Karl Anders zelf?'

'Hoe denk je dat hij reageerde? Ik kom nu van de rechter-commissaris. We waren te vlug,' zei Gunnarstranda.

'De rechter-commissaris bijt zich vast in de relatie tussen Veronika en dat wat zij bewijsbaar georganiseerde criminaliteit noemt. Regine Haraldsen was het slachtoffer van een inbraak, net als een aantal andere cliënten van Veronika. De rechercheurs die Zahid in de gaten hebben gehouden, komen met allerlei tegenstrijdige verklaringen. Ze wisten zelfs niet zeker of ze Zahid of zijn broer in de gaten hadden gehouden. En ten slotte, als klap op de vuurpijl: jouw arrestatie van Veronika. De inbeslagname van de cocaïne die ze in haar tas had. De rechter-commissaris heeft het in haar hoofd gehaald dat deze moord lijkt op die troep die ze in Amerikaanse tv-series ziet. Nou ja, Karl Anders Fransgård is als een vrij man weggewandeld. Twee uur geleden stak hij zijn vinger naar mij op; wie zou dat niet hebben gedaan in zijn situatie? Maar wij moeten weer helemaal opnieuw beginnen. Van voren af aan.'

Gunnarstranda liep naar de deur. 'En daar kunnen we jouw hulp goed bij gebruiken,' zei hij zuur. 'Nu Karl Anders Fransgård vrij is, ben jij niet langer partijdig. Als je dat maar weet.'

De deur viel met een klap achter hem dicht.

Met een glimlach om zijn mond keek Frank Frølich naar de gesloten deur.

18

Gunnarstranda voelde de irritatie knagen toen hij stond te wachten op de bus. Hij pakte zijn mobiele telefoon en belde de gemeente Oslo. De secretaresse van de personeelsadministratie klonk bijdehand. Het gerucht over de vrijspraak van Karl Anders Fransgård had het gemeentelijk secretariaat al bereikt. Ze wilde niets zeggen.

'Maar u kunt toch wel vertellen wanneer hij bij u in dienst is getreden? Niet dus. Waar werkte hij eerst?'

Met tegenzin ging de vrouw naar het archief. Ze nam er de tijd voor. Drie minuten. Het elektronische bord bij de halte waarschuwde dat de bus in aantocht was. Een stem praatte in zijn oor. Karl Anders Fransgård had eerst bij het Water- en Energiebedrijf gewerkt. Gunnarstranda bedankte de vrouw en verbrak de verbinding.

Het elektronische busbord was ondertussen uitgegaan, en hij besloot de wachttijd nuttig te besteden. Hij belde het Water- en Energiebedrijf.

Drie kwartier later plofte hij neer in de leunstoel voor de boekenkast in zijn woonkamer. Hij bleef maar een paar seconden zitten en stond toen weer op om ook het andere raam te openen. Daarna genoot hij een tijdje van de koele lucht die door de kamer trok. De trompetsolo op de muziekinstallatie was rustgevend en paste goed bij de warmte en zijn stemming. 'Naar wie luisteren we?' vroeg hij.

'Paolo Conte.'

Tove zat voorovergebogen op de bank. Tussen duim en wijsvinger hield ze een draad. Aan het einde daarvan pendelde een schroef. 'Italiaanse jazz,' zei ze, 'heerlijk om naar te luisteren.'

Gunnarstranda's ogen bleven hangen bij de lamp aan het plafond. Ze had gelijk. De muziek harmonieerde met het zachte gerammel van de raamgrendels en de tocht door het geopende raam. Hij sloot zijn ogen en voelde de stress langzaam wegtrekken. Een geluid van metaal tegen glas deed hem zijn ogen weer openen.

Tove speelde nog steeds met de schroef aan de draad.

'Wat doe je?'

Ze reikte hem de draad aan.

'Het is een pendel,' zei ze. 'Hou maar vast.'

Hij ging rechtop zitten, pakte de draad aan en hield hem vast.

'Stel een vraag.'

Hij zuchtte diep en legde de draad op tafel.

'Nee, nee' zei Tove hoofdschuddend. 'Het is niet toegestaan om je terug te trekken!'

Met tegenzin pakte hij de draad weer op. Hij hield hem tussen wijs- en middelvinger en zwaaide de schroef heen en weer. 'Jij wilt dat ik een vraag stel aan een schroef?'

'We hebben het hier over een energieveld tussen jouw inzichten en dat wat nog steeds deel van jou uitmaakt, maar waar je je niet van bewust bent.'

'Dan geef ik de voorkeur aan een whisky met ijs. De beste brug tussen het verstand en het irrationele wordt gelegd met een goede borrel.'

Ze stond op.

'Blijf zitten,' zei hij. 'We zijn moderne mensen en ik voldoe met plezier aan de hedendaagse rolverwachtingen. Ik schenk ons iets in.'

'Je bent misschien wel modern, maar niet vlug genoeg,' lachte ze en ze liep naar de grote hutkoffer, opende hem en keek naar de flessenverzameling. 'Talisker?'

Hij schudde zijn hoofd. 'Een blend.'

'Chivas?'

Hij knikte.

Ze verdween met de fles naar de keuken. Met gesloten ogen volgde hij het geluidsbeeld. De koelkast die werd geopend en het plastic bakje met ijsblokjes waarmee ze tegen de rand van de gootsteen tikte.

Hij opende zijn ogen en pakte het glas aan. Ze proostten. Tove slikte en zei: 'Waarom moet je altijd alles wat je niet met je eigen waarnemingsvermogen kunt beheersen als onzin van de hand wijzen? Je weet toch dat sommige dieren geluiden kunnen horen die het menselijk oor niet kan waarnemen? Er zijn dus geluiden die jij niet hoort, waarom zouden er dan geen dingen bestaan die jij niet ziet? Waarom denk jij dat je zo perfect bent dat je in staat bent alles in deze wereld waar te nemen? Begrijp je dan niet dat als je alles wat niet waarneembaar is, afwijst, dat je dat doet op een buitenzintuiglijke grondslag? Jouw redenering dat er niets anders in de wereld is dan de dingen die je kunt zien of op een andere manier kunt waarnemen, is niet meer of minder dan een circulaire argumentatie.'

Hij moest glimlachen om haar enthousiasme en wachtte op de conclusie.

'Degene die beweert dat er geen waarheden zijn, gebruikt de waarheid als argument.'

'Amen,' zei hij en hij nam een slok.

Tove pakte de tarotkaarten uit de boekenkast. Ze hield ze voor hem op en zei: 'De kaarten op zichzelf beweren niets.'

'Ik heb het je al honderd keer gezegd. Ik wil niet dat je me de toekomst voorspelt,' brak Gunnarstranda haar af.

'De kaarten op zichzelf beweren niets,' herhaalde ze onaangedaan. 'De kaarten zijn symbolen die iemand bewustmaken van de mogelijkheden. Ze kunnen je alternatieven bieden, een deel zijn van het bewustwordingsproces.'

Hij moest weer glimlachen om haar woordkeuze. Tove was in veel dingen dubbel. Op veel gebieden deelde ze zijn scepsis, maar ze hield ook vast aan het irrationele en had een diepe fascinatie voor alles wat met parapsychologie te maken had.

Ze zei: 'Jij bent altijd degene die de keuzes maakt. Ik schud de kaarten, maar jij coupeert. Ik leg de kaarten op tafel. Jij kiest welke kaarten gelezen worden. Wat stuurt jouw wil? Wat zorgt ervoor dat jij juist die kaarten kiest? We weten het niet. Op zich speelt het geen enkele rol welke kaarten je kiest voordat ze op de tafel worden gelegd en worden gelezen. Als de kaarten omgedraaid op tafel liggen, kan ik ze lezen, maar mijn vertolking krijgt pas zin als jij een bepaalde intentie hebt met wat je doet. Daarom wil ik dat je aan iets denkt wat onopgelost is als je de kaarten kiest. Stel jezelf een vraag, breng een soort dissonantie in de situatie aan.'

'Alsjeblieft,' zei hij en hij gaapte. 'Het is een lange dag geweest.'

Tove dacht even na voordat ze een besluit nam. 'Oké,' zei ze, 'als je de kaarten niet wilt, dan moet je de pendel proberen. Stel een vraag en krijg het antwoord van de pendel.'

Hij pakte de draad met de schroef. 'Jij wilt dus beweren dat deze schroef iets weet van mij en van mijn leven?'

Ze schudde haar hoofd. 'Als je de pendel een vraag stelt die buiten het veld ligt van wat je zelf beheerst, zal hij geen antwoord geven. Het is geen magie en geen hocus pocus. De kaarten en de pendel zijn alleen maar gereedschappen voor je eigen bewustzijn.'

Gunnarstranda voelde de uitputting langzaam over zich neerdalen en knikte gelaten. Hij wist niet goed waar hij moest beginnen, maar probeerde: 'Weet je. Vandaag had ik een zaak voor de rechter-commissaris, een voorgeleiding. We wilden te vlug en we moesten de verdachte laten gaan. Wat doe ik in deze situatie? Denk je dat de schroef mij antwoord kan geven?'

'Dat denk ik niet, en dat weet jij heel goed.'

'Maar hij kan antwoord geven op vragen?'

'Dat hangt ervan af of jij echt geïnteresseerd bent.'

'Als ik niet geïnteresseerd was, had ik het niet gevraagd.'

'Oké,' glimlachte Tove. 'Eerst moet je je persoonlijke pendelcode vaststellen; hoe beweegt de pendel als het antwoord ja is en hoe als het antwoord nee is. Vraag bijvoorbeeld of het nu dag is. Het antwoord dat je krijgt is ja. Vraag daarna of het nu nacht is. De beweging die de pendel dan maakt, betekent nee. Als de pendel het antwoord niet weet, zal hij ronddraaien. Begin maar,' moedigde ze hem aan. Ze stond op. 'Des te eerder ben je ervan af.'

Ze liep naar de keuken, bleef in de deuropening nog even staan en keek hem glimlachend aan. 'Ik heb garnalen gekocht, verse, aan de kade.'

Gunnarstranda dronk zijn glas leeg met de draad en de schroef in zijn hand. Dit is waanzin, dacht hij en hij hield de pendel in de lucht. Voor de gein stelde hij een vraag: 'Ben ik een idioot?' De pendel zwaaide heen en weer. Hij liet de draad los. De schroef viel op de tafel.

Gunnarstranda bleef naar de schroef zitten kijken. Ten slotte liep hij naar de keuken om een handje te helpen.

Tove legde de garnalen op een schaal. Zelf sneed hij eerst een citroen, en daarna het brood.

'Witte wijn of bier?'

'Allebei,' zei hij en hij ging zitten. 'Wat die schroef er ook maar van mag vinden.'

19

The Dandy Warhols zat in de speler. Dezelfde cd als de laatste keer dat ze samen in de auto zaten.

'Nummer twaalf,' zei Gunnarstranda, wijzend op de rij lage flatgebouwen.

'Ik ben hier eerder geweest,' zei Frølich en hij reed tot iets voorbij een lege parkeerplaats. Hij zette de auto in zijn achteruit en parkeerde in. Hij was bijna trots dat het fileparkeren in één keer lukte.

De rij deurbellen bij de ingang maakte duidelijk dat haar flat op de begane grond lag. Gunnarstranda zat wat te prutsen met de sleutels maar uiteindelijk lukte het hem de deur te openen.

Ze kwamen in een kleine entree. Drie bruine deuren leidden verder.

Gunnarstranda opende de deur naar de woonkamer. Frølich opende de deur ernaast. Die leidde naar de badkamer. Hij zag zichzelf. De tegenoverliggende wand was één grote spiegel. Een dure stoomcabine in de hoek, een ingebouwde wastafel. Een groot aantal planchetten met make-up. Hij stelde zich Veronika's gedistingeerde gestalte voor die de deur van de douche openschoof en naakt de kleine ruimte betrad en haar lichaam bestudeerde in de grote spiegel.

Hij tilde de deksel van de wasmand op. Een jeans en een stapel ondergoed. Hij herkende de naden van de spijkerbroek. Deze had ze gedragen toen hij de laatste keer met haar had gesproken. Ze was dus na het werk nog thuis geweest om zich te verkleden. Ze was met een taxi bij haar kantoor aangekomen. Hoe was ze daarna naar huis gegaan? Met de metro? De bus? Of... hij kreeg niet de gelegenheid verder te denken.

'Kom hier!' riep Gunnarstranda.

Frølich sloot de deur en liep de kamer in, die ook dienstdeed als slaapkamer. Het tweepersoonsbed stond in een smalle alkoof. Keurig opgemaakt met een witte, gehaakte sprei.

Onder het raam stond een kastje vol cd's. De installatie was niet gek: NAD, met hoge, gracieuze Dali-boxen.

Gunnarstranda zwaaide met een foto. Frølich pakte hem aan. Hij was genomen in een pretpark, waarschijnlijk Tusenfryd, Veronika en Karl Anders in een boomstambootje, in volle vaart van een helling af, allebei luidkeels gillend en lachend.

Gunnarstranda controleerde nog fanatieker de laden van een ladekast. Hij mompelde: 'Hij vertelde over die foto's toen ik hem arresteerde, die vriend van je.'

'Foto's?'

'Ja, meervoud, foto's!'

Frølich bestudeerde de foto nog een tijdje. Hij was niet helemaal scherp, maar vol snelheid en emotie. Zij zat voorin, hij achterin. Haar haren golfden naar achteren, haar gezicht straalde van opwinding. Het gezicht van Karl Anders werd deels verscholen achter haar haar.

Hij liep weer naar het kastje met cd's en bestudeerde de titels. Het waren nice-price-uitgaven van vroege elpees van de Stones, opnames uit de jaren zeventig van Dylan, Led Zeppelin en enkele zangeressen: Nina Simone, Aretha Franklin, Etta James en het zangvogeltje aller zangvogels, Eva Cassidy. De laatste cover lag boven op de andere, open, dus zat die cd in de installatie. Hij zette hem aan.

Zijn ogen vonden een ingelijste foto aan de wand. Zij en Karl Anders in een klassieke omhelzing ter ere van de fotograaf. De foto gaf hem een triest gevoel.

Eva Cassidy's pure stem vulde het kleine appartement. *Fields of gold.*

Frølich deed een paar stappen achteruit. Haar installatie had een uitzonderlijk goed geluid, tegelijk deed de tekst hem de rillingen over zijn rug lopen: *You remember me...*

Gunnarstranda maakte gebaren. Hij wilde het volume lager hebben. Frølich gehoorzaamde.

'Wie is dit?'

Gunnarstranda had een nieuwe foto van Tusenfryd gevonden. Hetzelfde motief, maar in de kano die over de waterbaan naar beneden kwam, zat maar één man. Het was niet Karl Anders. Een vreemde man, gekleed in een lichte broek en een rood jack met ritssluiting, sportief type, een jaar of vijftig, slank. De man hield zich stevig vast, heel geconcentreerd. Zijn gelaatstrekken waren niet scherp, maar hij had donker haar met een gekrulde lok op zijn voorhoofd, een spitse neus. Frølich schudde zijn hoofd.

'Tijdstip en datum,' zei Gunnarstranda.

Frølich hield in elke hand een foto. Onder aan de foto stonden met digitale tekens de datum en het tijdstip. De foto's waren minder dan een maand geleden gemaakt, op dezelfde dag, met minder dan drie minuten tussentijd.

'Dat klopt met de verklaring van je vriend,' zei Gunnarstranda. 'Hij spreekt dus de waarheid. Misschien had de rechter-commissaris gelijk.'

Frølich keek hem vragend aan.

'Dat soort foto's kun je bij de uitgang op een tv-scherm bekijken,' zei Gunnarstranda. 'Mensen kunnen zichzelf zien, hoe raar ze eruitzien als ze de kriebels in hun maag hebben. Dat ze de foto van zichzelf en haar verloofde koopt, kan ik me voorstellen. Maar waarom kocht ze de foto van een man die een eindje achter hen in een bootje zat?'

Frank Frølich haalde zijn schouders op.

'Je vriend beweert dat het die man was.' Gunnarstranda tikte met een knokige wijsvinger op de foto. 'Hij beweert dat dit de man is die Veronika heeft vermoord.'

Frølich bestudeerde de foto met hernieuwde interesse.

'Ik dacht dat hij maar wat kletste, maar hij loog niet, Frølich. Hij beweerde dat hij geen idee had wie de man was. Veronika heeft de foto stiekem gekocht, en naderhand ontdekte hij dat puur toevallig.'

Frølich grijnsde.

'Wat is er?' vroeg Gunnarstranda.

'De dader volgt hen, in het pretpark, in de attractie.'

'Misschien gaf het hem een kick.'

Frølich grijnsde nog breder.

Gunnarstranda keek hem aan, duidelijk geïrriteerd.

'Geloof je nu wat Karl Anders zegt?'

Gunnarstranda keek hem zwijgend aan.

'Ik stel voor dat we Karl Anders laten rusten,' zei Frølich. 'Je kreeg geen bijval van de rechter-commissaris. Als je door blijft gaan op de dingen die hij heeft gezegd, op zijn persoon, dan heb je last van tunnelvisie. Je moet je ogen openen, de zaak breder benaderen. Het heeft geen zin om je vast te bijten in Karl Anders.'

'Ik heb een blunder begaan,' bekende Gunnarstranda. 'Ik heb te snel willen binnenhalen en hij glipte van de haak. Aan de andere kant: we moeten meer te weten zien te komen. Ik wil bijvoorbeeld weten wie die man op de foto is! Ik wil die man spreken en zijn versie van het verhaal horen.'

'Je kletst maar wat.'

Gunnarstranda fronste niet-begrijpend zijn voorhoofd.

'Karl Anders is een oude vriend,' zei Frølich. 'Ik vroeg of ik erbuiten kon worden gelaten, maar nee, ik moest met alle geweld meedoen. Jij vernederde Karl Anders en arresteerde hem in het bijzijn van iedereen op zijn eigen werkplek, gebaseerd op een enkel gegeven, het feit dat hij geen alibi had, geen motief...'

'Waar heb je het over?' onderbrak Gunnarstranda hem geïrriteerd. 'Hij was alleen, zestig meter onder het Frognerpark. Niemand heeft iets gezien.'

Gunnarstranda pakte beide foto's. 'Dit zou je moeten interesseren. De foto's zijn, voor zover ik het kan zien, een nieuw spoor in de zaak. Veronika Undset was een vrouw met geheimen, zelfs voor de man met wie ze zou gaan trouwen. Ik geloof dat we deze zaak niet oplossen zonder dat we haar geheimen achterhalen. En dit is er een van: ze kocht een foto van deze man zonder iets tegen haar verloofde te zeggen. Dat is nogal bijzonder.'

'Je hebt last van een tunnelvisie,' stelde Frølich vast.

'Dat heb ik niet.'

'O, nee? Ik voel me eigenlijk medeverantwoordelijk voor het feit dat

Veronika werd vermoord. Voor haar begon de ellende op het moment dat ik haar voor haar eigen voordeur arresteerde. Daarvoor was ze een zelfstandig ondernemer die over een tijdje in Rome in het huwelijk zou treden.'

Gunnarstranda keek hem zwijgend aan.

Frølich staarde terug, met zijn handen in zijn zakken.

Tussen hen in lag op de vloer een ronde, gehaakte mat. Die deed hem denken aan een arena voor sumoworstelaars. Er ontbrak alleen een oud mannetje dat onder ritueel gezang rijstkorrels op de vloer strooide.

Gunnarstranda zei: 'Ik ga niet uitweiden over vriendschappen, niet over die van jou, en niet over die van mij. Maar ik denk dat het in jouw belang is dat we de waarheid over Veronika's dood boven tafel krijgen. Ik denk maar zo: als ik degene was die Karl Anders Fransgård kende, zou ik het beter vinden om de waarheid aan het licht te brengen in plaats van hem weg te schuiven vanwege een oude vriendschap. Het domste wat je kunt doen is je ogen sluiten voor de waarheid. Als je dat doet, zul je vroeg of laat gaan speculeren over wat nu waar was en wat een leugen. Dan komt geleidelijk aan de samenzweringsgedachte bovendrijven en vallen de goede herinneren ook in duigen. Als het zover komt, heb je niets meer om op te leunen, niet de waarheid, en ook geen herinneringen aan goede momenten.'

Frank Frølich had geen zin om commentaar te leveren op de herinneringen aan goede momenten.

Allebei hielden ze een tijd hun mond. Toen verbrak Gunnarstranda de stilte. 'Dit is Veronika's geheim, of je nu wilt of niet.' Hij zwaaide met de foto's van de boomstamattractie.

'Oké,' zei Frølich. 'Ik heb een idee over die man.' Hij pakte de foto's en liep naar de deur.

'Waar ga je heen?'

'Tusenfryd,' zei Frølich kortaf. 'Daar zijn de foto's tenslotte gemaakt.'

20

Hoewel er kou in de lucht zat en zich boven de heuvels dreigende onweerswolken samenpakten, stond de parkeerplaats voor Tusenfryd vol auto's en bussen. De man die hem voor het administratiegebouw stond op te wachten was lang en mager, en aan zijn dialect te horen kwam hij uit West-Noorwegen. Hij droeg een overhemd met korte mouwen en een stropdas met de kleur en de schuine strepen van een zuurstok.

'U hebt geluk,' vertelde hij. 'De jongeren die op dit moment de foto's van de boomstamattractie verkopen, hebben ook die bewuste dag gewerkt.'

Frølich liep tevreden achter de man aan, die uitgebreid vertelde over het systeem waarin de jonge vakantiehulpen moesten werken: het belangrijkste waren de inzet, de wil om service te verlenen en een goed humeur. 'We proberen ze in te prenten dat ze ambassadeurs zijn, dat ze het gezicht van het pretpark zijn.' Hij verklaarde dat de jongeren punten kregen op basis van hun gedrag, of ze vriendelijk waren tegen de gasten en blijk gaven van een servicegerichte instelling. Een bepaald aantal punten leverde onderscheidingen op volgens een zeker systeem en de werknemers kregen gekleurde speldjes uitgereikt als tastbaar bewijs van hun eigen succes. Deze speldjes leidden ertoe dat ze meer zelfvertrouwen kregen en dat ze stegen in rang. Als mensen een aantal seizoenen achter elkaar deze onderscheidingen hadden verdiend, kregen ze het vertrouwen voor een leidinggevende positie. 'Ik geloof in strijd als het gaat om het ontwikkelen van leiderschap,' zei de man met een onvervalst West-Noorse tongval. 'En ik geloof in vrouwen. Als we puur statistisch kijken, hebben vooral vrouwen een leidinggevende positie, zo simpel is het gewoon.'

Frølich luisterde met een half oor terwijl ze over het geasfalteerde pad liepen. Ze deden een stap opzij voor een kind dat zwaaiend met een suikerspin aan kwam lopen. De nerveuze ouders liepen er vlak achter. 'Die is nieuw dit jaar,' wees de man naar een toren aan het einde van een lange rij mensen. Er klonk een eenstemmig gegil op het moment dat de nieuwe attractie in een acrobatische looping een aanval deed op de ingewanden van de passagiers. De man plukte onder het lopen een ijspapiertje van de grond en wierp het in een prullenbak. Met een zakdoek veegde hij de ijsresten van zijn vingers. Frølich trapte in popcorn uit een omgevallen kartonnen beker die door de man over het hoofd was gezien. Koerende duiven met popcorn in hun snavel gingen voor hun voeten aan de kant.

De man kreeg een telefoontje en beantwoordde het.
Ze bleven staan.
Frølich draaide zich om en keek om zich heen. De bakjes in de grote carrousel draaiden rond en de gasten klampten zich gillend vast. Een eindje verderop ratelde een traditionele draaimolen. Er klonk een monotoon gesteun van de mensen achter de bomen toen de nieuwe attractie weer over de kop ging. Frølich dacht aan zijn eigen kindertijd, terwijl de geluiden van rennende voeten, het geraas van pneumatische installaties, het geratel van de wagentjes over het spoor van de achtbaan zachter werden, tot ze vlak voor de top bijna tot stilstand kwamen, waarna de afdaling inzette die een enorme vreugdekreet uitlokte. Hij snoof de geur op van vet en gekarameliseerde suiker, met af en toe een zweempje parfum van jonge moeders die aan de wandel waren. Dit soort plaatsen ademde nog steeds dezelfde sfeer uit, dacht hij: Tivoli in Kopenhagen, Liseberg in Göteborg, Disneyland in Anaheim, zelfs de rondreizende kermis uit zijn jeugd, wanneer lange rijen vrachtwagens geparkeerd stonden bij de musea op Tøyen en de baan voor de botsautootjes en de kraampjes met kansspelen werden opgebouwd. In hun tienerjaren waren Karl Anders en hij een hele avond bezig geweest op kleine beertjes te schieten die in een vierkant raamwerk in bomen klommen en tussen struiken door renden. Ze hadden een hele stapel knuffelberen gewonnen die ze genereus weggaven aan het meisje dat de luchtbuksen laadde. Hij moest nog glimlachen bij de gedachte toen de man zijn telefoongesprek beëindigde en ze weer verder liepen.
Hij huiverde van een nieuwe, koele windvlaag. In de tien minuten die hij daar was, was de lucht steeds donkerder geworden.
Ze liepen een nieuwe geluidszone binnen, en hier werd het gegil van de mensen vermengd met gespetter. Waterstralen striemden als zweepslagen over het asfalt. Waar het pad zich splitste, kregen ze gezelschap van een meisje met een paardenstaart en een zonneklep. Ze maakte een kort buiginkje toen ze hem begroette. In het kraampje bij de uitgang van de boomstamattractie verkochten twee tieners de foto's die werden vertoond op de tv-schermen.
Het meisje met de paardenstaart nam de taak over van het tweetal dat met de politie moest praten. De ene jongen was dik en rook sterk naar deodorant. Zijn hoofd was zo rond als een bowlingbal en hij had een sterrenstelsel van rode sproeten rond zijn neuswortel. De andere jongen was lang, dun en had een slechte houding. Hij had lange tanden en droeg een hoofdband om het blonde haar uit zijn ogen te houden.
De man had de betreffende foto's op een laptop gezet. Beide jongeren schudden hun hoofd bij het zien van de foto's.
'Het is mogelijk dat de vrouw op de eerste foto beide foto's heeft gekocht,' probeerde Frølich. 'Helpt dat?'
Ze haalden hun schouders op.

De man begon ondertussen getallen te spuien. Tusenfryd had elk seizoen zo en zoveel duizend bezoekers. En zo en zoveel duizend mensen stapten dagelijks in de boomstamattractie. Er werden zo en zoveel honderd foto's verkocht, elke dag, echt elke dag, vertelde hij nadrukkelijk. 'Het is dus haast onmogelijk om je één bepaalde gast te herinneren,' stelde hij vast.

Frølich wist zich met moeite te beheersen. Waarom denk je verdomme dat ik hier ben, als dat soort dingen onmogelijk is?

Hij keek de tieners een hele tijd aan en deed een laatste poging. 'Die vrouw was meer dan gemiddeld mooi en ze kocht twee foto's.'

De beide jongens keken hem met dezelfde lege blik aan.

'Af en toe kan het helpen als je de dag verbindt met een bepaalde gebeurtenis, om de betreffende dag dus te onderscheiden van andere dagen. Iets wat die dag is gebeurd. Misschien kochten jullie nieuwe kleren, hebben jullie een wedstrijd gespeeld of naar een speciale film gekeken. Het punt is dat als jullie die dag weten te onderscheiden van andere dagen, deze gebeurtenis misschien ineens kan opduiken zodat jullie je kunnen herinneren wat er gebeurde.'

Ze keken elkaar aan. Daarna schudden ze hun hoofd. De man uit West-Noorwegen kromp plotseling ineen door een gigantische donderslag.

Het begon te stortregenen. Mensen renden alle kanten op, op zoek naar beschutting. Niemand stond meer naar de foto's van zichzelf te kijken. Een oude vrouw liep haastig langs met een krant beschermend boven haar hoofd. Het water liep in stroompjes over de grond. Al snel was er geen gast meer te bekennen. Het meisje met de paardenstaart kreeg nu interesse voor de foto's op de laptop. 'Ik weet wie dat is,' zei ze en ze wees naar de man die in zijn eentje in het bootje zat.

Frølich draaide zich naar haar toe.

Ze knikte. 'Hij is bibliothecaris, hij werkt bij de Deichmanske bibliotheek.'

De jongen met de hoofdband beviel het duidelijk niet dat een meisje slimmer was dan hij. 'Hoe kun jij dat nu weten? Je werkt hier niet eens!'

'Nee,' beet ze terug. 'Maar ik ben student, en als jij je hoofd gaat gebruiken, dan word jij dat misschien ook nog weleens!'

Het meisje met de paardenstaart klapte haar mond weer dicht toen ze merkte dat iedereen naar haar keek. Geschrokken keek ze om zich heen. Ten slotte richtte ze haar blik op Frølich. 'Ik ga vaak naar Deichmanske om te studeren, en die man op de foto lijkt heel veel op iemand die daar werkt.'

21

'Sivert Almeli,' zei Frølich.

'Hoe ben je daar achter gekomen?' vroeg Gunnarstranda sceptisch.

'Dat is de man op de foto, hij is bibliothecaris bij de Deichmanske bibliotheek. Hij heeft zich ziek gemeld. Hij heeft geen reden voor zijn ziekmelding gegeven, maar hij heeft gezegd dat hij de eerste drie dagen niet zou komen, en dat daarna de dokter een beslissing zou nemen.'

'Heb je met zijn manager gesproken?'

'Met een collega. Zij zegt dat hij daar al langer werkt dan zij, al tientallen jaren. Hij is in de bibliotheek echt een begrip. Naar men zegt een doodgewone, aardige man, maar erg op zichzelf, hij neemt zelden deel aan de kerstborrel of dat soort sociale aangelegenheden. Niemand in de bibliotheek heeft ooit van Veronika Undset gehoord, en niemand herkent haar foto, maar ik denk dat ik weet wat voor relatie er tussen hen beiden bestond.'

'O,' zei Gunnarstranda en hij nam zijn mobiele telefoon in de andere hand. Hij was nog steeds in het appartement van Veronika Undset, waar hij allerlei dozen met ondergoed uit haar kast aan het nazoeken was. Op het bed lagen stapels slipjes, kousen, maillots, beha's...

'Waarom heb je nog niet met de man gesproken?'

'Daar heb ik een goede reden voor,' zei Frølich. 'Waar ben je?'

'Waar we waren toen jij naar Tusenfryd vertrok,' zei Gunnarstranda. 'Nog steeds in haar appartement.'

'Dat dacht ik al. Dan kun jij beter meteen met Almeli gaan praten,' grijnsde Frølich aan de telefoon. 'Hij is namelijk haar buurman. Hij woont aan de overkant, op nummer achttien.'

*

De deur naar het trappenhuis was op slot.

Gunnarstranda vond Almeli's bel en drukte erop. Hij wachtte met zijn handen in zijn zakken. Er was kennelijk niemand thuis. Hij belde nog een keer. De vingers van zijn linkerhand vonden iets in zijn zak. Het bleek Tove's schroef te zijn, nog steeds aan de draad naaigaren. De pendel.

Hij belde nog een keer aan, maar de intercom bij de deurbellen bleef zwijgen. Toen drukte hij op een van de bellen op de begane grond.

'Ja,' klonk al snel een schorre vrouwenstem. In haar toon weerklonk het angstige trillen van een vrouw op leeftijd.

'Ik ben van de politie.'

Ze stond leunend op een rollator voor haar deur te wachten. Grijs permanent en een gerimpeld gezicht, een jaar of tachtig. Gekleed in een witte blouse en een donkere broek. 'Waar gaat het over?' vroeg ze opgewonden.

'Neemt u me niet kwalijk,' zei Gunnarstranda verontschuldigend. 'Ik heb vast op de verkeerde bel gedrukt. Ik moet naar Almeli op de derde.'

Ze snoof verontwaardigd, draaide de rollator om en strompelde haar flat weer in.

Gunnarstranda liep naar boven, trap na trap. Flats van een woningbouwvereniging van meer dan drie verdiepingen en zonder lift waren een ellende! Zijn adem was moeilijk onder controle te houden. De dokter had gelijk. Zijn longen werden er niet beter op, ook al was hij gestopt met roken. Hij bleef staan, rustte even uit. Toch ging hij nog steeds als een blaasbalg tekeer toen hij voor de goede deur stond. Het naambordje was zwart, de letters wit. *Sivert Almeli.*

De deurbel klonk als een telefoon uit de jaren zestig. Niemand deed open. Een tochtvlaag in het trappenhuis veroorzaakte een minimale beweging. Almeli's voordeur sloeg zacht tegen het kozijn. De deur was niet op slot.

Zou hij? Het was verleidelijk. Hij keek over zijn schouder. Niemand zou het zien als hij naar binnen ging. Hij keek even naar de deur van de buren. Geen kijkgaatje. Alles was stil.

Gunnarstranda kon het niet laten en trok de deur naar zich toe.

Hij bleef staan en keek de hal in.

'Meneer Almeli?'

Niets te horen.

'Ik ben van de politie. Ik heb een paar vragen.'

Totale stilte. Of hoorde hij toch een geluid?

Aarzelend stapte hij over de drempel. Hij trok de deur achter zich dicht.

In het halletje stond een kapstok, maar er hing geen enkele jas aan. Geen schoenen op de vloer, geen schilderijen aan de muur. Drie gesloten deuren keken hem afwijzend aan. Hij hief zijn hand op, maar staakte de beweging toen hij een geluid hoorde.

Waar kwam het geluid vandaan?

Hij klopte op de dichtstbijzijnde deur.

'Hallo?'

Geen reactie. Hij luisterde geconcentreerd.

Er wás een geluid geweest.

Hij klopte nog een keer.

Geen reactie.

Hij opende de deur. Die leidde naar de badkamer. Er was niemand. Een ouderwets, wit bad en dito wastafel. Een tandenborstel in een glas op een planchet onder de spiegel.

Hij draaide zich om. Hij opende een andere deur en keek de keuken in. Net zo leeg. De inrichting was waarschijnlijk nog uit de tijd dat het flatgebouw was gebouwd. Schuifdeuren in schuin opgestelde kasten en een ouderwets aanrecht. Schone werkbladen, een schone tafel, een glimmend aanrechtblad. Nog geen zoutpotje op de eettafel.

Het geluid moest afkomstig zijn uit de kamer achter de derde deur.

Hij hief zijn hand op, drukte de klink naar beneden en duwde de deur voorzichtig open. Hij bleef staan en keek de woonkamer in. De ruimte leek verlaten.

'Hallo?'

Geen reactie.

Gunnarstranda stapte over de drempel, bleef stilstaan en keek om zich heen. Het appartement was precies gelijk aan dat van Veronika Undset, alleen in spiegelbeeld. Een smal bed in de alkoof. Naast het bed stond een nachtkastje met een kleine zwarte wekker op batterijen.

Tegen de tegenoverliggende wand stond een tv met een stoel ervoor. Op het bureau lag een laptop. Dat was alles.

'Hallo?'

Ook nu geen antwoord. Hij begon zich een beetje dom te voelen. Hij liep naar het raam en keek naar de flat van Veronika Undset. Hij kon zo naar binnen kijken. Hij zag een stukje van de vloer en het tv-scherm. Als hij op zijn hurken ging zitten, kon hij net het bed in de alkoof zien staan.

Plotseling liep hem een koude rilling over zijn rug. Hij had sterk het gevoel dat hij niet alleen was. Er stond iemand achter hem. Zijn nekharen kwamen overeind toen hij zich langzaam omdraaide. De kamer was nog net zo leeg.

Hij hapte naar adem. Hij had nog nooit zo'n behoefte gehad aan een sigaret. Het zweet brak hem uit. Zijn blik vervaagde, de lucht trilde. Hij zocht in zijn zak naar een stukje nicotinekauwgum en drukte het tegen zijn tandvlees.

Hij bleef staan en speelde afwezig met Tove's schroef. Hij hield de draad tussen zijn wijs- en middelvinger en draaide de pendel rond tot de draad helemaal was opgekronkeld en de schroef tegen zijn vingers sloeg. Daarna liet hij de schroef los en herhaalde de rotatie steeds opnieuw.

De flat is leeg, zei hij in zichzelf. Omdat de voordeur niet op slot is, is Almeli waarschijnlijk maar eventjes weg.

Zonder na te denken nam hij plaats in de stoel. Hij had het nog steeds warm. Trilden zijn handen? Hij hield de pendel vast om dat te controleren, hield hem tussen duim en wijsvinger tot de schroef helemaal stil hing. Hij trilde niet. Tevreden vroeg hij, vooral voor de lol: 'Is Almeli thuis?'

Tot zijn verrassing begon de pendel te bewegen. Heen en weer. In de richting van het raam dat uitkeek op het noorden.

Gunnarstranda hield de schroef vast. Nou ja, dan kon de schroef praten. Maar wat had hij gezegd?

'Ben ik in Almeli's flat?' vroeg hij.

De pendel begon te zwaaien, maar nu in de andere richting. Hij zwaaide nu van oost naar west.

Wantrouwend haalde Gunnarstranda diep adem en hij legde de pendel op zijn schoot. Het ergerde hem een beetje dat de schroef in twee verschillende richtingen had gezwaaid. Het leek alsof de pendel twee verschillende antwoorden gaf, en dus overzicht over de situatie had. Almeli was niet thuis, maar om dat te constateren had hij niet bepaald een schroef nodig.

Toch begreep hij niet hoe het mogelijk was dat de schroef uit zichzelf begon te zwaaien in twee verschillende richtingen. En hij had nog gelijk ook. Hij was hier, maar Almeli niet. Maar, dacht hij, het moest zijn eigen onderbewustzijn zijn dat voor die uitslag zorgde. De uitslagen moesten een soort *wishful thinking* zijn, waar hij zelf invloed op uitoefende; het moest zijn onderbewustzijn zijn dat ervoor zorgde dat de vinger die de draad vasthield de beweging op gang bracht, zonder dat hij het zelf merkte.

Aan de andere kant, dacht hij, moest het mogelijk zijn om het onderbewustzijn daarop te controleren.

Hij wachtte geduldig tot de pendel doodstil hing. Een controlevraag. Ten slotte kon hij het niet laten. Hij liet de pendel onbeweeglijk hangen en vroeg: 'Ben ik hier alleen?'

De pendel zwaaide net als de eerste keer. Als de schroef gelijk had, was hij níét alleen in de flat.

Zodra hij die gedachte had gedacht, kwam hetzelfde gevoel terug. Het was alsof de lucht in het appartement trilde. De rillingen liepen over zijn rug en het koude zweet brak hem uit.

Het klopt niet, zei hij in zichzelf. Ik ben hier alleen.

Hij merkte dat zijn blik gefixeerd was op de kast in de alkoof. Drie gesloten kastdeuren.

Zonder geluid te maken stond hij op. Hij stopte de schroef terug in zijn zak. Hij bleef een paar seconden staan om zich te vermannen. Toen liep hij met trage stappen naar de kast. Hij stopte voor de deur in het midden.

Hij deed zijn hand omhoog. Aarzelde.

Ten slotte drukte hij de klink naar beneden. De deur gleed open, langzaam. De scharnieren piepten.

Hij keek naar een rij jacks die naast elkaar hingen.

Allemachtig, dacht hij, dit is belachelijk.

Hij sloeg de deur weer dicht.

Hij draaide zich om.

Hij had het benauwd, alsof hij te lang in de sauna had gezeten. Hij moest naar buiten, weg. Snel liep hij de flat uit.

In het trappenhuis bleef hij hijgend staan.
Wat was er gebeurd? Hij had geen idee.
Hij controleerde de deur. Die zat niet op slot, zoals Almeli hem zelf had achtergelaten. De man verwachtte bij thuiskomst een open deur aan te treffen.

Langzaam liep Gunnarstranda de trappen af. Voor de deur van de vrouw met de rollator bleef hij staan. Hij belde aan. Het klonk als een gedempt luiden van kerkklokken in de verte.
Haar naambordje was van hetzelfde soort als op de derde verdieping: zwart, rechthoekig, met witte letters. SOLFRID REINE.
Hij hoorde haar rommelen met de rollator achter de deur. Het kijkgaatje in de deur werd donker. De deur werd op een kier geopend.
'Almeli? Dat is toch die wat vreemde man, van de derde verdieping? Nee... ik weet het echt niet.'
Ze sprak elk woord nadrukkelijk uit, met een hoge, melodieuze stem. 'U komt uit Trondheim,' zei Gunnarstranda. Hij hoorde het aan haar tongval.
Het gerimpelde gezicht brak open in een vriendelijke glimlach. Haar ogen straalden gelukkig. 'Hoe raadt u dat?'
'Mijn vrouw is opgegroeid in Rosenborg.'
'O, ja? Wat leuk, hoe heet ze?'
'Ze is overleden,' zei Gunnarstranda kort. Hij had meteen al spijt van zijn charmeoffensief en wilde terug naar de zaak. 'Weet u het zeker? Hebt u Almeli vandaag echt niet gezien?'
Mevrouw Reine was nu de vriendelijkheid zelve. 'Weet u, misschien is het zijn wasdag. Ja, dat zou kunnen, als zijn deur niet op slot is. En als dat het geval is,' redeneerde ze met opgeheven wijsvinger, is hij vast beneden in de kelder. Wacht, dan kijk ik even op de lijst.' Ze draaide zich om en schuifelde met de rollator voor zich uit de flat in. De deur viel achter haar in het slot. Toen ze terugkwam, had ze een wit vel papier in haar hand. En jawel, Almeli had vandaag de beschikking over de waskelder.
'Mag ik uw sleutel even lenen?'
'Natuurlijk.' Ze glimlachte weer. 'Het spijt me echt, ik ben veel te direct, dat heb ik al zo vaak ervaren. Ik wilde u echt niet uithoren over uw privéleven.'
'Het geeft niet.' Gunnarstranda begon haar bijna sympathiek te vinden.
'Maar niets uithalen,' zei ze schertsend terwijl ze hem met een knipoog de sleutel gaf.

Hij wachtte tot ze de deur had gesloten, toen liep hij vlug de trap af naar de kelder. Hij draaide de deur van het slot en keek een lange, donkere gang in die eindigde in een verlichte, bomvrije schuilkelder.
In het duister starend, tastte hij met zijn hand langs de wand op zoek naar de lichtschakelaar. Het gevoel dat hij in Almeli's appartement had gehad, kwam

terug, een soort siddering. Iets zorgde ervoor dat hij daar níét wilde zijn.

Zijn hand vond de schakelaar en hij zei in zichzelf: je bent in een flatgebouw midden in Oslo. Er spelen hier dagelijks kinderen, stel je dus niet aan.

Hij draaide de schakelaar om. Een voor een flitsten de tl-buizen aan het plafond aan.

Aan beide kanten van de gang zag hij een lange rij kelderboxen, afgesloten met hangsloten. Hij bleef staan luisteren naar het geluid van wasmachines.

Hij hoorde niets, afgezien van het droge getik van een tl-buis die niet wilde branden.

Hij slikte en kwam in beweging. Aarzelend liep hij de gang in. Hij passeerde de ene na de andere kelderbox en naderde een zijgang. Plotseling kreeg hij het gevoel dat iemand hem om de hoek stond op te wachten. Hij bleef staan, keek over zijn schouder. Niemand te zien.

Hij keek weer vooruit. De karakteristieke stalen deuren van de bomvrije schuilkelder aan het einde van de gang stonden wagenwijd open. Dat moest de gezamenlijke waskelder zijn. Hij haalde diep adem en vermande zich. Hij verzette twee stappen. Zijn benen wilden niet verder. Langzaam draaide hij zijn hoofd en keek de stille, donkere zijgang in. Hij beeldde zich in dat hij niet in een donkere ruimte stond te kijken, maar dat het een enorme zwarte rookwolk was die het wezen omhulde en verborg dat hem had gevolgd vanaf het moment dat hij het flatgebouw was binnengegaan. Hij liep achteruit tot hij met zijn rug tegen de wand stond en wachtte. Zijn gezicht was nat van het zweet. Stijf tegen de wand gedrukt keek hij in het zwart tot zijn ogen langzaam wenden aan het spaarzame licht en hij de omtrekken van de zijgang kon onderscheiden. De gang was leeg. Toch verdween het gevoel niet. Hij keek weer over zijn schouder. Niemand. Hij dwong zichzelf om verder te lopen. Zijn overhemd plakte op zijn rug. Hij moest stoppen om nog een keer achterom te kijken. Niemand te zien.

Eindelijk. Hij wankelde de verlichte schuilkelder met de witgeverfde betonnen muren en de groene vloer binnen. Twee wasmachines en twee droogtrommels stonden tegen de wanden. Uit een kraan aan de muur naast de wasmachine stroomde water naar een putje in het midden van de vloer.

Hij liep over het beton en draaide de kraan dicht. Het werd doodstil.

De glazen deur van een van de droogtrommels stond open. Hij voelde aan het wasgoed in de trommel. Het was nog vochtig. Iemand had het er nog niet zo lang geleden in gestopt en de deur niet dichtgedaan.

Toen snoof hij een geur op die hij al heel vaak had geroken.

Hij draaide zich snel om, deed een stap en gleed uit in het water op de vloer. Hij viel bijna, maar wist op het laatste moment zijn evenwicht te bewaren. Hij had het goed geroken. De vloer rond de tweede wasmachine was roodgekleurd en die rode vlek werd heel, heel langzaam groter.

Gunnarstranda haalde zijn mobiele telefoon uit zijn zak. Zijn vingers trilden zo dat hij hem bijna liet vallen. Zijn blik werd steeds waziger toen hij het nummer wilde intoetsen. Hij moest tegen de muur leunen om de telefoon stil te houden.

Toen zag hij het lichaam dat achter de wasmachine op de vloer lag. De man had een been opgetrokken onder zijn lichaam. Zijn borst en gezicht lagen tegen de vloer. De snee in zijn hals zorgde ervoor dat zijn hoofd in een totaal onnatuurlijke hoek lag. De hoeveelheid bloed en de inwitte huid vertelden hetzelfde verhaal.

In zijn oor hoorde hij de telefoon overgaan. Twee keer.

'Frølich? Ik moet back-up hebben. Almeli is vermoord en ik denk dat de dader nog in de buurt is.'

Gunnarstranda liep langzaam achteruit, weg van de dode. Een paar seconden bleef hij stil staan kijken. De omtrek van de deuren in de schuilkelder golfde voor zijn ogen.

Het volgende moment had hij de ruimte verlaten. De aanblik van de lange gang deed hem weer stilstaan. Waar kon de dader zich verschuilen?

Hoe dan ook, hij moest weg. Hij nam dezelfde weg terug. Het brandde in zijn rug, maar er was niemand achter hem. Hij naderde de donkere zijgang. Zijn stappen gingen langzamer. Hij hapte naar adem en bleef staan. Hij zei in zichzelf: er is hier niemand!

Hij beet zijn tanden op elkaar en liep verder, langs het zwarte gat en naar buiten. Toch kon hij het niet laten nog een laatste blik over zijn schouder te werpen.

Hij trok de deur naar het trappenhuis open. De eerste trap nam hij met twee treden tegelijk. Hij passeerde de deur van de dame uit Trondheim. Ze opende de deur en riep hem na: 'Maar m'n beste man, mijn sleutel!'

Hij kon nu geen energie aan haar besteden en peesde verder.

Hij trok zich op aan de reling. Nog drie trappen te gaan. Waar bleef de cavalerie?

Op het portaal met het raam bleef hij naar adem snakkend staan. Hij keek naar buiten.

De eerste patrouillewagen kwam eraan, en hij liep hijgend verder naar boven. Met zijn legitimatie in zijn hand bonsde hij op de bruine deur en duwde de klink naar beneden. De deur ging niet open. Hij was op slot!

Toen hij wegging was de deur open geweest. Zijn woede ontlaadde zich in een vloedgolf van scheldwoorden die Gunnarstranda op de deur afvuurde. Het was niet zijn zwakke fysieke vorm die hem zo woedend maakte, maar het feit dat die verdomde schroef gelijk had gehad. Hij was niet alleen geweest. Er was iemand binnen geweest, iemand die op weg naar buiten de deur achter zich dicht had gedaan.

22

Het zag buiten zwart van de auto's en de ingang was afgezet met lint. Een technisch rechercheur in een blauwe overall en met haar titel in witte letters op haar rug geschreven haalde spullen uit de bagageruimte van een auto. Frølich wisselde een paar woorden met haar, liep terug en verdween onder het afdak van de ingang.

Gunnarstranda wendde zich af van het raam en ging op de stoel zitten. Hij keek naar de technisch rechercheur, die op zijn knieën ging liggen om onder het bed te kijken. 'Niets,' zei Gunnarstranda en hij voegde eraan toe: 'Ik zie het hiervandaan.'

De technisch rechercheur kwam overeind en rommelde verder met andere dingen.

Uiteindelijk hoorden ze de zware voetstappen van Frølich op de trap.

Frank was buiten adem. 'Ik heb met een aantal buren gesproken,' verklaarde hij.

'Wie?'

'Met de vrouw van wie jij de sleutel hebt geleend, en met een meisje dat een verdieping boven haar woont. Een biologiestudente die een intensieve cursus Spaans volgt en de hele dag binnen zit te studeren. Ze hoorde Almeli met iemand praten op de trap, onderweg naar beneden. Dat kan kloppen met de tijdstippen.'

'Man of vrouw?'

'Dat weet ze niet. Ze kent de stem van Almeli en ze vermoedde dat hij met iemand stond te praten. Het geluid van de voetstappen duidde op twee personen. Mevrouw Reine denkt dat ze een auto met grote snelheid heeft zien wegrijden,' voegde Frølich eraan toe. 'Haar buurvrouw, Elise Andersen, bevestigt dat er een donkere auto met grote snelheid is weggereden en dat kan overeenkomen met het tijdstip dat jij in de kelder was.'

'De auto is dus weggereden terwijl ik in de kelder was?'

Frølich knikte.

'Het was dus een kwestie van seconden,' verzuchtte Gunnarstranda. 'Een signalement van de chauffeur?'

'Nee.'

'De studente?'

Frølich schudde zijn hoofd. 'Ze hoorde piepende banden, keek op van haar studieboek en ving een glimp op van een donkere auto.'

Gunnarstranda bleef naar het bureau tegen de muur zitten kijken. 'Iemand moet de chauffeur hebben gezien, we moeten gewoon meer mensen vragen. Bård!' riep hij plotseling.

De technisch rechercheur draaide zich om in de slaapkamer.

'Heb jij hier iets verplaatst?'

De man in de overall schudde zijn hoofd.

'Er lag een laptop op het bureau, een witte Mac. Die is weg.'

De technisch rechercheur en Frølich keken elkaar aan. Ze keken daarna allebei naar Gunnarstranda, die zei: 'De deur stond open toen ik hier kwam, dus dat heb ik zo gelaten. Toen ik terugkwam was hij op slot. Iemand...'

De technisch rechercheur, die een van de kasten in de slaapkamer had geopend terwijl Gunnarstranda aan het woord was, gaf plotseling een teken. 'Kom eens kijken,' zei hij glimlachend.

Hij wees in de kledingkast. Daar had iemand in gezeten, dat was duidelijk. Achter de rechterkastdeur waren de kleren beide kanten opgeschoven en je kon zien dat er op verschillende schoenen was gestaan.

Gunnarstranda bekeek de kast met een strakke blik. 'Die rechterdeur,' fluisterde hij.

Frølich snakte naar adem. 'Het is niet waar! Hij heeft zich daarin verstopt terwijl jij hier binnen was!'

Ze keken allebei opnieuw naar Gunnarstranda, die het niet leek te vatten.

'Dat kan toch niet waar zijn,' zei Frølich nog een keer gelaten.

Gunnarstranda bleef star voor zich uit kijken.

'Alles in orde?' vroeg Frølich.

Gunnarstranda stak zijn wijsvinger op en vroeg: 'Bård, wat is dat?'

De man in de witte overall draaide zich om, ging op zijn tenen staan en pakte een plat ding met een snoer eraan van de hoedenplank. Hij hield het omhoog. 'Een extra harddisk.'

Ze keken elkaar aan. Gunnarstranda haalde zwaar adem.

'De persoon die zich in de kast verstopte heeft de pc gejat, maar hij heeft niet alles meegenomen. Bovendien moet het lijk in de waskelder geïdentificeerd worden. Weten we zeker dat het slachtoffer Almeli is?'

Frølich haalde zijn schouders op.

'Als het lijk een persoon is die niet in dit appartement woonde, kan Almeli toch de dader zijn naar wie we op zoek zijn?'

De anderen keken elkaar opnieuw aan. Niemand sprak hem tegen.

23

Het was bijna zeven uur 's avonds. Frølich werkte een paar crackers naar binnen, terwijl de weervrouw op TV2 meedeelde dat het ook de volgende dagen warm zou blijven en in de nachten misschien zelfs boven de twintig graden. Hij was zweterig na een lange dag werken en nam snel een douche. Ondanks de hitte ging hij naast de straal staan wachten tot het water warm werd. Hij waste zijn haar met shampoo en spoelde het uit. Toen werd er aangebeld. Hij sloeg een handdoek om, liep de gang in en nam de hoorn van de haak.

Een vrouwenstem antwoordde. 'Bent u de Frølich die bij de politie werkt?'

'Ja.'

'Het gaat om Andreas Langeland.'

Hij drukte op de schakelaar om de deur open te doen, sjokte terug naar de badkamer, en trok een spijkerbroek en een trui aan. Hij probeerde zijn haar wat te fatsoeneren, maar was daar nog niet mee klaar toen de bel van de voordeur ging.

De vrouw die voor de deur stond, droeg een zwarte linnen broek en dito jas. Ze was eind veertig, had dik, blond haar en droeg een smalle bril met een felrood montuur.

Hij keek haar vragend aan.

'Ik had natuurlijk van tevoren moeten bellen,' zei ze. 'Mijn naam is Iselin Grav.'

Hij hield de deur open. 'Het spijt me, maar ik stond onder de douche.'

Ze kwam binnen. Haar schoenen pasten bij haar bril. Die waren ook felrood. Het blonde haar droeg ze in een knot die op zijn plaats werd gehouden met een hoop haarspelden.

'Doe geen moeite,' zei ze toen hij de tafel begon af te ruimen. 'Dit is een kort en volstrekt informeel bezoek.'

Hij zag af van het voornemen de tafel af te ruimen.

'Ik heb uw naam van Andreas gekregen,' zei ze. 'Hij belde mij gisteravond.'

Frølich liet zich op de bank zakken. Hij wees naar de fauteuil. 'En welke relatie...'

'Heb ik met Andreas?' Ze ging op de stoel zitten. 'Ik ben maatschappelijk werkster bij de pedagogisch-psychologische schooldienst, de PP-dienst. We werken met leerlingen die om verschillende redenen begeleiding nodig hebben, omdat ze specifieke leerproblemen hebben of omdat ze psychosociale problemen hebben. Andreas is meerderjarig en heeft alles wat onder school valt een jaar geleden afgerond, maar tot dat moment had hij jarenlang contact met de PP-dienst, al vanaf zijn twaalfde. Ik zal niet ingaan op het waarom, maar het had te maken met zijn thuissituatie.' Iselin Grav sprak met neergeslagen ogen en de rode bril op haar neus, alsof ze een manuscript oplas voor een leestoets. Toen ze ademhaalde, greep Frølich zijn kans.

'Zijn Mattis en Andreas broers?'

'Ja, maar ze hebben niet dezelfde vader. Mattis is waarschijnlijk onder betere omstandigheden opgegroeid dan Andreas, maar hij heeft niet zo'n goede invloed gehad op zijn broer. Ik zal zoals gezegd niet ingaan op wat er is gebeurd; ik heb trouwens zwijgplicht, maar aangezien ik enkele jaren met Andreas heb gewerkt, ben ik iemand die hij kent en die hij op een bepaalde manier vertrouwt. Er zijn niet veel volwassenen die Andreas vertrouwt. Nou...'

Ze keek omhoog en zocht naar de juiste woorden. 'Zoals ik al zei belde hij mij gisteren en hij maakte een nogal manische indruk. Alleen al het feit dat hij mij opbelt, is een opvallend signaal. Dat duidt erop... ach, daar kunnen we later op terugkomen. Hij zei dat de politie, u dus, denkt dat hij een vrouw heeft vermoord.'

Ze zweeg en keek hem recht in de ogen.

Frølich keek terug.

Iselin Grav sloeg haar ogen neer.

Hij vroeg: 'Waarom bent u hier?'

'U moet begrijpen,' zei ze en ze stond onrustig op. Ze liep naar het raam en bleef daar met haar rug naar hem toe staan. 'De relatie tussen Andreas en mij is gebaseerd op vertrouwen dat door de jaren heen is opgebouwd. Ik heb niets meer met hem te maken en ik probeer me voor zover mogelijk niet met cliënten te bemoeien, privé. Maar als hij opbelt en zo wanhopig is, zou het ethisch niet juist zijn om hem af te wijzen.'

Ze draaide zich om, stak haar handen in de zakken en keek hem afwachtend aan.

Frank Frølich dacht er het zijne van. Ze had de jonge man een paar goede adviezen kunnen geven, maar het was niet nodig geweest de politieman te bezoeken die een zaak onderzocht waarbij de jongen getuige was. Was ze gekomen om naar informatie te vissen? Hij koos zijn woorden met zorg: 'Het woord "moord" is nooit gevallen,' zei hij. 'Er zijn enkele vragen aan Andreas voorgelegd over een concrete zaak en het is overduidelijk dat hij liegt. Hij is ook geconfronteerd met het feit dat hij liegt.'

Ze stond nog steeds op dezelfde plek. De ogen achter de bril dwaalden rond.

'Ja?' zei hij en hij had zelf in de gaten hoe afwijzend en bars hij overkwam.

'We hebben veel tijd en middelen in Andreas gestoken,' zei ze. 'Hij heeft een bijzonder tragische achtergrond. U vraagt zich af waarom ik ben gekomen en wat ik wil, dat begrijp ik. Ach, noem het een uiting van bezorgdheid. Gisteravond aan de telefoon vond ik dat hij signalen afgaf die verontrustend zijn. Ik heb nog nooit meegemaakt dat hij zo buiten zichzelf was, om het maar zo te zeggen. Ik denk dat Andreas nu enorm onder druk staat.' •

'Onder druk?'

'Ja, onder druk. Wanneer er sprake is van moord, maak ik mij erg ongerust, en wat u zegt maakt mij niet echt minder bezorgd.'

Ze zette haar bril af en keek hem aan. Zonder de rode strepen schuin boven haar neus werd haar gezicht menselijker, zelfs tamelijk aantrekkelijk. Haar bovenlip was een beetje gezwollen, waardoor haar mond een bewust en sensueel karakter kreeg. Een lange, blonde haarlok was uit de haarspeld losgekomen. Ze streek hem achter haar oor. Een smalle hand, lange vingers, kortgeknipte nagels. Geen trouwring.

'Andreas is gemakkelijk te leiden. Hij wil graag voldoen aan andermans verwachtingen, geaccepteerd worden door de mensen die hij bewondert. Daar ligt het probleem. Hij heeft jarenlang de verkeerde voorbeelden gekozen. Er gebeurt voortdurend iets wat Andreas absoluut niet zelf heeft gepland, maar je kunt er donder op zeggen dat hij met de shit blijft zitten. Ik heb nog nooit meegemaakt dat Andreas zo van streek was als gisteren. Ik maak me ernstig zorgen, meneer Frølich, ernstig zorgen. Is er gisteren iets gebeurd, heeft de politie stappen genomen?'

Frølich schudde zijn hoofd. 'Gisteren niet, voor zover ik weet.'

Ze bleef naar hem staan kijken zonder verder iets te zeggen.

'Iselin,' zei Frank Frølich voorzichtig. 'Als u een positieve invloed hebt op Andreas...'

'U begrijpt het niet,' zei ze snel.

'Uw melding van bezorgdheid is in elk geval aangekomen,' ging hij volhardend verder. 'Míjn bezorgdheid gaat daarentegen uit naar een arm Afrikaans meisje dat geheel onbekend is in Noorwegen en dat nu van de aardbodem lijkt te zijn verdwenen. Ik denk dat Andreas iets met die zaak te maken heeft en wat u zegt, bevestigt mijn verdenkingen alleen maar. Als u hem telefonisch of op een andere manier te spreken krijgt, kunt u hem het beste adviseren om eerlijk te zijn. Als hij zuiver op de graat is, om maar een cliché te gebruiken, heeft hij niets te vrezen en ook geen reden om te liegen. De waarheid moet boven tafel komen. Hij moet vertellen wat hij weet over dit verdwenen meisje.'

Ze leunde tegen de muur, zwijgend. 'Het spijt me,' zei ze toen de stilte beklemmend werd. 'Ik denk na.'

'Ik moet hem weer spreken,' zei Frølich. 'Door wat u mij vertelt, vind ik het belangrijk om opnieuw met hem te praten.'

Ze knikte nadenkend. 'Omdat hij mij gisteren opbelde, dacht ik dat er iets was gebeurd, gisteren.'
Ze haalde diep adem en keek op de klok.
Hij liep met haar mee naar de deur. Toen ze met haar rug naar hem toe op de lift stond te wachten, viel hem pas haar figuur op. Haar vormen.
De lift kwam.
Ze opende de deur en keerde zich naar hem om.
'Ik denk niet dat ze dood is,' zei ze.
De deur ging achter haar dicht.
Frølich vroeg zich af wat ze eigenlijk had willen bereiken met haar bezoek.
Hij liep terug naar het raam en keek omlaag. Na een tijdje kwam Iselin Grav naar buiten. Blond haar, zwarte kleren en rode schoenen. Ze stapte in een Saab cabrio. Ze had in elk geval wel stijl, blondine in een open auto.
Toen ze bij de stoep wegreed, draaide hij zich om naar de kamer. Het eerste wat hem opviel, was de bril met het rode montuur. Ze had hem vergeten.
Hij legde de bril op de schouw, naast het blikje bier.
In gedachten verzonken, met zijn handen in de zakken, bleef hij naar de twee voorwerpen staan kijken.

24

Door de zon die door het raam viel was de tekst op de monitor moeilijk te lezen. Gunnarstranda trok het gordijn dicht. Zijn mobiel piepte. Een sms van Tove. Ze wilde weten van welke versie van *Come Rain Come Shine* hij het meest hield. Wat waren dat voor vragen? Er bestonden ontzettend veel versies die elkaar overtroffen; Sarah Vaughan, Art Blakey, Ella, Chet, Bobby Hatfield, Ray Charles, Judy Garland en zelfs tekstschrijver Mercer in hoogsteigen persoon. Terwijl hij daarover nadacht, schoot hem de songtekst te binnen. Toen begreep hij de eigenlijke boodschap van de sms en hij sloot met een verlegen glimlach zijn ogen.

Zulke berichtjes waren Toves manier om hem te prikkelen. Daardoor keek hij uit naar de tijd na het werk. Het had hem tijd gekost om tot dat inzicht te komen. Nog niet eens zoveel jaren geleden was vrije tijd voor hem hetzelfde geweest als thuis zitten niksen en had hij niet kunnen begrijpen hoe mensen het uithielden als ze niets te doen hadden. Hij kon zich niet meer herinneren wanneer hij tot dat inzicht was gekomen, maar hij wist wel waarom. Omslachtig en onhandig toetste hij het antwoord in met zijn duim: *Die van jou.* De rest mocht ze zelf invullen.

'Gunnarstranda?'

De hoofdinspecteur liet de telefoon vallen alsof hij op heterdaad was betrapt.

Lena Stigersand stond in de deuropening.

'Ja?'

'Deze zaak begint zich in hoge mate te concentreren op foto's,' zei ze en ze liep gewoon het kantoor in. In haar armen hield ze een open laptop die ze op de tafel voor hem neerzette. Op de monitor was een onscherpe foto van Veronika Undset te zien, door een raam, van boven genomen.

Hij schrok op. Hij had haar nog nooit in levenden lijve gezien. Door naar een foto van deze vrouw in zo'n intieme situatie op een niet al te scherpe foto te kijken, leek het alsof hij haar bespioneerde.

Hij keek Lena aan en glimlachte geforceerd.

Ze klikte op de monitor.

Nieuwe foto. Het motief was ingezoomd. Het raamkozijn was een donkere schaduw. Veronika Undset zat op de rand van het bed, en was bezig haar bh uit te doen. Volgende foto: Veronika Undset die een nachtjapon over haar hoofd trok.

'Ik heb de harddisk geüpload die in het appartement van Sivert Almeli is gevonden,' zei Lena. 'Er staan ruim zevenhonderd foto's op. De helft ervan zijn natuurfoto's, bloemen in Nordmarka, foto's van de eilanden in de Oslofjord, vanaf een boot genomen, zonsondergang boven de vesting Akershus en dat soort dingen. De andere helft bestaat uit paparazzifoto's van Veronika Undset, met name in situaties als deze, maar ook terwijl ze aan het eten is, een boek leest, door de voordeur naar buiten stapt, op de stoep loopt.'

Gunnarstranda stak zijn arm uit en bewoog zijn vingers over het toetsenbord.

'Daar,' zei Lena en ze wees het vriendelijk aan.

Hij klikte op de muis. Nieuwe foto, Veronika Undset lopend op de stoep. Daarna: Veronika Undset in gedachten verzonken op een metroperron. Volgende foto: close-up. Een bestudering van een vrouwenprofiel. Neergeslagen blik. De foto wazig aan de randen.

'Pure kunstfotografie,' mompelde Gunnarstranda. 'Denk jij dat ze wist dat ze gefotografeerd werd?'

Lena schudde haar hoofd. 'Dit is psychiatrie. Een begrip als "gluurder" is niet dekkend. "Stalker" is beter. Hij heeft op allerlei plekken foto's van haar genomen, voor de fontein in Spikersuppa, zelfs in de bossen van Nordmarka.'

'En ze wist daar niets van?'

'Al die zogenaamde intieme foto's zijn door een raam genomen. Dat duidt erop dat hij haar bespioneerde, maar hij heeft haar ook van dichtbij gevolgd. Ik denk dat het vrij onwaarschijnlijk is dat ze níét wist dat hij achter haar aan zat. Ik vermoed dat zij wist dat ze een stalker had.'

'Ze had een foto van hem, genomen in een attractie in Tusenfryd.'

'Ergo,' zei Lena met een scheve glimlach, 'moet ze in de gaten hebben gehad waar hij mee bezig was.'

Gunnarstranda leunde nadenkend achterover op zijn stoel: 'Ze kan er aangifte van hebben gedaan.'

'Zo'n aangifte zou al zijn weggelegd nog voordat ze de deur uit was,' zei Lena. 'Zolang hij geen geweld heeft gebruikt of haar heeft bedreigd.'

'We zouden de aangifte wel moeten kunnen vinden.'

Er verscheen een aarzelende grimas op het gezicht van Lena. 'De persoon die dan met haar had gesproken, zou gevraagd hebben naar concrete bedreigingen en zo, en dan had ze bijna niets te melden gehad. Dan zou ze zich netjes omgedraaid hebben en vertrokken zijn zonder ook maar ergens van aangifte te hebben gedaan. Ze zou alleen tegen zichzelf hebben gezegd dat ze de volgende keer op de conservatief-liberale partij zou stemmen.'

Gunnarstranda grijnsde. 'Goed zo, Lena, jij komt er wel. Ga zo door, dan word je de baas hier.'

'Ik ga het wel even checken,' zei ze en ze bladerde verder door de foto's.

Hij keek naar de monitor. 'Hebben we een fototoestel?'

Ze schudde haar hoofd. 'Er zijn geen fototoestel en laptop gevonden. Ook geen geheugenkaartjes van het fototoestel. Alles wijst erop dat de moordenaar op de foto's uit was.'

'Almeli kan de moordenaar van Veronika hebben gefotografeerd, bijvoorbeeld toevallig toen hij foto's van haar aan het maken was,' zei Gunnarstranda.

Lena glimlachte scheef. 'Het lijkt erop dat jij en ik hetzelfde denken.'

Gunnarstranda wreef over zijn kaak. 'De dader kan hen allebei hebben gekend, zowel Veronika als Almeli.'

Lena haalde haar schouders op. 'Deze foto's komen van de extra harddisk die de dader niet heeft gevonden of niet mee kon nemen. De foto waarnaar hij op zoek was kan net zo goed hiertussen zitten als op het fototoestel of de laptop. Ik wil je graag een wat bijzondere fotoserie laten zien.'

Ze trok de laptop naar zich toe en haalde een nieuwe serie foto's tevoorschijn. 'Hier,' zei ze. Het onderwerp was een man die bezig was de straat over te steken. De man was rond de veertig, had kort haar en een korte, ruige baard. Zijn haar begon grijs te worden. Hij droeg een kort jack en een donkere spijkerbroek. Op de volgende foto was te zien dat de man in een donkere auto stapte. De derde foto was van de auto die wegreed.

'Drie foto's die volstrekt afwijken van de andere,' zei Lena. 'De overige foto's zijn of studies van Veronika Undset of natuurfoto's, maar deze drie zijn duidelijk spionagefoto's van deze man. Eén ding is zeer opvallend.'

'Wat dan?'

'De foto's van de man zijn op de disk opgeslagen de dag nadat het lijk van Veronika werd gevonden. Dezelfde dag dat Almeli naar zijn werk belde om zich ziek te melden.'

'Hij was dus niet ziek, hij was foto's aan het maken,' zei Gunnarstranda en hij leunde achterover op zijn stoel. 'Laat nog eens de foto van die kerel zien.'

De man op de foto stapte flink door, zonder te weten dat hij werd gefotografeerd. Bij zijn achterste voet was vaag een donkere schaduw te zien.

'Waarom is de achtergrond zo wazig?' vroeg Gunnarstranda.

'Almeli heeft ingezoomd met een bepaald type telelens, driehonderd millimeter of meer. Hij heeft op afstand staan fotograferen. We hebben het over spionagefoto's.'

Gunnarstranda wees naar de schaduw bij de voet van de man. 'Dat,' zei hij, 'is een middenberm.'

Lena knikte.

'Het is vermoedelijk een weg in de stad, die opgedeeld wordt door een middenberm.'

'De Kirkeveien?'

'Kan, maar dat is niet zeker.'

'De Gyldenløves gate?'

Gunnarstranda haalde zijn schouders op en keek nog eens naar de drie foto's. De man die de straat overstak. De man die in een auto ging zitten. De auto die wegreed.

'Er is iets vreemds aan,' mompelde hij en hij voegde eraan toe: 'Geen kenteken. Waarom heeft Almeli het kenteken niet gefotografeerd?'

Lena Stigersand haalde haar schouders op. 'Misschien was hij te zenuwachtig. Dat zou ik in elk geval wel zijn als ik spionagefoto's van een moordenaar aan het maken was.'

Gunnarstranda leunde achterover. 'De Kirkeveien kan het niet zijn,' zei hij. 'De auto rijdt over een kruispunt zonder verkeerslichten. Op de Kirkeveien zijn overal verkeerslichten.' Hij haalde diep adem. 'Laat de foto's rondgaan. Ik wil weten waar de foto is genomen. Ik wil deze man vinden.'

25

Het was een droom die hem niet losliet. Felle kleuren en de nabijheid van water en huid. De huid van Iselin Grav. Met name één beeld uit de droom had zich op zijn netvlies gebrand. Het moment dat haar lichaam in het water zonk. Frank Frølich kon zich niet herinneren of ze er per ongeluk in was gegleden of dat ze er bewust in was gesprongen, maar hij wist wel dat het water groen en diep was en dat de gestalte pijlsnel met de benen stijf tegen elkaar naar beneden zonk. Het blonde haar golfde in slow motion als een gordijn over het lichaam. Hij kon zich niet herinneren of ze wel of geen kleren aan had, maar hij was haar achterna gesprongen. Hij was erin gedoken, had haar vastgegrepen en alsof het niets was had hij haar op de kant getild. Daarna had hij haar over een grote boomstam gehangen, zodat het water uit haar mond kon lopen. Zo kon ze weer ademhalen.

Een absurde droom. Hij bleef wel de hele dag aan Iselin Grav denken. De cryptische mededeling. *Ik denk niet dat ze dood is.*

Hij wist zeker dat ze iets achterhield.

Na de lunch kon hij het niet meer laten. Hij wandelde van het politiebureau naar de Urtegata. Hij liep naar het gebouw waar Andreas Langeland woonde. Hij belde aan. Geen reactie.

Hij haalde zijn telefoon tevoorschijn en toetste het telefoonnummer van de jongen in. Hij werd meteen doorgeschakeld naar een voicemail. Hij dacht: als Andreas aan het werk is, is het begrijpelijk dat zijn telefoon uit staat.

Eenmaal terug op kantoor pakte hij de afschriften met de locaties waar de mobiele telefoon van Langeland was geregistreerd. Hij liep ze opnieuw door. Het lastige was de korte afstanden tussen de basisstations. Er waren extreem veel stations in Oslo. Het was vreemd dat de telefoon niet elke dag in Oslo was. Zou Andreas zijn telefoon op zijn werk kunnen hebben laten liggen?

De luchthaven van Oslo, Gardermoen, dacht hij en hij bleef naar de afschriften kijken.

De telefoon bevond zich niet ten noorden van Oslo, hij was in het westen en zuiden geweest.

Frølich begon te zweten. Hoe dom kon hij zijn?

Hij belde nog een keer naar de telefoon van Langeland. Hij kreeg nog steeds geen gehoor.

Zou hij geen bereik hebben?

Hij legde de kaart met de basisstations voor zich neer. De meest extreme waarneming buiten Oslo was een station in Buskerud. Het lag tussen Filtvet en Tofte, op ongeveer honderd kilometer afstand van de stad. De stations volgden de rijksweg in zuidelijke richting. Frølich bekeek de kaart nauwkeuriger. In het binnenland, ten westen van Filtvet en Tofte, lagen bossen, bosweggetjes en meertjes. Het Røskestadmeer. In de wijde omtrek waren geen basisstations te vinden.

Hij belde naar de luchthaven van Oslo. Hij werd van de een naar de ander doorgeschakeld. Andreas Langeland was er niet. Waar was hij dan wel?

Andreas Langeland was op vakantie.

Frølich ging door met het uitpluizen van de papieren die voor hem lagen. Hij keek naar de tijdstippen. Controleerde zijn eigen horloge.

Rosalinds eerste ontmoeting met een Noor: Andreas Langeland. Twee dagen later: Rosalind is in contact met Mattis Langeland. Zij verdwijnt. Andreas Langeland wordt onder druk gezet door hem en Ståle Sender. Geen reacties. Andreas Langeland neemt vakantie. Kort daarna belt hij naar een maatschappelijk werker van de PP-dienst, die zijn gedrag beschrijft als zorgelijk en doorspekt met slechte voortekens...

Hij bekeek de reeks locaties waar de telefoon van Langeland was geregistreerd. Het moest mogelijk zijn om een patroon te herkennen.

Hij bestudeerde de papieren alsof ze een slim bedachte rebus in een IQ-test waren. De data liepen in elkaar over. Hij wreef in zijn ogen en keek weer naar de papieren. Hij zocht naar sporen zonder ook maar iets te ontdekken.

Hij belde naar telefoonmaatschappij Telenor om de laatste afschriften met locaties van Langelands telefoon op te vragen. Hij hing op en wachtte. Van pure frustratie ging hij een cola kopen. Terug: geen papieren in de fax. Hij ging weer weg, liep heen en weer. Groette Jan en alleman.

Eindelijk begon de fax te piepen. Hij greep de papieren. Het waren nieuwe waarnemingen. Langeland bevond zich nu binnen bereik van het basisstation. Hij was dus niet meer in het bosgebied. De telefoon was kortgeleden langs Filtvet gereden en was nu onderweg over rijksweg 281, langs de Oslofjord in de richting van Drammen of Oslo.

Frølich dacht plotseling weer aan het moment dat Iselin Grav zich omdraaide in de lift en zei: *Ik denk niet dat ze dood is.*

Nog niet?

26

Gunnarstranda kreeg met moeite een cd in de cd-speler. Het is verboden om te telefoneren tijdens het autorijden, dacht hij, maar dit was nog lastiger. Hij reed bijna de berm in, omdat de cd niet de opening kon vinden waar hij in moest.

Hij besloot de rondweg in westelijke richting te nemen, bij Tåsen af te slaan en via Sagene te rijden, over de Uelandsgate en de Maridalsveien, om aan de achterkant van de Deichmanske bibliotheek te komen, via de Fredensborgveien. Daar kon hij misschien ook een parkeerplaats vinden.

Het eerste nummer op de cd was een duet met Jimmy Buffett en Frank Sinatra, een vrij goede versie van *Mac the Knife*. Twee redelijk verschillende stemmen. Buffett, zacht en bijna sensueel tegenover de ervaren en enigszins rauwe Sinatra. Gunnarstranda genoot ervan en knipte met zijn vingers, terwijl hij over de Tåsenveien in de richting van de Nordre begraafplaats reed. Plotseling werd hij overvallen door een onrustig gevoel. Hij reed naar de kant van de weg en stopte. Hij zette het geluid uit.

Hij wist niet waar de onrust door werd veroorzaakt. Hij stapte uit de auto en keek om zich heen. Er was weinig verkeer. Het veroorzaakte zo weinig lawaai dat hij de mensen die aan het trainen waren op sportcomplex Voldsløkka, kon horen roepen. Hij moest denken aan de vakantiehuisjes die achter de bebouwing in de Stavangergata verstopt lagen. Zijn zomerliefde van vroeger, Evelyn, had zo'n huisje gehad. Hij had er jaren geleden zelfs een paar keer overnacht.

Kwam het door de gedachten aan Evelyn dat hij was gestopt?

Nee, besefte hij. Hij had pas aan haar gedacht nadat hij was uitgestapt. Iets anders had ervoor gezorgd dat hij de auto aan de kant van de weg had gezet en was uitgestapt, maar wat?

Hij woonde niet ver hiervandaan. Ten oosten van de Tåsenveien lagen Voldsløkka en de vakantiehuisjes, terwijl de naoorlogse stadsontwerpers er rond Gråbeinsletta verder naar het zuiden flatgebouwen tussen hadden gedrukt. Een kam van groene boomkruinen stak boven de Nordre begraafplaats uit.

Gunnarstranda draaide zich om en keek de weg af. Ten noorden en westen van de Tåsenveien lagen de vrijstaande woningen en rijtjeshuizen van het duurdere Ullevål Hageby, en tussen de functionalistische huizenblokken en de begraafplaats lag het hoogste deel van de...

Uelandsgate.

Ooit was de Uelandsgate een moderne avenue geweest. Een vierbaansweg opgedeeld door een middenberm.

Op dat moment wist hij het: *Hier had Sivert Almeli de onbekende man gefotografeerd!*

Hij stond wel op een verkeerde plek.

Hij bevond zich op een punt in de foto zelf. Almeli had met het fototoestel verderop langs de weg gestaan, met de lens in deze richting, naar het noorden. Gunnarstranda kon het niet laten om te grijnzen. Dit was zíjn gebied. Hij had de helft van zijn leven in een appartement gewoond dat hemelsbreed zo'n achthonderd meter verderop lag. Hij was 's avonds talloze keren om Voldsløkka gelopen om zijn gedachten op een rijtje te zetten.

Sivert Almeli moest bij de rotonde hebben gestaan, waar de Uelandsgate en de Kierschows gate bijeenkomen. Daar had hij foto's staan maken van iemand die in een auto stapte die geparkeerd had gestaan...

Gunnarstranda liep langzaam langs de weg. De rillingen liepen over zijn rug. *De auto stond er nog steeds.*

Het was een donkergroene Mercedes Benz. Gunnarstranda liep langs de auto, naar de plek waar Sivert Almeli hoogstwaarschijnlijk had gestaan toen hij de foto nam. Een bushokje. In het bushokje een bankje.

Almeli had op de bus staan wachten, of hij had gedaan alsof hij dat deed. Vanaf deze plek had hij de foto gemaakt van de man die in de auto stapte en weg was gereden.

Gunnarstranda belde Lena Stigersand op en vroeg haar het kenteken te controleren. Drie minuten later had hij haar weer aan de lijn.

'De auto is van een man met de naam Erik Valeur,' zei ze en ze spelde de naam. 'Ik heb de gouden gids gecheckt. Hij is psycholoog. Heeft een praktijk in de Hortengata, maar een woonadres in Bærum. Wat doen we?'

Gunnarstranda dacht na. 'Geef me het telefoonnummer maar.'

De telefoon ging vijf keer over voordat het antwoordapparaat aanging.

'Dit is het antwoordapparaat van psycholoog Erik Valeur. Ik ben op dit moment bezig met een cliënt, maar heb van maandag tot vrijdag telefonisch spreekuur tussen twaalf uur en halfeen. Voor spoed kunt u bellen naar...'

Gunnarstranda verbrak de verbinding en slenterde terug naar zijn eigen auto.

27

De deuren van de lift gingen dicht, maar werden door een sportschoen weer opengetrapt. Mustafa Rindal kwam de lift in rennen in een korte broek en een singlet van het merk Red Bull. Hij was onderweg om te gaan sporten. Zijn kleren stonken naar zweet en hij kauwde kauwgum. Vreemd genoeg leek hij in een goed humeur te zijn.

Gunnarstranda kon niet begrijpen waarom sommige mensen absoluut hun sportkleding moesten aantrekken op kantoor in plaats van in de kleedruimtes. Hij probeerde iets hatelijks te bedenken, maar Rindal was hem voor.

'Gecondoleerd, oude G.'

Gunnarstranda reageerde niet.

Rindal grijnsde. 'Man, voor dit soort momenten moeten we oppassen. Dat jij bij de neus bent genomen!' Hij hinnikte.

'Wat bedoel je?'

'De verloofde van Veronika Undset, ik meen in de krant iets te hebben gelezen over een zekere nederlaag bij de rechter-commissaris.'

'Goh?' zei Gunnarstranda zuur. 'Heb je dat in de krant gelezen? Jij bent verantwoordelijk, misschien zou je wat moeten doen aan de interne communicatie?'

'Er zijn twee soorten verliezers, Gunnarstranda, zij die hun kop laten hangen en zij die zich beraden op een nieuwe aanval. Waar wacht je op? Kop op, gezonde jongen, zoals de dichter zegt.'

De lift stopte op de tweede verdieping en de deuren gingen open. Een markante advocaat stapte de lift in. De twee knikten naar de man en hielden verder hun mond.

De lift stopte op de eerste verdieping. De advocaat stapte uit.

'Voor een chef zijn er twee uitdagingen,' zei Rindal voor zich uit. 'De ene is begeleiden, de andere is motiveren.'

'Je haalt dingen door elkaar,' zei Gunnarstranda. 'Wat je nu zegt, is de inleiding van de lezing op het volgende seminar. Nu sta je hier in de lift met mij.'

'Precies. En ik heb besloten dat ik je wil motiveren. Het gaat om die psycholoog die je hebt opgespoord.'

'Wat is er met hem?'

De lift kwam weer tot stilstand. Ze waren beneden en de deuren gingen open. Ze liepen naar buiten.

'Lena is goed,' zei Rindal. 'Die meid heeft potentie. Ze heeft de naam van Valeur nagekeken in de databases en weet je wat ze ontdekte? Erik Valeur heeft gewerkt bij iets wat KJP heet, de kinder- en jeugdpsychiatrische afdeling Midt-Troms.'

'En?'

Rindal grijnsde: 'De psycholoog is geregistreerd. Je weet wat dat betekent?'

'Als je nou eens ter zake kwam in plaats van je zo aan te stellen.'

'Denk eens aan Finnsnes 2006.'

'En wat is dat? Een nieuw team in de basketballcompetitie?'

'*Very funny*,' pareerde Rindal op dezelfde toon. 'Je vergeet één ding, Gunnarstranda. Sarcasme is op den duur niet goed, je intellect loopt erop dood. Het is op de lange termijn ongezond, net als het voor mijn hart ongezond is om hotdogs en pizza te eten.'

'Sarcasme? Ik associeerde vanuit jouw kleding en ik heb geen idee waar je het over hebt.'

'Denk na, Gunnarstranda, denk na! Finnsnes, op Senja, mei 2006!'

'Moord?'

'Je bent warm, Gunnarstranda, je bent warm!' Rindal jogde op de plaats en bokste tegen zijn schouder.

Twee van Rindals sportmaatjes renden langs en hij riep ze na: 'Ik kom eraan, jongens!' Hij liet de kauwgum bijna uit zijn mond vallen, maar wist het te voorkomen met een hoofdbeweging en een ongelooflijk snelle tong. Net als een vliegenvanger, dacht Gunnarstranda, onder de indruk.

'Tienermeisje, vermoord op een vuilnisbelt, dat is het enige wat ik me nog kan herinneren!' zei hij.

'Signe Herring,' zei Rindal. 'Negentien jaar.' Hij temperde zijn stem en fluisterde: 'Die psycholoog, Valeur, zijn naam staat in de verhoorrapporten!' Het gezicht van Rindal was een grote glimlach. 'De psycholoog had Signe Herring als cliënt, omdat ze aan eetstoornissen leed. En hier schiet oompje Rindal je te hulp: ik heb de landelijke recherche gevraagd om me het dossier te faxen en wat ontdek ik? De moord op Senja is bijna identiek aan die op Veronika. Het meisje werd verkracht, vermoord met een mes en daarna als afval op de vuilnisbelt gedumpt. Jemig, als je het de volgende ronde goed aanpakt, word je beroemd! Seriemoord, oude G, hè? Dat zou wat zijn!'

Voor het eerst sinds lange tijd bleef Gunnarstranda hem het antwoord schuldig.

'Zo zie je maar wat een goede baas jij hebt,' grijnsde Rindal. 'Die helpt en steunt je als het tegenzit en komt met nuttige tips. *Cheer up*, laat je kop niet hangen!'

'Meen je dit?'

'Natuurlijk.'

'Ik heb net de buurman van Veronika Undset afgeslacht aangetroffen en dan kom jij aanzetten met een oude zaak uit Noord-Noorwegen. Waar wil je eigenlijk dat we beginnen?'

Rindal grijnsde. 'Ja, dat moet je mij niet vragen, zoals de man zei toen ze het lijk van zijn vrouw in de vrieskist vonden.'

Rindal verdween in volle vaart door de deur. Gunnarstranda zag alleen de zolen van zijn sportschoenen en de strakke rug over het voetpad rennen. Het was een lange dag geweest. Nu moest hij naar huis.

28

Het was zes uur 's ochtends toen Frølich zijn auto parkeerde voor het huizenblok in de Urtegata. Het was er relatief rustig. Een bezorger kwam aanlopen met een kar halfvol kranten achter zich aan. Hij hield stil en liep daarna snel een trappenhuis in. Het geluid van rennende voetstappen op de trappen was buiten te horen.

Frølich schonk een kop thee in uit de thermoskan in de rugzak. Die zat helemaal vol. Er zat een lunchpakket in, bestaande uit vier sneden brood en twee appels, een thermoskan met groene thee (koffie zou na twee uur funest voor zijn maag zijn), twee kleinere thermoskannen met koud water en ijsklontjes, twee lege flessen met een schroefdop, een verrekijker, fototoestel met zoom, Maglite zaklamp, zonnebrandcrème, zwembroek, handdoek, sandalen, iPod en oordopjes, en een extra korte broek.

De zon kwam op en de huizenblokken werden langzaam wakker. De mensen moesten aan het werk. Jonge heren met fietshelmen op en strakke pakken aan kwamen met dure fietsen uit de trappenhuizen lopen, om er daarna vandoor te racen. Jonge moeders met weinig tijd en met de wind door hun haren duwden moderne, sportieve kinderwagens voort. Auto's wurmden zich uit de smalle parkeervakken en reden weg. Twee stratenmakers startten een compressor en begonnen zand in een gat in de bestrating samen te persen. Het klonk als een donderslag toen een vrachtwagen een lading straatstenen loste.

Het geluid van de compressor werd luider en daarna zachter.

Een paar jongetjes begonnen om de beurt een bal tegen een muur te schoppen. Frølich had als klein jongetje hetzelfde gedaan. Ze hadden het spel afvallertje genoemd, het ging erom dat je af was als je de bal niet raakte als het jouw beurt was.

Eindelijk zweeg de compressor. Het was alsof er vrede op aarde neerdaalde. Hij verwachtte bijna vogels te kunnen horen zingen. Dat gebeurde niet. Hij keek naar de klok. Het was tien uur.

Frølich begon stijf te worden en hij kreeg het warm. De zon brandde en zou snel de ochtendschaduw van de huizenblokken opeten. Het zou dan bijna niet meer uit te houden zijn in de auto.

Om halfelf zette hij het portier op een kier om frisse lucht binnen te krijgen; hij pakte zijn iPod en zette de muziek van John Mayall aan die hij had meegenomen. *Blues from Laurel Canyon* was bijna afgelopen toen

Andreas Langeland naar buiten kwam. Vandaag weer gekleed in een zwarte skatebroek en met een piratenbandana om zijn hoofd. De witte singlet liet een zongebruinde huid en een kleurrijke tatoeage op zijn schouder zien.

Andreas stapte in een gele Minicooper die verderop in de straat stond geparkeerd. De Mini reed weg en Frølich startte zijn auto.

De Mini reed in de richting van Grønlandsleiret, Tøyenbekken en de Schweigaards gate. Frølich zette de kilometerteller op nul.

De rit begon in westelijke richting, de Drammensveien op, langs Sandvika, verder langs Asker.

In de richting van Lierskogen reed de Mini strak 120 kilometer per uur. Het werd lastig om hem te volgen en tegelijkertijd auto's ertussen te laten. Frølich liet zich verder terugzakken. De gele auto nam de afrit naar Tranby en reed door de Lierbakkene. Dat kwam overeen met de lijst met waargenomen locaties. De jongen zou vermoedelijk langs de Drammensfjord in zuidelijke richting rijden. Frølich nam nog meer afstand. Hij was bijna in een vlak gebied aangekomen toen hij een gele vlek in zuidwestelijke richting door de koolakkers zag bewegen. Andreas Langeland was afgeslagen naar Røyken.

Hij passeerde de Mini zonder dat hij dat wilde. De gele vlo stond bij een Kiwi-winkel geparkeerd, en Frank zag hem op het laatste moment vanuit zijn ooghoeken toen hij erlangs reed. Hij maakte een U-bocht en reed terug. Het was moeilijk om een goede plek te vinden waar hij kon wachten. Hij maakte opnieuw een U-bocht en reed achteruit de oprit van een vrijstaand huis op. Hiervandaan kon hij de ingang van de winkel zien. Hij bespeurde activiteit in het huis achter hem. Schaduwen in het raam. De bewoners waren benieuwd wat hij aan het doen was. Frølich keek van de winkel naar de spiegel en weer terug. De voordeur van het huis ging open. Een magere, oude man strompelde voorzichtig de trap af en liep naar de auto. Frølich liet het raampje zakken.

'Goedendag,' groette de man en hij stak zijn hoofd bijna half door het raam. Grijs haar en grijze baardstoppels, restjes van het ei van zijn ontbijt op zijn onderlip.

'Goedendag,' zei Frølich.

De man wilde nog wat zeggen, maar nu ging de deur van de Kiwi-winkel open. Andreas kwam naar buiten met zijn handen vol draagtasjes.

Frølich draaide de sleutel om en de motor startte met een gebrul. Hij liet de oude man zijn legitimatie zien en hield een wijsvinger voor zijn mond. De Mini reed weg. Frølich zwaaide naar de oude kerel, die zijn hakken tegen elkaar sloeg en zijn vingers tegen zijn voorhoofd plaatste als een grenadier.

De weg was van een categorie waar automobilisten met behulp van flitspalen werden getemd. De gele auto reed vijftig kilometer per uur, versnelde naar zeventig en remde weer af naar vijftig voor de volgende flitspaal. Langeland kende de weg.

Ondanks het urenlange speurwerk voelde zijn baan op dit moment net als bouwen met lego; de blokjes pasten op elkaar. Frølich hoorde John Mayall & The Bluesbreakers op zijn iPod, *A Hard Road*. Hij nam wat meer afstand en was tot op dat moment blij met deze dag.

Plotseling was de Mini verdwenen. Hij reed over de top van een heuvel met een goed uitzicht op de weg. Geen gele auto. Hij reed de berm in en hield stil.

De Mini was afgeslagen, maar waar? Hij zette de muziek uit, draaide om en reed terug, helemaal naar het punt waar hij de auto voor het laatst had waargenomen. Hij draaide nog een keer om en reed langzaam terug, te langzaam, een trailer die volgeladen was met puin moest achter hem op de rem trappen en de chauffeur claxonneerde. Het liet Frølich koud. Bocht na bocht volgde. Hij voelde de agressie van de vrachtwagenchauffeur gewoon door de achterruit heen stralen. Het was belangrijk om het onaangename gevoel op afstand te houden. Hij zette de muziek aan en zocht naar afritten. Eindelijk een recht stuk. De chauffeur claxonneerde geïrriteerd toen de trailer hem inhaalde.

De afrit was bijna niet te zien. Hij ontdekte hem alleen doordat hij langzaam reed. Hij sloeg af, het grindpad op en kroop langzaam over de heuvel. De weg was slecht onderhouden en slingerde steil en smal omhoog. Als Andreas zou omdraaien en weer naar beneden zou rijden, zou hij hem vast en zeker ontdekken.

Nee. De auto glom geel tussen de stammen van de sparren door. De Mini stond achter een kleine rots geparkeerd.

Frølich reed erlangs, helemaal tot de weg op een open plek met grind uitliep. Hier lag een stapel oud hout. Er was geen schaduw voor de auto te vinden. Niks aan te doen. Hij stapte uit en wandelde als een toerist over de rotsen, in de richting van een kleine uitstekende rotspunt een paar honderd meter hogerop. Die moest een goed uitzicht bieden.

Toen hij daar aankwam, was hij kletsnat van het zweet. Een rots waar hij tegenaan kon leunen. De plek was perfect. Hij kon de gele kleur van de Mini nog net achter een groep bomen zien. De Oslofjord lichtte ver beneden in de diepte donkerblauw op. Tegen de heuvel, een paar honderd meter naar het noorden, zweefden drie dakplaten van huisjes als enorme vogels met uitgeslagen vleugels. Er was een grote afstand tussen de huisjes. Frølich pakte de verrekijker uit de rugzak en onderzocht het gebied tot in detail.

Het was ongelooflijk heet. Hij liet de verrekijker zakken en smeerde zonnebrandcrème op plekken die dat nodig hadden. Hij hield de verrekijker weer voor zijn ogen. Een vlieg was zich gaan interesseren voor zijn rechterwenkbrauw. Hij sloeg hem voor de zoveelste keer weg. Een stel kauwen zat in een van de bomen met elkaar te kletsen. Hun geluiden hielden het midden tussen het gelach van een ekster en het gekrijs van een hese kraai. Er vloog een dikke hommel van bloem naar bloem op de rozenbottelstruiken waarvan de met doornen beklede takken uit kleine rotsspleten staken. De zon was genadeloos. Die brandde op zijn onderrug en in zijn nek. Er kropen een paar zwarte mieren over zijn voet. Hij versperde waarschijnlijk hun pad. Een ervan klom langs zijn been omhoog en begon te bijten. Hij liet zijn verrekijker zakken en knipte de mier met zijn vingers weg. De combinatie van zonnebrandcrème en zweet maakte zijn huid nat en plakkerig. Zijn hersenen hadden het kookpunt bereikt. Hij pakte een thermoskan met ijswater en dronk zijn dorst weg, en goot daarna de rest van het water over zijn nek en hoofd. Heerlijk.

Frølich tilde de verrekijker op en plaatste hem weer voor zijn ogen. Door een beweging ontdekte hij de plek. Het huisje lag diep in een bergkloof, goed verstopt. Door de bladeren van de boomkruinen kon je vaag een veranda zien. Daar, bijna onzichtbaar voor het blote oog, was iemand bezig zich op zijn buik te draaien.

29

Sommige mensen haatten bepaalde woorden. Gunnarstranda had ooit een professor Noors meegemaakt die door het lint ging bij het verkeerde gebruik van het voorzetsel 'op'. De man voorspelde de ondergang van de taal en de cultuur, en hij leek in staat er een moord voor te plegen om dat te vermijden. Wanneer Gunnarstranda erover nadacht, waren er bepaalde woorden die hij ook haatte. Een daarvan was seriemoord.

Deze ochtend ging hij langs Schwenke in het Gerechtelijk Laboratorium en hij kwam de gerechtsarts in de gang tegen. Schwenke viel gemakkelijk op, zijn magere figuur werd gecompenseerd door een bijzonder groot hoofd met veel haar en dito baard.

'Kon dit niet via de telefoon?' vroeg Schwenke geïrriteerd, maar hij deed toch de deur van zijn kantoor open. Gunnarstranda nam plaats in de versleten leren stoel bij het raam, terwijl de gerechtsarts de laden van het bureau open en dicht schoof op zoek naar papieren. Het bureau was bezaaid met naslagwerken en schriften. Boven op een licht hellende berg getypte vellen papier troonde een zwarte laptop.

'Als ik je had opgebeld, zou je de telefoon niet hebben opgenomen en ik zou vergeten zijn om je nog een keer te bellen.'

'Daar,' zei Schwenke. Hij haalde een compendium uit de la en legde het boven op de al wankele stapel. 'Wat zit je dwars?'

'Er is iets wat niet overeenkomt met de richting waarin we zoeken in de zaak-Veronika. We gaan ervan uit dat de dader slim is.'

'Dus moordenaars zijn niet slim?'

'Nooit,' zei Gunnarstranda.

Schwenke keek achterdochtig op met zijn leeuwenkop. 'Hoe groot is het bord dat een moordenaar voor zijn kop heeft?'

Gunnarstranda dacht na. 'Een voorbeeld. Die man die geld nodig had. Toen zijn dochters een studiebeurs kregen bij de kredietbank, moest hun moeder namens de dochters het geld ophalen. Buiten de bank moest haar echtgenoot een overval in scène zetten en met een schep tegen de schedel van zijn vrouw slaan. Helaas sloeg hij zo hard dat ze overleed. Hij verdiende er helemaal niks aan, want de kredietbank betaalt slechts één maandbedrag per keer uit.'

'En?'

'Ik wil alleen maar zeggen dat moordenaars op dat niveau zitten.'

'Maar wat maakt de moordenaar van Veronika nou zo slim?'
'Dat het lijk met kokend heet water overgoten was. Waarom deed hij dat?'
Schwenke dacht na. Hij bleef in gedachten verzonken zitten met zijn ogen op een punt aan het plafond gevestigd.
'Hij slaat haar, verkracht haar en tot slot brengt hij haar met messteken om het leven,' zei Gunnarstranda. 'Daarna denkt hij: DNA, ik moet sporen uitwissen, en dan begint hij haar met zulk heet water te wassen dat ze brandplekken krijgt. Zou hij zichzelf niet verbrand hebben?'
'Hij heeft het vast in twee keer gedaan. Hij heeft haar eerst grondig gewassen en daarna overgoten met kokend heet water om zeker van zijn zaak te zijn.'
'Oké, maar de kans dat zo'n plan slaagt, is toch net zo groot als de loterij winnen?'
Schwenke keek hem met een scherpe blik vanonder zijn ruige wenkbrauwen aan. 'Waar wil je eigenlijk naartoe?' vroeg hij achterdochtig.
'Ik wil gewoon hulp. Als de dader biologische sporen heeft achtergelaten, zou hij die dan allemaal kunnen verwijderen?'
Schwenke was behoorlijk humeurig. 'Die man kan vast net zo goed zoeken als onze mensen.'
'Maar hij heeft haar niet geopereerd. Dat heb jij gedaan.'
'Wat wil je dat ik zeg?'
'Kan het zijn dat ze niet is verkracht?'
'Bedoel je dat het verbranden met het gloeiende water met een andere achterliggende gedachte is uitgevoerd dan het verbergen van sporen na een verkrachting? Wat zou de reden dan zijn?'
Gunnarstranda glimlachte vaag. 'Je weet met andere woorden niet zeker of...'
Schwenke onderbrak hem: 'Je luistert niet.'
'Maar wat denk jij?'
Schwenke schudde zijn hoofd en sloeg met beide handen op tafel. 'Je gaat te ver, je kletst maar wat over domme moordenaars om mij iets te laten zeggen wat je graag wilt horen. *No way*. Ik wil niet jouw geloofsgetuige zijn van dingen die ik niet weet. Ik ben gestopt met geloven toen ik aan deze baan begon. Het geloof laat ik over aan mensen als jij en aan dominees.'
Gunnarstranda liet zich niet afschepen: 'Die keren dat jij met de conclusie van verkrachting bent gekomen, waar baseerde jij dan je conclusies op?'
'Waarom zanik je hier zo over door?'
'Dat is puur professionele interesse.'
'Je bluft. Stop daarmee.'
'Oké.' Gunnarstranda hield zijn handen afwerend omhoog. 'Rindal heeft ontdekt dat een van onze getuigen, een psycholoog, een paar jaar geleden een cliënt in Troms had. Dat meisje is vermoord. Een zeer vergelijkbare case.'

'Welke case?'

'Signe Herring, op Senja in 2006.'

'Hmm.'

'Je analyse van de *modus operandi* op Veronika is verdomde belangrijk,' benadrukte Gunnarstranda. 'Het heeft met middelen te maken, de methode, hoe we het vanaf dit moment aan moeten pakken.'

'Laat me dan zeggen wat ik ga zeggen als ik moet getuigen,' zei Schwenke zakelijk. 'Afgezien van de messteken is er ook een andere vorm van geweld op Veronika toegepast, slagen tegen haar hoofd. Ze had hoofdletsel opgelopen. Het is niet duidelijk of ze hieraan of aan de messteken is overleden.'

Gunnarstranda dacht even na en vroeg toen: 'Ze is geslagen, had messteken en ze is vermoord, ja. Maar is ze verkracht?'

'Laat ik je een wedervraag stellen: wil je deze zaak oplossen of wil je een oorlog voeren tegen Rindal?'

'Ik vroeg het eerst.'

Schwenke zuchtte. 'Probeer het volgende te accepteren: Veronika Undset trof de verkeerde man op de verkeerde plek en op het verkeerde tijdstip. Er bestaan honderden identieke gevallen op de wereld. Het slachtoffer en de aanrander vechten. Hij ligt op haar en slaat haar hoofd tegen de grond totdat ze flauwvalt en zich niet meer kan verdedigen. Dan verkracht hij haar. Daarna brengt hij haar een aantal messteken toe om haar het zwijgen op te leggen. Een man die dat soort dingen doet, moet gewoon heel gestoord zijn, onstabiel, idioot, psychotisch. Psychiaters hebben meters planken vol boeken over zulke idioten geschreven. De man naar wie jij op zoek bent, is zelfs nog specialer: hij giet kokend water over het lijk om DNA te wissen. Hij verpakt de dode in plastic en rijdt met haar rond totdat hij een geschikte plek vindt om het lijk te dumpen. Toch kan of wil ik niet speculeren. Ik moet gewoon een inschatting maken van het geheel. Ik heb geen sperma of andere biologische sporen op het lichaam van Veronika Undset gevonden. Ik heb slechts één logische verklaring voor de toestand waarin het lijk verkeerde: ze is het slachtoffer geworden van grof fysiek geweld; ze is verkracht en daarna vermoord. En als we verdergaan en heel even aannemen dat Veronika door dezelfde dader is vermoord als het meisje op Senja, zou ik denken dat hij van de eerste moord heeft geleerd. Toen liet hij biologische sporen achter, dat was algemeen bekend. Elke krant in Noorwegen vermeldde uitgebreid dat Signe Herring was verkracht. Nadat hij Veronika had vermoord, wiste hij met zorg de sporen uit.'

'We hebben hier dus te maken met twee zaken die diverse overeenkomsten en twee specifieke verschillen vertonen,' concludeerde Gunnarstranda. 'Veronika is in elkaar geslagen...'

Schwenke schudde zijn hoofd en onderbrak hem: 'Je kunt er donder op zeggen dat Signe Herring ook in elkaar is geslagen.'

'Maar het lichaam van Veronika is overgoten met kokend heet water, dat van Signe Herring niet.'

Gunnarstranda stond op en liep naar de deur.

'Gunnarstranda!' riep de gerechtsarts hem na.

'Ja?'

'Je hebt een grote bek. Een verdomd grote bek.'

'Dat vat ik op als een compliment.'

'Kijk eens in het dossier-Herring. Je moet meer te weten komen over de psyche van de dader. Uit die zaak kan belangrijke stof te halen zijn.'

Gunnarstranda reageerde niet. Hij liep naar buiten.

30

Frank Frølich knipperde het zweet uit zijn ogen, liet zijn verrekijker zakken en stelde de afstand tussen de lenzen beter in. Hij hield de verrekijker weer voor zijn ogen, stelde hem scherp.

Het huisje was grijsblauw, de verandadeuren zwart. De gestalte lag op een plaid, spiernaakt. Afgezien van de piratenbandana. Het was Andreas.

Was dit een anticlimax? Was Andreas naar het huisje gereden om in de zon te gaan liggen?

Nee. Frølich voelde het branden in zijn buik. De gedachten stapelden zich op. Verdenkingen, ongeduld.

De secondewijzer ging langzaam door de bocht. De minutenwijzer sloeg als een hamer toen die eindelijk bewoog. Hij verloor vocht. De kleren plakten aan zijn lichaam. Er verstreek bijna een uur. Het was een lang uur. Het suisde in zijn hoofd.

Toen gebeurde er iets. Er kwam een persoon de veranda op lopen.

Frølich greep snel zijn verrekijker. Deze jongen was ook poedelnaakt, zongebruind en gespierd, hij had zelfs een bruine kont. Maar wie was het?

Frølich drukte de verrekijker tegen zijn ogen. De gestalte verdween achter de bladeren, kwam weer tevoorschijn. Hij ging op zijn hurken zitten. Twee naakte mannen op de veranda. Andreas knikte en knikte. Van de andere man kon Frølich alleen de rug zien. *Draai je toch om, man. Draai je om!*

De zongebruinde jongen stond op, stak een sigaret op, blies rook uit en peuterde iets van zijn onderlip. Eindelijk, nu draaide hij zich om.

Yes!

Het was zijn broer, Mattis.

Frølich kon gewoon horen hoe de puzzelstukjes op hun plek vielen.

Hij kon niet langer wachten en liep op een drafje terug naar de auto. Pakte de strips en de handboeien, terwijl hij naar adem hapte.

Zijn hart bonsde. Het klopte in zijn oren. Hij bleef staan hannesen. *Nee. Dit is anders. Je weet niets!*

Hij kon niets anders horen dan zijn eigen hart. Zijn hart en de insecten. Hij veegde het zweet van zijn voorhoofd. Hij hyperventileerde. Vermande zich. Rechtte zijn rug. Keek om zich heen. *Zulke insecten leven niet in Noorwegen.* Maar het geluid was er wel. Het gezang van de krekels en het harde geklop van zijn eigen hart. Hij hield zijn handen voor zijn oren. *Ik ben hier, op een steile heuvel in Vestfold!*

Hij zag een hommel, die over de motorkap van de auto kroop. Hij concentreerde zich om te horen hoe de hommel bewoog.

Uiteindelijk verstomde het suizende geluid.

Pas toen maakte hij zich los. Hij rende terug over de heuvel, naar de plek waar zijn rugzak en zijn verrekijker lagen. Hij pakte de verrekijker. Mattis was nu alleen. Hij lag op zijn rug op het luchtmatras te zonnebaden. Hij las een stripblad. Hij hield het blad omhoog zodat het schaduw bood.

Frølich hyperventileerde nog steeds. Hij probeerde na te denken. Mattis alleen. Eerst was Andreas alleen geweest.

Zijn ergste veronderstellingen mochten niet waar zijn, maar dat zou wel kunnen.

Hij greep de Maglite-zaklamp, de handboeien en de strips, en begon te lopen. Hij sprong in zijn zachte sportschoenen geluidloos van steen naar rots naar steen.

Zolang hij op de rotsen bleef, kon hij zich geluidloos voortbewegen.

De berg eindigde in een diepe kloof en nu was het huisje niet ver meer. Hij ging zitten en bewoog zijn lichaam naar voren terwijl hij naar het hek om de veranda verderop bleef kijken.

Uiteindelijk moest hij springen. Hij landde met zijn voeten naast elkaar op bladeren en verdorde takken.

Het kraakte. Hij bleef roerloos gehurkt staan. Hij hield zijn adem in om te luisteren. Hij hoorde niets. Was hij ontdekt?

Hij haalde weer adem, met open mond.

Bewegingloos, met het zweet gutsend over zijn gezicht, wachtte hij totdat hij zeker wist dat alle normale geluiden klopten. Het geritsel van de bladeren, het golvende geluid van een vliegtuig ver in de lucht...

Hij liep verder en concentreerde zich om zijn voeten goed op de stenen te zetten.

Het huisje dook op tussen de bomen. Een smalle houten woning van twee verdiepingen, een klein grondoppervlak, in een bergkloof gedrukt. Voor het huisje had iemand een poging gedaan een gazon aan te leggen. Aan de rand daarvan groeide een half verdorde struik met bladeren. Frølich ging tussen de dunne takken op zijn hurken zitten, afgeschermd door de struik.

De laatste tien meter was er geen dekking. De espenbladeren ritselden toen er een windvlaag over de berg kwam. Hij hoorde Mattis een bladzijde in het stripblad omslaan.

Twee zwarte kunststofbuizen op de grond maakten duidelijk dat er een voorziening was aangelegd om 's zomers over water te beschikken.

Twee ingangen. De ene door een brede deur recht voor hem. De andere ingang op de verdieping erboven, via de veranda waar Mattis zich bevond.

Welke route moest hij nemen?

Hoe?

Toen hoorde hij stemmen. Hij luisterde. Ze kwamen van binnen. Nee. Het was maar één stem. Het volume ervan nam toe, maar werd toen abrupt afgebroken.

Hij keek naar het huisje. Geblindeerde ramen en een grijsblauwe muur. Het landschap, de bomen en de hemel spiegelden zich in de ramen.

Geluidloos kwam hij overeind. Hij zette een voet op het gras, daarna nog een. Als iemand uit het raam zou kijken, zou hij ontdekt worden. Nog zes meter. Vier meter. Drie meter. Toen ontdekte hij dat de gordijnen voor het raam dicht waren. Hij rende naar de muur van het huisje en drukte zijn oor tegen het hout. Hij luisterde. Hij hoorde gehuil. In een flits was hij er weer. Hij had dezelfde bloedsmaak in zijn mond als twintig jaar geleden. Hij voelde dezelfde paniek. Hij kon niet meer.

Zijn lichaam ging over op de automatische piloot. Hij rende over het gras, zag de trap naar de veranda en forceerde die in drie stappen.

Mattis Langeland hoorde de voetstappen en ging beduusd rechtop zitten.

Het volgende moment had Frølich hem te pakken. Hij greep hem bij zijn arm. Rolde hem over op zijn buik. Zette een knie in zijn rug. Een arm onder zijn keel. Kantelde hem achterover. Mattis schreeuwde. Frølich maakte zijn handen vast met de strips en had eindelijk in de gaten wat de man schreeuwde: 'Andreas! Andreas!'

Frølich draaide zich om naar de glazen deuren in het huisje. Er was niemand te zien. Hij draaide zich weer om naar Mattis die naar de trap rende, met zijn handen op zijn rug. Frølich zette zijn voet naar voren en het naakte lichaam klapte tegen de planken.

Hij greep een enkel vast en sleepte de schreeuwende gestalte terug. Maakte de enkel met de handboeien vast aan het hek van de veranda. Het hek was niet stevig, maar het zou wel houden.

Ten slotte hield Mattis zijn mond. Ze keken elkaar aan. Mattis ademde zwaar en ging op zijn knieën zitten. Frølich keerde hem de rug toe en liep langzaam naar de glazen deur.

Hij opende de deur. Binnen was het helemaal stil. Hij stond in de deuropening te luisteren. Nog steeds stil.

De woonkamer leek wel een lege feestzaal. Lege pakjes sigaretten en lege bierflesjes op een tafel. Een trap leidde naar de begane grond.

Iselin Gravs stem in zijn hoofd: *Ik denk niet dat ze dood is.*

Frølich wierp door het raam een blik naar buiten, naar de groene boomkruinen.

Hij keek achterom over zijn schouder. Mattis Langeland trok niet meer aan het hek. Hun ogen ontmoetten elkaar opnieuw.

Frølich draaide zich om en ging naar binnen. Hij liep langzaam de trap af. Er was niemand te zien. Geen geluid te horen.

De trap kwam uit in een hoek. Hij had alleen de zaklamp om zich mee te verdedigen.

Op de overloop halverwege de trap stopte hij. Zijn hart. Hij hoorde het bonzen. Het werd hem mistig voor de ogen. Het suizende geluid van de krekels kwam terug. Hij knipperde met zijn ogen om beter te kunnen zien, wankelde en zei tegen zichzelf: 'Er zijn hier geen sprinkhanen. Geen krekels. Ga door!'

Frølich trok zijn lichaam los van de muur. Hij haalde met open mond adem totdat zijn longen weer normaal werkten.

Hij zette een stap en moest de leuning vastpakken om niet van de trap te vallen. Hij liep helemaal naar beneden. Niemand daar, niemand die op hem wachtte. Nu rook hij een zure stank. Braaksel. Zweet. Rotte lucht. Hij liep verder. Het rook hier naar slaapkamer.

Frølich liep verder. De lucht trilde. Er stonden twee deuren open. Een aan de linkerkant en een aan de rechterkant. De ene was van een kamer. De andere...

Plotseling werd er een raam ingeslagen. Op het gerinkel van glas volgde het geluid van rennende voetstappen over de rotsen. Andreas probeerde te ontsnappen, maar dat zou hem niet lukken. Frølich wilde erachteraan, maar op het moment dat hij zich omdraaide, ontdekte hij de spiegel. Hij stopte en stond stokstijf stil. Aan de wand in de slaapkamer hing een omvangrijke spiegel. De spiegel liet de details van de kamer zien. De lampen aan het plafond. Twee camera's op statieven, het lichaam op het bed.

Frølich liet Andreas lopen. In plaats daarvan liep hij langzaam naar de openstaande deur en ging naar binnen.

31

Toen hij vlak bij het trappenhuis was, werd de voordeur geopend door een grote, dikke vrouw in een lange, rode jurk. Gunnarstranda glipte naar binnen voordat de deur weer dichtviel, draaide zich om en keek haar na. Het leek alsof ze boven de grond zweefde; ze deed denken aan een speelgoedrobot die op onzichtbare wieltjes vooruit rolde.

Valeur woonde op de tweede verdieping. Gunnarstranda moest drie keer aanbellen voordat de deur werd geopend door de man van de spionagefoto's, gekleed in een spijkerbroek en een soepel vallend, geel overhemd dat zijn bolle buik achter de rij knopen verhulde. De korte baard was grijs met grove stoppels, wat hem een onverzorgd uiterlijk gaf. Valeur keek de politieman aan met zijn hoofd een beetje achterover, om zijn ogen te beschermen tegen het fijne streepje rook dat van de sigaret uit zijn mondhoek opsteeg. Dit beeld greep de afgekickte nicotineslaaf Gunnarstranda aan, die er gewoon iets over moest zeggen.

'Mensen die tegenwoordig nog roken, staan vaak op de hoek van de straat of op hun eigen balkon te rillen. Ik dacht dat binnenrokers bijna opgevat konden worden als een uitgestorven ras. U bent vast niet getrouwd,' concludeerde de politieman, 'als u zich zulke vrijheden kunt permitteren.'

Valeur nam de sigaret uit zijn mond. 'En wie bent u?' vroeg hij knorrig.

'Gunnarstranda, politiedistrict Oslo, afdeling gewelds- en zedendelicten.'

De psycholoog keek hem een paar seconden in de ogen en stapte toen opzij zonder te reageren.

De geluiden in de woonkamer deden Gunnarstranda denken aan de jaren zestig. Een lage salontafel was bezaaid met catalogi en ordners. 'Sorry voor de rotzooi.' Valeur greep een afstandsbediening en zette het geluid zachter. 'Ik ben een verzamelaar, begrijpt u.'

Het appartement had aan beide kanten een balkon. De brede ramen met schuifdeuren creëerden een lichte en gezellige sfeer. Gunnarstranda liep naar de ramen en constateerde dat buren gemakkelijk naar binnen konden kijken.

'Schlagers,' zei Valeur en hij begon de ordners en tijdschriften op te ruimen die verspreid op de salontafel lagen. 'Top twenty hits in Groot-Brittannië, de VS en, natuurlijk, in Noorwegen.' Hij hield een versleten catalogus omhoog. 'Dit zijn de lijsten van het radioprogramma *Ti i skuddet* vanaf 1960 totdat het muziekprogramma stopte.'

'Waar luisteren we nu naar?'

'*Pretty Flamingo* met Mannfred Mann. Kwam binnen als nummer achttien in de top twenty in april 1966, na twee weken – op achttien mei – stond *Pretty Flamingo* op de eerste plaats en behield die positie drie weken lang, om daarna te zakken, en na negen weken was het eruit. In Noorwegen kwam het nummer op 3 juni meteen binnen op nummer drie op de lijst van *Ti i skuddet* en behield die positie het volgende programma, maar zakte toen naar de zesde plaats en verdween daarna van de lijst. Het was vakantie. Ik heb altijd van Mannfred Mann gehouden en ik weet zeker dat hij beter had gestaan als hij eerder was gelanceerd.'

De kamer was ingericht voor vinylplaten. De twee wanden zonder ramen waren bedekt met planken vol oudere 45-toerensingles, zwarte, met en zonder hoesje, een paar groene singles en ook nog rode.

'Gewoon mijn bezetenheid,' legde Valeur uit, 'de nummers te pakken krijgen, afvinken op de lijst. Mensen zijn kuddedieren, dat weet u als politieman wel, maar er bestaan wel cultuurverschillen. Soms is er een aantal jaar een duidelijk verschil in muzieksmaak tussen de VS en Engeland, en het is interessant om te zien wat afwijkt. De positie op de *Ti i skuddet*-lijst op de NRK radio is uniek in Noorwegen, omdat die werd gebaseerd op de stem van het publiek. Het volk bepaalde op basis van de volkse smaak, de positie op de lijst werd dus bepaald door de beleving van dat moment, niet door de verkoopcijfers. Dat is uniek. Hoe heette u ook al weer?'

'Gunnarstranda.'

'Wat kan ik voor u doen?'

'Een paar jaar geleden had u een patiënt met de naam Signe Herring.'

Valeur haalde diep adem en zijn gezicht betrok. 'Vertel me nou niet dat de politie in Oslo aan die zaak werkt.'

'Uw naam dook op.'

'Dook op? Mijn naam?'

'Zij was uw cliënt?'

Valeur bleef Gunnarstranda onderzoekend aankijken. Uiteindelijk leek hij een beslissing te nemen.

'Ze had eetstoornissen, tekenen van anorexia. Haar gymleraar had stappen genomen. Haar gewichtsverlies was groot, maar niet alarmerend. Ik werkte toen voor BUP. Een paar weken nadat ze was vermoord, sprak ik iemand aan de telefoon die bij de landelijke recherche werkte. Ik kan me niet eens meer herinneren of ik met een man of een vrouw heb gepraat. De betreffende persoon wilde weten of ik tips had, of ik iets wist over geheime vriendjes of dat er naar voren was gekomen dat het meisje bang was voor bepaalde mannen. Ik kan me nauwelijks herinneren wat ik heb geantwoord. Het gesprek duurde nog geen twee minuten.' Hij zuchtte geïrriteerd. 'En u zegt dat mijn naam is opgedoken?'

'Kent u een zekere Sivert Almeli?'

Valeur schudde zijn hoofd. 'Zou ik hem moeten kennen?'

Gunnarstranda stak zijn hand in zijn binnenzak om de foto's te pakken. Hij legde de drie spionagefoto's van Valeur op tafel.

'Jezus mina,' zei de psycholoog. Met zijn ogen op de foto's gericht drukte hij de sigaret uit in een ronde, volle aluminium asbak. 'Dat ben ik,' constateerde hij en hij keek opzij naar de politieman voor een verklaring.

Toen die uitbleef, pakte hij een pakje Teddy uit zijn borstzakje en viste er een sigaret uit.

Hij bood Gunnarstranda er een aan, maar die schudde zijn hoofd.

Valeur hield de sigaret een paar seconden tegen het licht, stak hem toen aan met een rode lucifer en sprak uit zijn mondhoek: 'Ik ben een nostalgisch persoon, Gunnarstranda, dat maakt deel uit van mijn persoonlijkheid. Ik streef een soort geluk uit vroeger dagen na, hoewel ik weet dat deze gelukstoestand eigenlijk een illusie is. Maar hoe verzet je je tegen een bezetenheid? Ik zou graag terug willen naar de tijd van Radio Lux, oude nummers, gitaarboogie. Toen ik als tiener begon te roken, kon je in een winkel goede sigaretten kopen. De keuze was hemels: Camel, Rothmans, Benson & Hedges, Pall Mall, South State, Kent, Merit, Blue Master, Red Virginia, Gitanes, Gauloises, Lucky Strike; toen maakte het sigarettenmerk dat je rookte deel uit van je persoonlijkheid. Ik streef naar nostalgie, Gunnarstranda, ik verlang voortdurend terug naar een vorm van verdwenen harmonie.'

'Moeder, ik wil terug,' zei Gunnarstranda. 'Terug naar haar warme, veilige schoot, van voor de werkelijkheid met al zijn moeilijkheden en gecompliceerde keuzes.'

'Zo ver terug zat ik niet te denken,' reageerde Valeur scherp. 'Wat heeft mijn moeder hiermee te maken?'

Gunnarstranda spreidde zijn armen. 'Wilt u niet weten waarom ik u deze foto's laat zien?'

Valeur prikte met een vinger op de ene foto. 'Uiteraard. Ik ga ervan uit dat u dezelfde aanpak hebt als mijn cliënten. Vroeg of laat komt u ter zake.'

Gunnarstranda keek op. Zoals verwacht zat een tot nu toe onbekende Valeur hem vanonder zijn oogleden te bekijken. De schurk knipperde hevig met zijn ogen totdat de politieman hem recht in de ogen keek en zijn blik probeerde vast te houden. Toen verdween de blik in zijn ogen langzaam.

Gunnarstranda richtte zich weer op de foto's.

'Deze foto's zijn een paar dagen geleden gemaakt door Sivert Almeli. Hij was bibliothecaris bij de Deichmanske bibliotheek.'

'Was?'

'Hij is vermoord door een nog onbekende dader.'

Valeur fronste zijn wenkbrauwen. 'Waarom heeft hij foto's van mij genomen?'

'Dat vragen wij ons nou ook af.'

Valeur schudde zijn hoofd. 'U hebt die zin vast vaak gehoord, maar ik weet hier niets van.'

Gunnarstranda legde de foto van het pretpark op tafel. Almeli in de attractie onderweg, steil omlaag. 'Was deze man een cliënt van u of hebt u hem op een andere manier ontmoet?'

Valeur pakte de foto. Hij bestudeerde hem en draaide hem om. Ten slotte schudde hij zijn hoofd. 'Sorry, ik ben bang dat ik weinig kan bijdragen.'

'Welke relatie hebt u met de Deichmanske bibliotheek?'

'Dertig jaar geleden hadden ze een filiaal op Valkyrie plass. Ik ben opgegroeid op Majorstua, in de Bogstadveien. Het kwam weleens voor dat ik daar jongensboeken leende. Dat filiaal bestaat nu natuurlijk niet meer. Het was vast te duur om de vertrekken te huren en het salaris van de bibliothecaris te betalen. Stel je voor, toen waren boeken zo belangrijk voor mensen dat ze graag een filiaal van de bibliotheek in de buurt wilden hebben. Begrijpt u wat ik zeg als ik terugverlang naar een andere tijd? Nou... nu lees ik vooral vakliteratuur en bestel ik wat ik wil hebben op internet.'

Valeur rookte met korte halen.

Gunnarstranda verbaasde zich over dit gedrag en hij zou graag nog een keer dezelfde reactie oproepen. Hij haalde een strip nicotinekauwgum tevoorschijn, drukte er een uit en stopte hem in zijn mond. 'Er was een tijd dat ik veel meer rookte dan u,' zei hij. 'Ik ben COPD aan het ontwikkelen en volgens de artsen kom ik op een verschrikkelijke manier aan mijn eind.'

'Ze drukken diezelfde voorspellingen op de sigarettenpakjes af.'

'Maar daarom stop je er niet mee,' zei Gunnarstranda.

'Natuurlijk niet,' zei Valeur en hij legde de sigaret op de rand van de asbak.

Geen van hen zei verder iets. Uiteindelijk stond Valeur op, als een soort teken dat het bezoek was afgelopen.

'Ik wil u nog één ding vragen,' zei Gunnarstranda.

'*Be my guest.*'

De politieman reikte hem een nieuwe foto aan. 'Kent u haar?'

Valeur hoefde geen antwoord te geven; zijn gezichtsuitdrukking was voldoende. 'Waarom vraagt u dat?'

'Ze heette Veronika Undset. Ze is ook vermoord door een nog onbekende dader. Het heeft trouwens in de krant gestaan.'

Valeur ging weer op de bank zitten.

'Iets zegt mij dat u haar kent.'

'Nauwelijks.'

Gunnarstranda bleef stil zitten. Met een afwezige blik viste Valeur nog een sigaret uit het pakje en hield die lang tussen zijn vingers, onaangestoken.

'U hebt er al een aan,' glimlachte Gunnarstranda en hij wees naar de rokende sigaret in de asbak. 'U als psycholoog begrijpt vast dat ik van dat soort reacties hou.'

Ook deze sarcastische opmerking had niet de gewenste reactie tot gevolg. Valeur glimlachte mat. Hij pakte de sigaret die hij als eerste had aangestoken en stak die tussen zijn lippen.

'Ze is vorige week één uur bij me geweest. We hebben te weinig tijd gehad om elkaar te leren kennen.'

'Welke indruk kreeg u van haar?'

'Ze kwam gefrustreerd op mij over. Dat zijn de meeste mensen die bij mij komen. Ik kreeg alleen niet de indruk dat ze leed aan angsten of neuroses, ze leek gewoon gefrustreerd. Ze zei dat ze iemand nodig had met wie ze kon praten, om zichzelf op de rails te krijgen, haar leven. Ze vertelde dat ze verloofd was, dus ik dacht dat ze misschien dingen wilde bespreken omdat ze twijfels had over haar relatie. Ik weet het niet, we gingen niet zo diep in op haar complex.'

'Noemde ze niet de naam van deze man, Sivert Almeli?'

'Nee.'

'Zei ze dat ze bang was?'

Valeur schudde zijn hoofd.

'Vertelde ze iets over onbekende mannen die haar lastigvielen, die haar volgden?'

'Nee. Het gesprek was volstrekt banaal, het ging over algemene dingen, over de situatie met haar verloofde en dat soort dingen. Ik nam natuurlijk aan dat het eigenlijke probleem dieper lag en dat dat in de loop van de therapie naar boven zou komen.'

'Wat was er met die verloofde?'

'Ze twijfelde aan hem, aan zijn liefde voor haar. Hoe dan ook. Ze twijfelde aan hem en daardoor was ze ook aan zichzelf gaan twijfelen.'

'Kon u haar helpen?'

'Ik heb overwogen haar voor te stellen dat ze allebei in therapie zouden gaan, samen dus.'

'Maar dat hebt u niet gedaan. Waarom niet?'

'Ik wilde haar eerst beter leren kennen. Ik vermoedde dat er mogelijk andere zaken een rol speelden, aangezien ze ervoor had gekozen alleen in therapie te gaan. Wanneer mensen een psycholoog opzoeken, kan het gebeuren dat de uitgesproken reden het resultaat is van een soort rationalisering.'

'U bedoelt dat er eigenlijk andere oorzaken achter schuil kunnen gaan?'

'Precies, maar daar ben ik dus nooit achter gekomen.'

Gunnarstranda leunde naar voren.

'Deze man, Sivert Almeli, was haar buurman. Hij werd vermoord korte tijd nadat zij was vermoord. We hebben redenen om aan te nemen dat ze een – wat zullen we zeggen – vanuit psychologisch oogpunt speciale relatie met elkaar hadden. Sivert Almeli bespioneerde Veronika Undset. Hij nam in het geheim foto's van haar. Hij was een case voor een psycholoog. Daar heeft ze dus niets over gezegd toen ze bij u was?'

'Als we over iets hadden gesproken wat van belang kan zijn voor uw zaak, zou ik het natuurlijk hebben verteld.'

'Waarom kwam ze juist bij u terecht?'

Valeur haalde zijn schouders op. 'Ik zou er in de loop van de therapie wel een keer naar hebben gevraagd, maar zo ver kwam ik niet.'

'Ze kwam dus niet bij u op verwijzing van een andere arts?'

'Nee. Patiënten worden geconfronteerd met lange wachtlijsten. Veronika Undset hoorde bij de groep patiënten die op eigen initiatief komt en die zelf de kosten betaalt, zonder vergoedingen uit de ziektekostenverzekering.'

'Zijn er veel van dat soort patiënten?'

'Best wel. Noorwegen is een rijk land en veel mensen zijn bereid om de volle prijs te betalen als ze dan niet op een behandeling hoeven te wachten.'

'Het is wel vreemd,' zei Gunnarstranda nadenkend, 'dat deze Sivert Almeli foto's van u heeft genomen zonder dat u dat heeft gemerkt. Hij deed het op dezelfde dag dat het lichaam van Veronika Undset werd gevonden. Hij gaat niet naar zijn werk, maar blijft ook niet thuis. Op deze dag maakt hij drie foto's, slechts drie foto's, en u figureert op alle drie. Waarom zou Almeli dat doen?'

Valeur antwoordde niet meteen. De muziekinstallatie zweeg. Het was helemaal stil in het appartement. 'Ik denk dat ik een verklaring heb, ook al kan het misschien een beetje vreemd overkomen.'

Gunnarstranda hield zijn hoofd schuin, vragend.

'Na het consult, ze was de laatste cliënt die ik die dag had, gaf ik haar een lift naar huis. Ik neem aan...'

'Dat was nog eens een genereus gebaar,' onderbrak Gunnarstranda hem.

Valeur glimlachte met moeite. 'Pure vriendelijkheid, niets meer dan dat. Ik vermoed dat als die vent haar bespioneerde en zag dat ik haar afzette, hij zich dan misschien afvroeg wie ik was, op onderzoek uitging en erachter kwam.'

'Brengt u vaker uw cliënten naar huis?'

Valeur schudde zijn hoofd. 'Het was een gebaar. Ze was de laatste van de dag en had geen auto, en toen ik in mijn auto stapte, stond ze op de bus te wachten. Het was alleen maar een vriendelijk gebaar.'

'Dus wat zei u tegen haar?'

'Wat bedoelt u?'

'Wat zei u tegen haar toen u haar daar op de bus zag staan wachten?'

'Ik kan me niet meer woord voor woord herinneren wat ik zei... ik bood haar een lift aan.'

'Maar u woont hier, op Bærums Verk, en zij woonde op Simensbråten.

U moest de andere kant op, kilometers in een andere richting, en toch biedt u deze cliënt een lift naar huis aan, iemand die u nauwelijks kent!'

Valeur zweeg. Langzaam nam hij een laatste trek van de sigaret en drukte hem voorzichtig uit in de asbak. Hij zei: 'Zoals u dit gesprek nu verdraait, kan het overkomen alsof u, de politie dus, van mening bent dat ik iets met deze zaak te maken heb.'

'Signe Herring werd verkracht en met messteken om het leven gebracht. Veronika Undset werd...'

Valeur onderbrak hem met zijn handen in de lucht, en blafte: 'Nu moet u ophouden.'

Hebbes. Dezelfde vonk verscheen weer in zijn ogen, maar alsof Valeur in de gaten had wat de politieman dacht, gleed de harde, scherpe blik in zijn ogen snel weg en verdween. Alsof we verstoppertje spelen, dacht Gunnarstranda en hij zei: 'Ik ben totaal relaxed.' Hij stond op. 'Om u wat te laten relaxen, moet ik van u weten waar u verbleef toen deze twee personen werden vermoord. Ik wil graag dat u de namen noteert van mensen die deze informatie eventueel kunnen bevestigen.'

Erik Valeur greep een pen die tussen twee catalogi lag. 'Natuurlijk. Over welke data en tijdstippen hebben we het?'

32

In de metalen deuropening van het politiebureau botste Gunnarstranda bijna tegen een vrouw aan. Het was Leyla Rindal die onderweg was naar buiten. Ze had donkere, warme ogen en de breedste en witste glimlach ter wereld. Gunnarstranda vereerde deze begaafde vrouw zoals altijd, nu door de deur voor haar open te houden en als een ijsdanser diep te buigen. Ze zwaaide naar hem en wees op haar horloge om aan te geven dat ze weinig tijd had.

Gunnarstranda stond Leyla een paar seconden na te kijken toen ze zich onhandig in de richting van Grønlandsleiret spoedde. Ze was westers gekleed in een spijkerbroek en een witte bloes, maar ze had haar haren onder een blauw met witte hijab gestopt.

Bij het overleg was Rindal verrassend genoeg in uniform gekleed. Hij introduceerde Stephan Borge, een man die als twee druppels water op Buddy Holly leek; de dikke bril, de vorm van zijn hoofd, de haargrens en niet in de laatste plaats de smalle mond deden hem denken aan de ongekroonde rockabillykoning.

Rindal introduceerde Borge als een erkende *profiler* uit Zweden die twee *casefiles* had bekeken, die van Veronika Undset en Signe Herring.

Borge nam het woord. Hij wilde niet te veel vooruitlopen op de zaken, maar hij kon ook niet ontkennen dat de politie van Oslo nu te maken had met een seriemoordenaar. Hij begon zijn these te onderbouwen met de relatief vergelijkbare fysionomie van de slachtoffers. Ze hadden allebei rood haar en een opvallend gelijksoortig kapsel. Ze waren ongeveer even lang, Undset 164 centimeter, Herring 161 centimeter. Hun leeftijd kwam niet overeen. Signe Herring was 19, Veronika Undset 35. Het waren allebei opvallend aantrekkelijke vrouwen die volgens de dossiers uiting gaven aan hun seksualiteit door de manier waarop ze zich kleedden. Signe Herring had 34 messteken in haar borst opgelopen. Undset 22, ook in haar borst. Signe had waarschijnlijk beter meegewerkt dan Veronika en ze had niet zulke omvangrijke wonden na de klappen en schoppen tegen haar lichaam. Veronika was zo hard geslagen dat haar schedel was gebroken. De moorden waren dus met veel geweld gepleegd op een andere locatie dan de plek waar de vrouwen waren gevonden. Geen van de plaatsen delict was gelokaliseerd. Beide slachtoffers waren post mortem naar de plekken verplaatst waar ze waren gevonden, respectievelijk een vuilnisbelt op Senja en een verhuurcontainer voor bouwafval op Kalbakken in Oslo. Het lijk van Signe Herring werd gevonden in natura. Veronika Undsets lijk was verpakt in plastic.

Op het lichaam van Signe Herring hadden de rechercheurs biologische sporen van een verkrachting veiliggesteld.

Veronika Undset was overgoten met kokend heet water en had brandwonden op haar buik. Er was geen DNA van de onbekende dader en daarmee was er geen mogelijkheid om het DNA te vergelijken en zo vast te stellen of het om dezelfde man ging. Maar áls ze waren vermoord door een en dezelfde persoon, veronderstelde Borge dat de man geleerd had van de ervaring met Herring en daarom de sporen op Veronika Undset had weggespoeld nadat hij zich seksueel aan haar had vergrepen.

De verschillen tussen de lichamen bevatten ook de geografische ligging. Signe Herring deed eindexamen op de hogeschool Finnfjordbotn in de provincie Troms, op vijftienhonderd kilometer afstand van de hoofdstad van Noorwegen. Ook wat het moordwapen betrof waren er verschillen. Signe Herring was vermoord met een langer steekwapen. Uitgaande van de diepte van de steekwonden was de hypothese dat de verkrachter een groot Samisch mes had gebruikt. Het blad van het steekwapen dat Veronika Undset vermoordde, kon niet langer dan zeven centimeter zijn, en het profiel van de sneeën duidde erop dat het moordwapen zeer vermoedelijk een type mes was dat vaak werd gebruikt voor behangen of een andere vorm van klussen; een Stanley-behangmes met vervangbare bladen.

'Ja?' zei Stephan Borge en hij knikte naar Gunnarstranda die zijn hand opstak.

'De geografische afstand en het tijdsaspect, in welke mate zwakt dat de theorie van seriemoord af?'

'Naar mijn mening,' begon de Zweed en hij zette de zware hoornen bril af, poetste hem en zette hem weer op zijn neus. Hij wilde de opmerkingen van de ervaren moordrechercheurs niet negeren. 'Iemand die het leven van een ander mens neemt zonder gepakt te worden, zal naar alle waarschijnlijkheid opnieuw een moord plegen.'

De politiemensen om de tafel knikten instemmend.

De geografische afstand hoefde de hypothese niet tegen te spreken, aangezien ze bijvoorbeeld te maken konden hebben met een dader die op twee verschillende plekken had gewoond, of een baan had waarvoor hij moest reizen – zoals een vrachtwagenchauffeur of een verkoper – of de moordenaar had een positie waarin hij op twee verschillende plekken moest werken. De combinatie van het tijdsaspect en de geografische afstand kon de theorie van vergrijpen in een serie kracht bijzetten.

Rindal nam het woord: 'Dat wij de zaken überhaupt aan elkaar hebben gekoppeld, is te wijten aan het feit dat een getuige in de zaak Veronika, Erik Valeur, die nu in Bærum woont, in contact was met Signe Herring toen hij bij het kinder- en jeugdpsychiatrische team in Midt-Troms werkte. Zeer waarschijnlijk staan we hier voor een doorbraak in juist die zaak.'

Gunnarstranda stak zijn hand weer op.

Borge knikte naar hem.

'Een van onze getuigen werkte in 2006 bij het Water- en Energiebedrijf aan de inspectie van beekjes en watervallen met het oog op vergunningen voor kleine elektrische centrales op landbouwbedrijven en dat soort dingen. De betreffende persoon had in de herfst van 2006 een uitgebreid reisprogramma. Waaronder de regio Harstad. Dat ligt wel een stuk van Senja, maar...'

'Dát is interessant, zeer interessant.'

'Wie?' viel Rindal hem in de rede.

Gunnarstranda glimlachte terug.

Rindal keek hem strak aan.

Gunnarstranda fluisterde iets tegen Yttergjerde en er ontstond een ongemakkelijke pauze, waaraan Borge een einde maakte. 'Dan naar mijn profiel,' zei de Zweed en hij legde uit dat de dader een persoon was met een zeer laatdunkende mening over vrouwen. Hij was het slachtoffer van zijn eigen driften, maar hij verachtte zichzelf voor deze driften en hij projecteerde deze zelfverachting op de vrouw, wat resulteerde in een soort woede die op twee manieren tot uiting kwam: eerst domineerde hij haar door haar seksueel te krenken. Borge vergeleek de handelingen van de dader met het gedrag van soldaten ten opzichte van vrouwen in landen die ze veroveren. De heersers belonen hun soldaten door de vrouwen aan zich te onderwerpen; het penetreren van de vrouwen wordt een concrete belichaming van de verovering, en zo wordt iedere soldaat zijn eigen tsaar omdat hij zijn sperma bij de vrouw inbrengt en dus de veroverde aarde beplant.

Sommige toehoorders keken elkaar aan zonder dat het Borge opviel.

Borge breidde de omschrijving van het beeld nog verder uit: de verachting van de dader voor de slachtoffers werd nog eens zichtbaar in de moorddaad zelf, vervolgens in de behandeling van het slachtoffer als vuilnis. Borge veronderstelde dat de betreffende persoon leed aan een ernstige narcistische persoonlijkheidsstoornis. Hij heeft een zeer hoge dunk van zichzelf. Hij ervaart een zeer emotioneel conflict. 'Hij veracht zijn slachtoffer, maar verlangt tegelijkertijd ook naar haar.' Het conflict resulteerde in een gewelddadige afrekening tussen twee persoonlijkheidskarakters. Twee orkanen troffen elkaar en het gevolg was moord. Wat het beeld nu verstoorde was dat de moordenaar nadat hij Veronika Undset had vermoord, zo koud en berekenend was dat hij de tijd nam om biologische sporen te wissen, een tamelijk veeleisende schoonmaaktaak, en ook vrij onaangenaam als je dat zo mocht zeggen.

Gunnarstranda stak opnieuw zijn hand op.

De Zweed knikte naar hem.

'We hebben een andere moord met bewezen relatie tot Undset. Het slachtoffer: man, 43 jaar. Buurman van Undset, zeer waarschijnlijk een stalker...'

Rindal zwaaide geïrriteerd met zijn hand en wilde hem onderbreken.

Gunnarstranda negeerde dat en vervolgde: '*Modus operandi*: doorgesneden keel, en geen, absoluut geen sprake van paniek, emotionele spanning, onderdrukte, schuldbewuste seksualiteit, symbolische veroveringsbehoeften of zelfverachting. Maakt de moord op Almeli het vermoeden dat de moord op Veronika Undset deel uitmaakt van een serie moorden juist zwakker of sterker?'

'Daar kan ik geen antwoord op geven,' zei de Zweed. 'Mijn rapport is gebaseerd op twee heel concrete zaken.'

'Waar ben jij in hemelsnaam mee bezig?' vroeg Mustafa Rindal toen de vergadering kort daarna was afgelopen. Hij volgde Gunnarstranda door de gang en hij was zo kwaad dat hij het papier niet van zijn pakje kauwgum kon krijgen.

'Vind jij ook dat hij op Buddy Holly lijkt?' vroeg Gunnarstranda. Hij stopte bij de cola-automaat en gooide er geld in. Het rommelde toen de fles omlaag viel.

'Weet jij wat het kost om Stephan Borge van Stockholm naar Oslo te laten komen? En dan moet jij kibbelen met die man en hem in een hoek drijven? Wie denk je wel niet dat je bent? Columbo?'

Gunnarstranda dronk met grote slokken van de cola en sloeg zich op de borst om lucht naar buiten te hikken.

'Wie werkte er aan de inspectie van de kleine elektrische centrales in Noord-Noorwegen, was dat haar verloofde, Fransgård?'

Gunnarstranda knikte.

Rindal hield zijn wijsvinger in de lucht en dreigde ermee. 'Nu moet je eens goed luisteren. Je zette jezelf voor schut wat Fransgård betreft. Je dacht er niet eens aan om een DNA-test te nemen.'

'Het was niet relevant om zo'n test te doen.'

'Ik zei dat je moest luisteren,' herhaalde Rindal. 'Je zette jezelf voor schut, Gunnarstranda. Begrijp dat nou. Het zal nu niemand meer lukken om Karl Erik Fransgård vrijwillig een DNA-test te laten doen. Oorzaak: jij vergat de test af te nemen toen je de mogelijkheid had. Dus luister nu goed. Fransgård noch Almeli had genoemd moeten worden op die vergadering. We hebben expertise ingeroepen. En jij hebt al genoeg verknald!'

'De vraag over Almeli was zeer relevant. Hij was in het bezit van zevenhonderd spionagefoto's van het slachtoffer!'

'En wat dan nog? Hij had misschien zevenhonderdduizend foto's van zevenhonderd andere meiden! Wat weet jij daarvan? Zijn pc is verdwenen. Almeli kan door iedere bedrogen echtgenoot zijn vermoord. Maar de case Signe Herring komt overeen met de case Veronika Undset, en daar moet je het mee doen!'

Rindal marcheerde verder. Na tien passen draaide hij zich om en frommelde aan het kauwgumpakje. 'En anders zwaait er wat! Verdomme!' Het papier scheurde en de stukjes kauwgum vielen op de vloer. Rindal moest op zijn knieën om ze van de vloer te zoeken.

Precies op dat moment kwam Emil Yttergjerde uit de koffiekamer. 'God is groot,' zei hij en hij knipoogde onschuldig. 'Wat wordt het volgende, gebedskleden en hijab in het uniformreglement?'

Rindal sprong op en wilde hem aanvliegen, maar Yttergjerde rende al door de gang.

Gunnarstranda liep terug naar zijn kantoor.

Hij ging zitten en opende de bovenste la. Hij begon dartpijltjes te gooien op de foto's van Valeur zonder ze te raken.

Yttergjerde kwam binnen. Hij speelde luchtgitaar en imiteerde: 'P-p-p-pe-e-ggy Sue.'

'Het komt vast door de bril,' zei Gunnarstranda en hij knipoogde. 'Ik had niet verwacht dat je die vandaag de dag nog kon kopen. Misschien is hij een vriendje van Elton John. Wil jij de pijltjes even pakken?'

Yttergjerde maakte de dartpijltjes los. 'Ik heb voor de zekerheid het bevolkingsregister erop nageslagen,' zei hij. 'Die psycholoog, Erik Valeur, is getrouwd geweest, maar zijn ex leeft in goede gezondheid. Ze is verpleegkundige in Tromsø. Heb je iemand nodig die naar het noorden afreist? In dat geval is het mijn beurt.'

'Wat moet jij in Tromsø doen?'

'Doen? Heb je weleens gehoord van de pub Ølhallen?'

Gunnarstranda gooide een pijltje naar Valeur en het was raak. 'Ik heb geen budget,' zei hij. 'Het stikt in Tromsø al van de smerissen. Zij kunnen met zijn ex-vrouw gaan praten.' Hij nam de hoorn van de haak.

33

Het was bijna middernacht toen Frølich het filmmateriaal dat Andreas Langeland niet mee had genomen, had doorgenomen. Hij stond op, met stijve gewrichten en onder de indruk van wat hij had gezien. Hij had geen idee hoe lang het was geleden dat hij had geslapen.

Er waren mensen aanwezig op het bureau. Hier hield altijd iemand de wacht. Er waren mensen die op een telefoontje wachtten om uit te rukken, die koffie dronken om niet in slaap te vallen, die lazen, televisiekeken, mijnenveger speelden of patience op de pc om de tijd te doden, maar hij had nu niet de behoefte om een van hen tegen te komen.

Hij wilde ook niet naar huis. Hij kreeg het niet voor elkaar om thuis naar de muren te zitten turen, te mediteren over het beeld van het bierblikje op de schouw, zijn ogen te sluiten en geteisterd te worden door het lijden van die arme jonge vrouw. Hij pakte de eerste halve liter bij Teddy's en ging daarna verder in westelijke richting, Justisen, Stopp Pressen, Herr Nilsen, nieuwe pub, nieuwe poging om dronken te worden. Uiteindelijk vond hij een lege tafel voor Steamen. Deze pils gleed langzamer omlaag en hij begon om zich heen te kijken.

Een gezelschap yuppies aan de tafel naast hem had niet voldoende stoelen. Een van de meiden vroeg of de lege stoel aan zijn tafel vrij was. 'Nee,' blafte hij agressief. 'Die is niet vrij.' Gepikeerd bleven zij en haar cavalier staan loeren. De cavalier wilde protesteren, maar ze hield hem tegen. 'We halen ergens anders wel een stoel vandaan.'

Frølich zei in zichzelf: ze ziet het, ze begrijpt dat ik op het randje zit.

Hij stond op, legde een briefje van vijftig kronen neer aan fooi en strompelde weg. Hij besefte dat hij dronken was, maar het voelde niet zo.

Zijn benen volgden de weg zonder dat zijn hoofd erbij was.

Er lag een omgevallen tractorwiel op de stoep in de Sofies gate. Hij ging op de band zitten en keek omhoog naar de donkere ramen in het huizenblok ertegenover. Hij peinsde over welke ramen van haar zouden kunnen zijn. Hij vroeg zich af of het stom was als hij zou aanbellen. Ze was tenslotte onaangekondigd bij hem aangekomen, dus dat kon hij ook bij haar doen.

De tijd verstreek. De gedachten kropen over elkaar heen, bleven stilstaan en gleden verder in andere banen alsof het geen gedachten waren, maar lange, losse touwen die in een onoverkomelijke backlash in de war raakten.

Er stopte een auto die een paar meter verderop in de straat werd geparkeerd. Een Saab cabriolet met het dak open. De motor werd uitgezet, de lichten gedoofd. Twee portieren klikten open. Hij bleef zitten.

Hij herkende haar aan het blonde haar. Iselin Grav in het gezelschap van een man in een korte broek en een overhemd met korte mouwen. Ze liepen naar de poort aan de overkant van de straat. Toen ze in haar tas op zoek was naar haar sleutels, wierp ze een blik in zijn richting, vermoedelijk omdat hij bewoog. Ze reageerde. Zei iets tegen de man in de korte broek en rende de straat over.

'Wat is er gebeurd?' vroeg ze.

'Ik moet je spreken,' zei Frølich. Ze keek naar hem op. Geen bril vandaag. Misschien draagt ze contactlenzen, dacht hij, alsof dat er wat toe deed.

Ze keek van hem naar de man in de korte broek en weer terug. 'Wat is er?' vroeg de man en hij kwam op hen af lopen.

'Rune,' zei ze vastbesloten. 'Het komt nu niet zo goed uit, ik bel je nog.'

De twee bleven elkaar aankijken. De man leek niet veel zin te hebben om weg te gaan. Ze deden een paar passen bij hem vandaan en fluisterden samen. Frølich keek omhoog naar de hemel. In de verte knipperde een groen licht dat langzaam in oostelijke richting bewoog.

Het gefluister werd luider. Toen vloekte de man en hij liep met snelle passen de straat uit. Langzaam werden de witte kuiten en de zwarte sandalen opgenomen in de duisternis.

Iselin Grav wachtte bij de poort. Hij stond op. Geen van hen zei iets toen ze de trap opliepen.

'Je had gelijk,' zei Frølich toen ze de deur wilde openen.

Ze verstijfde. Ze bleef staan en dacht na terwijl ze de sleutel stevig vasthield. Ten slotte duwde ze de deur open.

Ze deed geen licht aan. Hing haar schoudertas over een haakje aan de muur en draaide zich naar hem om. Het donker maakte haar contouren zacht. Het bleef stil. Uiteindelijk vroeg ze: 'Hoe gaat het met haar?'

'Naar omstandigheden goed,' zei hij. 'Ze zal het overleven, lichamelijk in elk geval.'

Er stond een zitzak voor een lage, witgeschilderde tafel. Op de tafel stond een boeket rozen in een vaas. Hij ging op de zak zitten.

Ze glimlachte bij de aanblik.

'Wist je het?' vroeg hij. 'Had hij het tegen je gezegd?'

De glimlach verdween. 'Nee, maar ik dacht al dat er iets goed mis was. Dat probeerde ik je eigenlijk ook te vertellen.'

'Ze hebben alles gefilmd.'

'Ze?'

'Hij en zijn broer, Mattis.'

'En nu zitten ze in de gevangenis?'

'Mattis.'

Ze draaide zich om en liep bij hem vandaan.

Even later kwam ze terug met twee hoge glazen vol ijsblokjes. Op de plank stond een fles Glenlivet. Ze schonk in. Een sterke borrel. Hij dacht: ze is genereus, daar hou ik wel van. Ze gaf hem het glas aan.

Hij dronk de whisky in één slok op en gaf haar het glas terug.

Ze schonk hem nog een keer in, vroeg aarzelend: 'En Andreas?'

'Hij ging ervandoor.'

Ze liep de gang in en rommelde in haar tas op zoek naar haar mobiele telefoon. Ze kwam terug en klapte de telefoon open. 'Mij heeft hij niet gebeld.'

De klok aan de tegenoverliggende muur gaf elf minuten voor drie aan. Frank sloot zijn ogen. 'Je hebt je bril vergeten,' zei hij.

Toen hij zijn ogen weer opende, zat ze gehurkt voor hem met alleen haar ondergoed aan. Ze frunnikte aan zijn jas. De wandklok gaf nu vijf minuten voor vijf aan. 'Je kunt niet zo zitten slapen,' fluisterde ze.

'We hadden zo'n vijf dagen achter elkaar gedronken,' zei hij.

'Heb je gedroomd?' Ze fluisterde nog steeds.

'We hadden bijna een week niet geslapen. We waren klaar met school, we waren de hele tijd bezopen en maakten 's nachts kampvuren op het strand. Er waren bijna geen andere Noren daar, alleen maar vier meisjes uit Ålesund die uit waren op de lokale mannen. Ze wilden niets met ons tweeën te maken hebben en praatten Engels samen zodat we niet zouden denken dat ze Noors waren. De lokale bevolking vond ons een stel idioten. We werden verliefd op een meisje dat daar in een café als serveerster werkte.'

Frank besefte plotseling dat Iselin geen idee had wie Karl Anders was, dat ze nauwelijks iets kon begrijpen van wat hij vertelde. Toch zat ze op haar knieën naar hem te luisteren. 'Ik kan me niet meer herinneren hoe het meisje heette,' fluisterde hij. 'Veertien jaar oud, met lange wimpers en dik, zwart haar tot halverwege haar rug, zo knap dat het pijn deed om naar haar te kijken. We waren allebei weg van haar en zo gedroegen we ons ook. We zaten de hele tijd in dat café. Haar vader had in de gaten wat er gaande was en jutte het lokale gepeupel op. Ze moesten ons te grazen nemen. Zo'n pak slaag had ik nog nooit gehad en heb ik later ook nooit meer gekregen. Er kwamen twee politiemannen aanrijden in een kleine deux-chevaux, maar toen was mijn vriend verdwenen. Ik moest het opnemen tegen de rest van de bende. Ik werd gearresteerd. Ik denk dat de politie mij meenam, zodat ik niet ernstig gewond zou raken. Ik had geen paspoort of zoiets bij me. Ik werd meegenomen naar een kantoor dat er compleet belachelijk uitzag; het leek op zo'n sheriffkantoor dat je in westernfilms ziet. Een kleine, dikke politieman wees naar een cel en naar mij, hij praatte en praatte en zwaaide met zijn wijsvinger. Ik begreep niets van wat hij zei, maar ik was wel behoorlijk gefocust, dacht alleen aan mijn maatje dat alleen was met het gepeupel achter zich aan. Na een uur werd ik vrijgelaten. Ik ging terug. Toen wilden alle lokale mannen mijn vriend zijn. Ze complimenteerden me met de manier waarop ik vocht, en een flinke, stevige kerel die ik een blauw oog had bezorgd, wilde me op een biertje trakteren. Mijn vriend was nergens te bekennen. Ik rende terug naar het kampvuur op het strand.'

Frølich stond op.

Hij bleef staan wankelen. 'Waar is de badkamer?'

'In de gang.'

Hij strompelde ernaartoe. Het rook naar parfum op het toilet. Hij boog zich over de pot, stak een vinger in zijn keel en dacht: het is meer dan twintig jaar geleden.

Daarna spoelde hij zijn mond, waste zijn gezicht en bleef naar zijn eigen slappe kop staan kijken.

Hij stond zo even zonder te merken dat de tijd verstreek, totdat Iselin op de deur klopte. 'Gaat het een beetje?'

Hij kwam de badkamer uit. Ze had een witte ochtendjas aangetrokken.

Hij keek op de klok. 'Ik val je lastig,' zei hij. 'Sorry. Je moet morgen vast aan het werk en je bent moe. Ik ga ervandoor.'

'Ik ga koffie zetten,' zei ze en ze liep naar de keuken.

Hij bleef zitten. Merkte nauwelijks dat ze een warme kop in zijn handen drukte.

'Ik was helemaal van de kaart toen ik de film zag die Andreas en zijn broer hadden opgenomen. Het was alsof er beelden werden gecombineerd met een geluidsopname in mijn hoofd.'

'Wat bedoel je?'

'Ik rende van het dorp naar het strand. Later heb ik me afgevraagd waarom ik rende. Ik wist toch niets, maar ik rende dus wel. Er zaten van die krekels in alle bomen en ze maakten een hels kabaal. Je weet vast wel wat voor geluid ik bedoel. Vanaf dat moment kon ik dat geluid niet meer verdragen. Het werden twee geluiden. Gierende insecten en haar gegil.' Hij sloeg zich op de borst. 'Mijn hart. Bang, bang, bang en een bloedsmaak in mijn mond en een geschreeuw dat eerst luider en luider klonk en daarna in het niets verdween. Het was alsof je iemand bij de hand houdt, iemand die boven een afgrond hangt, en je bent niet in staat die persoon naar boven te trekken, de vingers glippen gewoon uit je hand.'

Hij keek in de ogen van Iselin en liet zich tegen de rugleuning vallen. 'Toen ik bij haar kwam, was hij klaar. Toen ging hij een stukje zwemmen.'

'Wie?'

'Een jongen die bij de gemeente werkt.'

Hij keek op. Het begon licht te worden.

34

De muur was een collage van krantenartikelen, foto's, met viltstift getrokken pijlen en aantekeningen. In het centrum: een portret van Veronika Undset en gedetailleerde beschrijvingen. Pijlen vanaf het portret wezen naar foto's van Karl Anders Fransgård, Kadir Zahid, Sivert Almeli, data, tijdstippen, beschrijvingen van de plaats delict, foto's van psycholoog Erik Valeur die de weg overstak, in een auto stapte die even later wegreed. Daarboven een eindexamenportret van een enigszins geforceerd glimlachend meisje. Met haar hoofd schuin deed ze haar best voor de fotograaf. Een leven, een overzicht van privémomenten, gelach, gehuil, gejubel, vreugde, prestaties, ambities, doelen en niet in de laatste plaats verloren illusies, waar Gunnarstranda geen weet van had. Afgezien van één ding, een hypothese gebaseerd op zijn eigen deprimerende vooroordelen: toen ze daar geportretteerd werd, had Signe Herring waarschijnlijk een doel voor ogen: al is het voor eindexamenkandidaten niet de climax van hun jeugd, dan in elk geval wel van hun schooltijd, zich dagen achter elkaar bezuipen, doorfeesten om het behalen van hun diploma te vieren. Dat had ze gedaan op een feest op Finnsnes voordat ze het gezelschap verliet om een frisse neus te halen en nooit meer terugkwam. *First you dream, then you die;* wie had die wijze woorden op zijn geweten? Destijds had de landelijke recherche de vriend van Signe Herring ervan verdacht. Hij was zes jaar ouder dan Signe en hij was vaker gewelddadig tegenover haar geweest. Ze was zelfs een keer opgenomen geweest in het ziekenhuis. Ze vonden alleen niet het DNA van haar vriend in de sporen van het sperma op haar lichaam.

Gunnarstranda keek weer naar de foto's van de psycholoog, Erik Valeur. Een cliënt na het eerste consult naar huis brengen. Wellicht niet zo verdacht, als Veronika niet zo aantrekkelijk was geweest, als ze nu niet was vermoord.

Gunnarstranda haalde zich weer zijn ontmoeting met Valeur en zijn ongewone stijl voor de geest, volstrekt rustig wanneer de politie aanbelt, over de Top twenty en groepsmentaliteit vertellen. Zou dat iets moeten betekenen? Die kerel was een verzamelmaniak en Gunnarstranda had een of ander ritueel onderbroken dat hiermee verband hield. Verzamelen is iets puur menselijks, dacht hij. De meeste mensen die je kent, zijn op de een of andere manier verzamelaars. Vóór de Olympische Spelen in Lillehammer was het een nationale gekte om speldjes van de Spelen te verzamelen. In het hele land werden beurzen georganiseerd, en sommige speldjes werden voor astronomische bedragen verkocht. Wie verzamelde er nu nog speldjes van de Spelen? Gunnarstranda kende er geen een. Hij wist wel van mensen die horloges verzamelden, wijnen, auto's, cognacflessen, postzegels, munten, geldbriefjes, balpennen, aanstekers, luciferdoosjes. Verzamelen was de erfenis uit de evolutie: je moet een lange winter zien door te komen, brandhout, eten en voer voor de dieren verzamelen.

Maar er was wel iets geweest.

Die felle opmerking over de reden van zijn bezoek, samen met een scherpe en koude angel die meteen verdween zodra hij het in de gaten had. Dezelfde scherpe angel die aan de oppervlakte kwam wanneer de psycholoog enigszins onder druk kwam te staan.

Kou. Niets anders dan zijn eigen stomme intuïtie. Niets dus. Maar toch: Gunnarstranda kon Erik Valeur niet uit zijn gedachten zetten.

De telefoon rinkelde. Hij pakte de hoorn en vroeg de betreffende persoon het kort te houden.

Het was Emil Yttergjerde.

'Die psycholoog heeft iets *creepy's* over zich. Hij is nu al twee uur zijn auto aan het wassen.'

Praat over de zon, dan schijnt hij, dacht Gunnarstranda. Of zoals zijn moeder voortdurend zei: *De wereld is maar vreemd, elke keer wanneer ik veel aan een vriendin denk, belt ze me op.*

Yttergjerde ging verder met zijn verslag: 'Eerst reed hij de auto de wasstraat bij een benzinestation in, maar hij was niet tevreden met het resultaat, dus hij huurde een plek om de auto daarna zelf te wassen. Hij ging tekeer met de stofzuiger en een schoonmaakmiddel, haalde alle matten en losse onderdelen uit de auto, kroop er op handen en voeten in en poetste en bleef maar doorgaan. Hij heeft het water in de jerrycan meerdere keren ververst en hij is nog steeds bezig. Als hij probeert sporen uit te wissen, denk ik wel dat hij daarin zal slagen.'

'We hebben niet voldoende bewijs om er nu iets mee te doen,' zei Gunnarstranda.

'Dat dacht ik ook, maar het is goed om het in de gaten te houden, vind je niet?'

Nadat hij de hoorn had neergelegd, bleef Gunnarstranda naar het portret van de eindexamenkandidate in Finnsnes zitten kijken. Het was tijd om te horen wat de ex-vrouw van Erik Valeur te melden had. Hij pakte de hoorn van de haak en belde naar de politie in Tromsø.

35

Zelfs uit eten gaan maakte een van de grote verschillen tussen hen duidelijk. Ståle wilde naar een van die flashy gelegenheden op Aker brygge, een droge hamburger bestellen voor de prijs van een entrecote. Hij wilde naar chicks kijken (elke keer als hij dat woord gebruikte, voelde ze zich opgelaten). Ze had hem drie keer gevraagd wat hij in haar zag, als hij eigenlijk viel op meiden van in de twintig die op vijftienjarige leeftijd bij hun confirmatie siliconentieten cadeau kregen en zich niets coolers konden voorstellen dan seks hebben in een realityshow op televisie.

Toch won ze. Lena ging nooit uit eten ten westen van Akerselva. Ze was net zo klaar met het uitgaan in cafés als dat ze klaar was met de puberteit. Op weg van de Brugata naar Grønlandsleiret lagen restaurants met internationale menu's voor betaalbare prijzen, vlak naast kiosken die flessen bronwater en streekromans over het seksleven van Noorse melkmeisjes verkochten. Hier stonden mensen in de rij voor internationale telefooncentrales om zo goedkoop mogelijk met familie en geliefden aan de andere kant van de wereld te praten. Lena hield ervan om onderdeel van de menigte te zijn die tussen kleurrijke huizenblokken krioelde met elementen van vreemde culturen, zoals de minaret in de Åkebergveien. Het enige wat ontbrak om het exotische helemaal af te maken, was de muezzin die boven de lage daken van de huizen uit opriep tot gebed.

Ze spraken af om elkaar te ontmoeten in restaurant Alibaba in Grønlandsleiret. Ze was vroeg en doodde de tijd door heen en weer te slenteren. Ze wist dat hij exact een kwartier te laat kwam. Kwart over stond hij bij de tafeltjes op het terras te spieden.

Hij was altijd bang dat ze door collega's werden gezien en hij wilde dat ze zich gedroegen alsof ze twee collega's waren die elkaar toevallig tegenkwamen in de stad. Puur om te pesten ging ze aan een van de tafeltjes buiten zitten. Hij wilde naar binnen gaan. Ze deed net alsof ze het niet hoorde of niet begreep, en begon toen het menu door te bladeren. Uiteindelijk begonnen sommige gasten naar hem te kijken. Pas toen ging hij zitten.

Verliezen in zo'n situatie druiste tegen al zijn instincten in. Toen hij op het punt stond kritisch te reageren, was ze rap. Ze maakte oogcontact en zei het recht voor zijn raap: 'Als je hier nu niet samen met mij wilt eten, ga dan alsjeblieft weg.'

Dat provoceerde hem nog meer, maar dat liet haar koud. Ze deed net alsof er niets aan de hand was. In plaats daarvan legde ze uit waar de diverse gerechten uit bestonden. 'Lahmacun is een soort pizza, heel lekker, vooral die met lamsvlees.'

Ståle benadrukte dat hij eigenlijk biefstuk wilde hebben en hij maakte onvriendelijke toespelingen over haar vakanties naar Turkije en of ze eigenlijk niet meer van Turkse mannen hield.

Ze negeerde de vulgaire verwijzingen en legde hem uit dat hij uiteraard ook biefstuk kon krijgen. Shish kebab, bijvoorbeeld.

De ober kwam. Ståle bestelde meteen een halve liter bier. Zij bestelde een halve fles rode wijn voor zichzelf. Santa Rita. Ze zag dat hij dat ook niet leuk vond. Ze had hem nu kwaad gemaakt, ze had hem meerdere keren tegengewerkt. Hoe zou hij wraak gaan nemen? Plotseling voelde ze dat die gedachte walgelijk was. Toen drong het tot haar door wat er gaande was. Dit was hun afscheidsetentje.

Twee vrouwen, de ene in een zwarte boerka, de andere in een blauwe, duwden hun kinderwagens voort. Een jonger, meer westers uitziend stel slenterde langs met hun handen vol draagtassen. Twee kerels probeerden tevergeefs hasj te verkopen aan voorbijgangers. Ze hoopte dat ze verder zouden lopen voordat Ståle in de gaten kreeg wat er gebeurde.

'Waarom zijn we hier eigenlijk naartoe gegaan?' vroeg Ståle. 'We hadden in plaats hiervan van de zon kunnen genieten bij de Beach Club.'

De twee drugsbarons verdwenen toen de ober met de drankjes kwam. Wijn voor haar en een glas water. Het bier van Ståle liet op zich wachten. Ze glimlachte, dit was niet Ståles dag.

Een lange, atletische kerel in een wit gewaad en met een witte tulband slenterde langs op de stoep. Ze volgde hem met haar ogen.

Zijn ogen kregen energie. Niet goed. 'Waag het niet, Ståle,' zei ze.

'Hou je bek,' siste hij. 'Ik word er strontziek van dat je dat altijd zegt.'

Ze leidde hem af door naar de ober te zwaaien. 'Hij wacht op zijn biertje,' zei ze.

'Natuurlijk.'

Ze keken elkaar aan. Ook daar kon hij niet tegen, dat ze initiatief toonde en orde in de chaos aanbracht.

De ober kwam meteen met het biertje en schonk haar meer wijn in. De halve fles raakte leeg. 'Nog een?'

Ze keek naar hem op. Een jonge en nette man uit Irak of Iran. Bruine ogen en een gouden huid. 'Ik wacht nog even.'

'Je krijgt een kick van die lui, hè?'

Ze antwoordde niet, keek gewoon een andere kant op. Ergens diep vanbinnen was ze blij dat de conclusie steeds duidelijker werd: *vaya con dios*.

'We moeten praten,' zei ze. 'Jij en ik.'

Hij glimlachte uitdagend. 'Ik ga op vakantie.'

Ze keek opzij om moed te verzamelen.
Hij greep haar hand.
Ze trok haar hand los en voelde zich sterk. 'Je gaat natuurlijk alleen op reis?'
Hij schudde zijn hoofd.
De ober kwam er weer aan. Of ze wilden bestellen?
'We wachten nog even,' zei ze.
De ober liep weer weg.
'Verdomme, Lena, ik heb honger.'
'Waar gaan jullie naartoe?'
'Kreta. In het zuiden, waar we altijd naartoe gaan.'
Ze was er bijna van onder de indruk hoe gemakkelijk hij erover praatte. Ze kreeg er buikpijn van. Dat verwarde haar. Zij zou hier gemakkelijk over moeten kunnen praten. 'Hebben wij het er niet over gehad om samen een keer op reis te gaan?' vroeg ze, nipte van het glas en ze voelde de kracht terugkomen. Ze herhaalde de vraag.
Ståle keek omlaag naar de tafel, glimlachte opgelaten. 'Dat gaat niet, dat weet je. Maar ik ben de eerste weer terug. Dan gaan we samen een weekendje weg.' Hij riep naar de ober, die naast hen kwam staan met een notitieblokje en een potlood. 'Ik neem er zo een,' zei Ståle, 'nummer vier.'
De ober noteerde het en keek haar vragend aan.
'Ik hoef niets,' zei ze.
De ober nam de moeite om haar meer water in te schenken en verdween weer.
'Moet ik hier alleen eten?' vroeg Ståle geïrriteerd.
Lena pakte haar tas. 'Ik moet alleen even naar het toilet.' Ze baande zich een weg tussen de tafels door en ging de wc binnen. Daar bleef ze staan en keek in de spiegel. Een haartje boven haar rechterwenkbrauw stak als een kleine hoorn naar voren. Ze trok hem eruit. Onderzocht een rimpel boven haar neuswortel. Probeerde die glad te strijken. Dat lukte niet.
Thuis op de Lønnåsjordet waar ze opgroeide, woonde een verdieping hoger een nette vrouw met donker haar die twee keer in de week bezoek kreeg van een wat oudere man. Ze spraken er thuis nooit over. Er werd nooit over de buren gesproken. Die vrouw had een Engelse setter die ze elke ochtend uitliet. Zondags aan het ontbijt keek het gezin de vrouw en de hond na, of het nou zonnig was of regende. Op een zondagochtend toen het onweerde en de arme hond tegen zijn zin achter zijn baasje aan schuifelde en naar binnen wilde, had haar vader zijn koffiekopje aan zijn mond gebracht en opgemerkt: 'Er rust een majestueuze poëzie op de eenzaamheid van minnaressen.'
Lena had gereageerd: 'Je bedoelt dat ze zielig zijn?'
Haar vader had naar haar geglimlacht en was er niet op ingegaan. Hij

had alleen maar grappig willen zijn. Zelf had ze medelijden met de gestalte die zo verlaten leek en ze snapte niet dat die vrouw die voortdurende zelfopoffering volhield.

En nu was zij in dezelfde positie beland. Nee! Ze keek zichzelf aan in de spiegel en schudde haar hoofd. Zij was niet zo. Helemaal niet. Ze deed de deur open, maar in plaats van terug te gaan naar Ståle sloeg ze rechts af naar de winkels en naar de overkant.

Toen ze in de bus naar huis zat, stuurde ze Ståle een sms.

Ik ben je een halve fles wijn verschuldigd, zal het bedrag op je rekening overmaken. Vakantiegeld. Goede reis, Lena.

Ze liet zich tegen de rugleuning zakken en bedacht dat het niet zo erg was om te leven.

36

Rindal hield Frølich tegen die net de deur uit wilde gaan.

'Goed werk, Frølich, die studente uit Kampala en zo. Nog nieuws over de ontvoerder die ervandoor is gegaan?'

Frølich schudde zijn hoofd. Hij kende Rindal en Rindal was nooit geïnteresseerd geweest in die Afrikaanse vrouw.

'Het gaat om een gewone opsporing.'

Rindal knikte.

'Ze hebben films opgenomen,' zei Frølich. 'Dus er is voldoende bewijsmateriaal.'

Rindal knikte onaangedaan en zei: 'Wat denk jij van Undset en Zahid? Heeft Kadir Zahid iets met de moord te maken?'

'Misschien dat Veronika en Zahid minnaars waren, daar heb ik eigenlijk geen idee van. Ik had dat vermoeden wel toen ik haar aanhield, maar toen bleek dat ze zou gaan trouwen met Karl Anders Fransgård. Dus is het waarschijnlijker dat zij en Zahid de waarheid spraken. Ze kwamen met dezelfde verklaring. Ze vertelden allebei dat ze samen waren opgegroeid, in dezelfde klas zaten, dat ze goede vrienden waren. Ze zeiden allebei dat ze elkaar leuk vonden, blablabla. Daarom kan ik me niet voorstellen dat Zahid Veronika Undset heeft vermoord.'

'Oké,' zei Rindal nadenkend. 'Wat vind je van de voortgang in de zaak?'

Frølich haalde zijn schouders op. 'Er is één ding dat beter uitgezocht moet worden,' zei hij. 'Het cocaïnespoor.'

Rindal fronste niet-begrijpend zijn voorhoofd.

'We hielden Veronika Undset aan op het in bezit hebben van vijf gram cocaïne verstopt in een aansteker. Ze ontkende dat ze...'

'Precies,' onderbrak Rindal hem afwezig en hij knikte. 'Precies. We moeten verder denken,' zei hij snel. 'Breed denken, vind je ook niet?'

Frølich besefte dat Rindal niet om zijn mening had gevraagd omdat hij geïnteresseerd was, maar omdat hij hem iets anders wilde laten doen.

'Kijk hier eens naar,' zei Rindal en hij gaf Frølich een stapel papieren aan. 'Een lijst met voorwerpen die in de gebouwen van Zahid in beslag zijn genomen.'

'Waarom vraag je me om mijn mening over een zaak als je er schijt aan hebt wat mijn antwoord is?'

Rindal hield zijn handen afwerend omhoog. 'Ik hou wel rekening met wat je zegt, maar er zijn twee soorten rechercheurs, Frølich: zij die eerst gebriefd moeten worden en zij die al in het materiaal zitten. Dit spoor moet gevolgd worden en jij kent zowel de zaak-Veronika als de zaak-Zahid. Er kunnen dingen tussen het in beslag genomen materiaal zitten die de zaken met elkaar in verband brengen.'

Frank Frølich kon zijn irritatie niet onderdrukken. 'Dit is kantoorwerk.'

Rindal liep bij hem weg. 'Kijk er maar even naar,' mompelde hij. 'Dat kan geen kwaad, heel even maar.'

Frølich liep het kantoor van Gunnarstranda binnen. 'Moet je dit eens zien,' begon hij, maar hij hield zijn mond toen Gunnarstranda met de hoorn van de telefoon zwaaide.

'Eugen? Ik ben het. Heb jij de ex-vrouw van die psycholoog gesproken?'

Gunnarstranda keek op de klok. 'Oké, we spreken elkaar later.' Hij legde op en draaide zich om naar Frølich. 'Plotseling heeft Eugen Bendixen het verdomde druk. Tien over tien in de ochtend en hij vroeg me of ik hem over twee uur terug wil bellen. Waar kan ik je mee helpen, Frølich?'

'Kijk hier eens.' Frølich gaf hem de papieren aan.

Gunnarstranda zette zijn bril op en bladerde door de papieren. 'Wat is dit?'

'Rindal heeft een lijst gemaakt van dingen die in beslag zijn genomen bij Zahid.'

'Oké. Kadir Zahid heeft geen alibi en hij kan een motief hebben: hij kan zich bijvoorbeeld bedreigd hebben gevoeld door Veronika Undset, aangezien zij op de hoogte was van de inbraken.'

'Maar dan moeten we bewijzen dat er een verband is tussen de moord en de inbraken!'

'Precies. Die lijst is een goed uitgangspunt. Begin daar eens.' Gunnarstranda wees op de lijst.

Frølich pakte het papier op en las: 'Atmos? Wat is dat?'

'Daarmee is de mensheid het dichtst bij een perpetuum mobile gekomen, Frølich. Een klok die lijkt op een gewone schoorsteenmantelklok, maar het is iets heel anders. Een Atmos wordt gedreven door atmosferische druk. Fantastische mechanica. Een klok van de Zwitserse klokkenfabrikant Jaeger-LeCoultre. De Atmos-klok is een verzamelobject. Kadir Zahid, die denkt dat het belangrijk is je ballen te scheren en in dure auto's te rijden, weet gegarandeerd niets van de certificaten die aan de Atmos zijn verbonden. Als de eigenaar van de klok op de lijst van de cliënten van Undset voorkomt, is de betreffende persoon nog steeds in het bezit van de certificaten. Zahid kan nooit een uitvlucht verzinnen voor zo'n ontbrekende overeenkomst. Rindal heeft daarmee een zaak die net zo betrouwbaar is als de klok.'

Gunnarstranda had tijdens het praten zijn jas aangetrokken. Hij liep zijn kantoor uit. De deur sloeg achter hem dicht. '*Roger*,' antwoordde Frølich, met een zwaar accent als in een pilotfilm. Hij vroeg zich af wie hij zou kunnen overhalen om dit shitwerk te gaan doen. Wie er gemotiveerd zou zijn.

37

Frank Frølich had zichzelf verwend met een lunch in een sushibar en hij was aan de late kant. Toen hij terugkwam, was Gunnarstranda al bezig een briefing te geven over het rapport van Eugen Bendixen van de politie in Tromsø.

'Eugen heeft de ex van Valeur gesproken. Ze is verpleegkundige en ze vertelde dat zij en Valeur een zware scheidingsprocedure achter de rug hebben. Voorafgaand aan de scheiding heeft ze toevlucht gezocht bij een crisiscentrum. Ze heeft overwogen Valeur aan te geven voor bedreigingen en geweld, maar ze heeft het nooit gedaan.'

'Hoe is het mogelijk dat zo'n man zijn vak als psycholoog mag uitvoeren?' vroeg Yttergjerde zich af.

'Vermoedelijk omdat zij zich stil hield en niets deed. Ze wilde er niet de schuld van krijgen dat hij zijn broodwinning zou verliezen. Ze zegt dat ze pas na een tijdje deze negatieve kanten van hem ontdekte. Ze hebben elkaar ontmoet op de bootreis Hurtigruten langs de Noorse kust nadat ze op internet via een chatbox voor alleenstaanden contact hadden gehad.'

'Voor singles,' verbeterde Lena Stigersand hem.

'Wat is het verschil?'

'Wanneer jij alleenstaanden zegt, krijg ik gewoon negatieve associaties. Een groot deel van de Noorse bevolking is single. Het is een levensstijl om single te zijn, een keuze die je maakt.'

Gunnarstranda keek haar zwijgend aan, waardoor de anderen ook hun hoofden in haar richting draaiden.

'Oké,' riep ze geïrriteerd uit, 'ik ben single, nu weten jullie het!'

'Hoe zit het met...' vroeg Frølich.

Lena wilde antwoorden, maar Gunnarstranda sloeg met zijn vuist op tafel. 'Luisteren!' brulde hij. 'De ex-vrouw van Valeur is hiernaartoe verhuisd vanuit de VS, waar ze twee jaar met een olieman uit Houston, Texas, had gewoond. Zij en de Amerikaan leerden elkaar kennen in Stavanger. Hij werkte bij Statoil, zij in een ziekenhuis. Dat was ook een behoorlijk turbulente relatie, maar ze hoopten dat het beter zou worden als ze zouden verhuizen naar zijn thuisland. In de VS ontwikkelde de relatie zich in een neerwaartse spiraal. Hij werd steeds gewelddadiger en zij verhuisde tien jaar geleden terug naar Tromsø. Nadat ze hadden gechat op internet, ontmoette ze Valeur op het cruiseschip. Ze viel voor hem en ze vertrouwde hem haar verdrietige verhaal toe. Hij was zeer zorgzaam, psycholoog en zo. Ze trouwden na een halfjaar. Zij was toen 37 en wilde graag een kind. Volgens haar veranderde het karakter van Valeur na de bruiloft. Hij bleek een notoire rokkenjager te zijn. Nadat ze een halfjaar getrouwd waren geweest, ontdekte ze dat hij zich veelvuldig bezighield met internetchatten, op sites met seksuele activiteiten, wat dat ook mag betekenen.'

'Webcamera,' zei Yttergjerde.

De anderen keken hem aan.

Hij schraapte zijn keel. 'Strippen, masturberen en zo...'

'Wat jullie toch weten,' zei Gunnarstranda afwezig. 'Nou ja. Hij haalde het in zijn hoofd om op te scheppen tegenover zijn vrouw over de prostituees die hij op zijn reizen vermaakte. Hij is volgens haar überhaupt een soort Jekyll & Hyde-epigoon, aardig en medelevend op zijn werk, maar privé een zeer onsympathieke vent met een sterke drang te willen domineren. Ze denkt er ook een verklaring voor te hebben, namelijk dat hij zijn moeder haat. Dat is een conflictpunt dat hij niet kan oplossen, omdat hij tegelijkertijd verliefd wordt op vrouwen die op haar lijken. En deze Ragnhild, zijn ex-vrouw dus, behoort tot deze categorie.'

'Hoe ziet zijn moeder eruit?' Dat vroeg Lena.

Gunnarstranda keek verstoord op. 'Ik heb geen idee, maar ik zal Eugen bellen en hem vragen een foto van zijn ex-vrouw te faxen. Onderbreek me nou niet weer. Ik zal het verhaal kort houden: Ragnhild wilde het huwelijk laten ontbinden. Toen huurde Valeur mensen in om haar te bespioneren. Provocateurs die haar op straat en zo in de gaten moesten houden. Hij had volstrekt ziekelijke ideeën. Thuis begon hij haar te ondervragen over haar bezigheden en vooral over haar vroegere, gewelddadige ex-man. Hij wilde alle details over seks en mishandeling weten. Het laatste intrigeerde hem en maakte hem nog gewelddadiger. Ze moest een keer naar het ziekenhuis en daar werd ze gedwongen hulp te zoeken in het crisiscentrum. In dat crisiscentrum adviseerden ze haar Valeur aan te geven. Ze deed het niet. Ze verhuisde om op zichzelf te gaan wonen en nu is ze van hem gescheiden.'

'Wanneer was dat?' vroeg Frølich. 'Wanneer verhuisde ze?'

'Mei 2006,' zei Gunnarstranda en hij voegde eraan toe: 'Ja, je denkt goed, rond die tijd is Signe Herring vermoord.'

'Een psycholoog?' Lena keek van de een naar de ander. 'Iemand die jaar na jaar zo persoonlijk met mensen werkt?'

'Wat bedoel je?'

'Een zaak heeft altijd twee kanten. Kunnen we die echtgenote wel geloven? Misschien is ze uit op wraak. Valeur heeft ondanks alles wel zijn bevoegdheid. Patiënten klagen niet over hem.'

Toen geen van de anderen iets zei, vervolgde ze: 'Sommige vrouwen voelen zich aangetrokken tot gevaarlijke mannen.'

Frølich en Yttergjerde keken elkaar aan.
Lena zag het: 'Laat dat!'
Gunnarstranda keek haar over de rand van zijn bril aan.
'Het spijt me,' zei ze. 'Ik kan die twee soms niet uitstaan.'
Gunnarstranda liep naar het raam en keek naar buiten.
Frølich nam het over: 'We geloven de ex-vrouw van Valeur niet meer dan anderen. We weten dat Valeur toen hij verbonden was aan het kinder- en jeugdpsychiatrische team in Midt-Troms, Signe Herring in behandeling had vanwege eetstoornissen. De landelijke recherche belde hem en vroeg naar deze relatie. Ze hebben nooit zijn alibi of DNA gecontroleerd en niemand heeft eraan gedacht de psycholoog door te lichten. Wat betreft Veronika Undset, hij bracht haar een paar dagen voor de moord naar huis. Dat is alles wat we weten. Het volgende wat we weten is dat Sivert Almeli foto's heeft gemaakt van Valeur op de dag nadat Veronika werd vermoord. Erik Valeur is de man die een relatie heeft met alle slachtoffers. Signe, Veronika, Almeli. Als je het mij vraagt, is dat extreem opvallend. Het is ook verdomde toevallig dat de man vrouwen van wie hij houdt in elkaar slaat.'
'Het doet me enigszins denken aan die grote moordzaak van de familie Orderud,' zei Lena. 'Het lijkt erop dat we zoeken naar aanwijzingen om dit ene spoor te bevestigen. Is het niet een beetje vroeg om zoveel belang te hechten aan de psycholoog? We weten dat Veronika zijn patiënt was, maar daar blijft het bij.'
'Hij besteedt veel tijd aan het wassen van zijn auto,' zei Yttergjerde en hij voegde eraan toe: 'In mijn ogen was hij schoon toen hij eraan begon.'
Gunnarstranda schudde zijn hoofd.
'Valeur was in de Opera toen Veronika werd vermoord.'
'Alleen?'
'Alleen.'
'Dan is het geen alibi,' zei Frølich.
'Wellicht is het toch voldoende,' zei Gunnarstranda, 'hij zegt dat hij met mensen heeft gesproken in de pauze en hij heeft heel wat telefoonnummers doorgemaild.'
'Zijn motieven?' vroeg Yttergjerde verbaasd.
Gunnarstranda haalde zijn schouders op. Hij keek naar Lena, die zei: 'Zijn ex-vrouw beweert dat hij gewelddadig is en een moedercomplex heeft, dat is alles.'
De anderen stonden op.
Lena sloeg haar handen op tafel. 'Dit is een herhaling van Orderud. We dénken dat Almeli heeft gezien dat Valeur heeft zitten flikflooien met Veronika en we dénken dat hij daarom foto's heeft gemaakt van Valeur, en dan dénken we dat de foto's Valeur een motief hebben gegeven om Almeli te vermoorden. Daar kunnen we heel gemakkelijk achter komen.'

'Hoe dan?' wilde Gunnarstranda weten.
'Bijvoorbeeld als ik een consult bij Valeur zou afspreken,' zei Lena.
Frølich en Yttergjerde die richting de deur liepen, stonden stil en draaiden zich naar haar om.
Een totale stilte daalde neer in het vertrek.
Lena legde haar armen uitdagend over elkaar en keek hen een voor een aan.
'Het is onze taak om erachter te komen wat er eigenlijk is gebeurd,' zei Gunnarstranda zacht. 'We gaan niets provoceren, Lena. We willen geen misdaden veroorzaken.'
'Ik heb het niet over provoceren, ik heb het over speuren. Een consult bij Valeur kan me een indruk geven van wat voor type hij is.'
Niemand zei iets.
'Ik zal in dezelfde stoel, in dezelfde situatie zitten als Veronika Undset,' ging Lena enthousiast verder. 'Het is een onbetaalbare mogelijkheid om dicht bij de man in de buurt te komen.'
Het bleef stil.
'Als hij Veronika heeft vermoord, moet er iets zijn gebeurd in die situatie!'
'Lena is een beetje hetzelfde type,' onderbrak Emil haar glimlachend.
Gunnarstranda keek hem streng aan.
'Zoals Veronika en het meisje op Senja,' ging Yttergjerde verder, 'rood haar...' Hij knipoogde naar Lena. '*Big boobies...*'
Gunnarstranda onderbrak hem: 'Het antwoord is nee,' zei hij kortaf.

*

Toen Lena de deur achter zich dichtdeed, was ze geïrriteerd. Aan de ene kant, dacht ze, kan Gunnarstranda bepalen hoe ik mijn werk uitvoer. Aan de andere kant kan hij niet bepalen wat ik privé doe.
Ze ijsbeerde door de gang, en knikte afwezig naar mensen in het voorbijgaan. Ze keek de koffiekamer in. Niemand aanwezig. Ze liep naar binnen en ging zitten, in gedachten verzonken. Ze bleef zitten en speelde met haar mobiele telefoon. Legde die op tafel. Naast de telefoon lag de telefoongids. Ze pakte hem en bladerde naar de juiste bladzijde, vond het nummer. Ze keek op en om zich heen. Er was niemand. Het was nu of nooit. Ze toetste het nummer in.
Ze schrok toen Valeur bijna meteen opnam.
Maar hij had een aangename stem. Ze aarzelde even, stond onrustig op van haar stoel, keek schuldbewust om zich heen, en vertelde toen dat ze graag een consult wilde afspreken.
'Ik heb een wachtlijst,' legde de aangename stem uit.
'Ik heb geen verwijzing, maar ik ben bereid het volledige uurtarief te betalen,' zei ze snel.

Het werd stil.

'Bent u daar nog?'

Valeur schraapte zijn keel. 'Kunt u iets specifieker aangeven wat u dwarszit?'

'Ik zit met verschillende dingen,' zei Lena, 'Als ik eenmaal begin, ben ik bang dat ik niet kan stoppen.' Ze liep nerveus heen en weer, zag haar eigen spiegelbeeld in het raam terwijl ze nadacht. De man aan de andere kant van de lijn wachtte; hij onderbrak haar niet. 'Ik ben bang voor mezelf, mijn eigen keuzes, vooral wat relaties betreft, mannen dus. Het is noodzakelijk dat ik mijn gedachten op orde krijg. Het komt voor dat ik dingen doe waarvan ik niet begrijp dat ik het doe, soms veracht ik mezelf...'

'Ben ik de eerste met wie u belt?'

'Ja.'

'Wat is uw naam?'

Ze begon te zweten. Ze liet haar hand zakken en keek naar de telefoon. *Waar ben ik mee bezig?* Ze keek in paniek om zich heen. Ze was alleen. Niemand luisterde.

Ze schraapte haar keel. 'Lena, ik heet Lena Stigersand.'

'Het is nu zomer, Lena, en ik ga bijna met vakantie. Mijn agenda is de laatste weken tot mijn vakantie vol, maar ik kan je namen geven van andere competente...'

'Nee,' onderbrak ze hem, 'alstublieft, wijs me niet af...' Ze zweeg, verbaasd over haar eigen reactie. 'Ik bedoel... het heeft me zo verdomd veel moeite gekost om de telefoon te pakken, en ik weet niet zeker of...'

'Als je nog voor mijn vakantie bij mij in therapie gaat, heeft het waarschijnlijk niet veel nut, Lena, en bovendien moet je in elk geval vier weken wachten op het volgende consult.'

'Dat maakt niet uit,' zei ze. 'Ik bedoel, het belangrijkste is dat ik begin, de eerste stap over de drempel zet. De gedachte aan een terugslag kan ik niet aan.'

Het werd stil aan de andere kant van de lijn. Lena ging weer zitten. De zon scheen door de ramen naar binnen. Het stof danste in de stralen. Ze hoorde een deur in de gang. Ze sprong op, zette koers naar de deur met de telefoon tegen haar oor gedrukt.

'Eens even kijken, ik zoek naar een gaatje in mijn agenda en het ziet er helaas niet goed uit.'

Ze hield de telefoon nog steviger vast. Het geluid van voetstappen op de gang kwam dichterbij. 'Dus daar ben je,' zei Frølich toen hij binnenkwam.

Lena rende langs hem zonder te antwoorden.

'Lena?' zei Frølich.

Ze wierp hem een strenge blik toe. Ze wees naar haar telefoon om aan te geven hoe druk ze het had. Toen liep ze verder de gang door. Nu waren er overal mensen. *Shit!*

‘Ik heb goede collega’s die ik kan aanbevelen,’ begon Valeur. Ze onderbrak hem: ‘Alstublieft.’ Ze liep snel verder zonder te zien wie ze tegenkwam.

‘Dat moet dan na mijn gewone werktijd worden.’

‘Wanneer?’ vroeg ze snel. Ze opende de deur naar het trappenhuis. Er stonden mensen voor de lift. Moest ze de verbinding verbreken? Doen alsof de verbinding werd verbroken? Ze draaide zich honderdtachtig graden om. Frank Frølich zwaaide en kwam op haar af lopen.

‘Vandaag, negentien uur dertig,’ zei Valeur. ‘Mijn kantoor ligt in de Hortengata, dat...’

‘Ik heb het adres in de telefoongids gezien,’ zei Lena snel. ‘Tot halfacht,’ zei ze en ze verbrak de verbinding.

‘Ik wilde je om een gunst vragen,’ zei Frølich zacht.

Ze keek hem met een lege blik aan. Ze stond met de telefoon in haar hand en voelde die hand licht trillen. Ze had het gedaan. Ze had de eerste stap gezet.

‘Omdat jij bij de razzia in de vertrekken van *Dekkmekk* aanwezig was,’ ging Frølich verder.

‘Waar heb je het over?’ vroeg ze.

‘Een gunst, Lena. Wil je me een plezier doen en deze lijsten nakijken?’

Ze knikte, pakte de papieren aan die hij haar gaf en liep bij hem weg. Ze kon naar de wc gaan. Daar moest het mogelijk zijn om alleen te zijn.

38

Emil Yttergjerde en Frank Frølich werden melig door de warmte en ze bespraken wat een gepaste marteling voor Gunnarstranda zou kunnen zijn. Yttergjerde stelde voor om de kerel op te sluiten in een kamer met een codeslot. De enige manier om eruit te komen was het achterhalen van de slotcombinatie op een pc in de kamer. De pc moest een duivels toetsenbord hebben: er moesten drie knoppen ontbreken, precies die knoppen die hij nodig zou hebben om de pc opnieuw op te starten wanneer hij het verknalde en het beeld op de monitor bevroor.

Frølich vond dat te lastig worden. Hij stelde in plaats daarvan een *Clockwork Orange* voor: de man vastbinden op een stoel met lucifers onder zijn oogleden en hem dwingen de hele zaterdagavond televisie te kijken, alle afleveringen van het populaire programma *Klasgenoten*. Na zo'n ronde zou Gunnarstranda terugkomen op zijn werk in dezelfde toestand als Jack Nicholson na de lobotomie in *One Flew Over the Cuckoo's Nest*, voordat de indiaan hem uit puur medelijden vermoordt.

Emil Yttergjerde was meteen enthousiast. Ze waren flink op dreef met het uitkiezen van de meest irritante bekende Noren die deze marteling mochten uitvoeren toen ze werden onderbroken door Lena Stigersand.

'Wat doen jullie?'

Yttergjerde, die ervan hield de clou van een grap meerdere keren te vertellen, herhaalde de hoogtepunten.

Lena vond dat het veel gemakkelijker kon. Ze konden gewoon een slof sigaretten kopen en die bij het vuilnis gooien, in net zo'n schacht als in van die oude woonblokken. De marteling zou bestaan uit het vasthouden van Gunnarstranda, te verhinderen dat hij erachteraan sprong.

Ze zwaaide met een vel papier om de aandacht van de twee mannen te krijgen. 'Regine Haraldsen,' zei ze tegen Frølich. 'Je had het over een eeuwigheidsmachine, een soort klok?'

'Een Atmos.'

Lena Stigersand glimlachte blij. 'Ik heb met Regine Haraldsen gesproken. De klok die in beslag is genomen bij Kadir Zahid is de klok waar zij de certificaten van heeft.'

Yttergjerde keek van de een naar de ander.

'Wat zou kunnen bewijzen,' zei Frølich, terwijl hij de laatste lachtranen uit zijn ogen wreef, 'dat Zahid achter de inbraak bij mevrouw Haraldsen zit, die een cliënt van Veronika Undset was. Zeven uur voordat ze werd vermoord, heb ik haar ervan beschuldigd dat ze informatie over de waardevolle voorwerpen van de dame doorspeelde aan Zahid. Toen ik bij haar wegging, belde ze. Naar wie belde ze?'

'Kadir Zahid,' zei Emil Yttergjerde, die nooit de clou van understatements had begrepen.

'Het is me allemaal net iets te eenvoudig,' zei Frølich.

Lena knikte. 'Toch wordt het gecompliceerd. Zahid ontkent namelijk kennis te hebben van de dingen die we in beslag hebben genomen, ook wat deze schoorsteenmantelklok betreft. Hij zegt dat hij de garage naast *Dekkmekk* verhuurde aan een stel Oost-Europeanen. Een zwarte huurafspraak natuurlijk. Geen kwitantie en geen namen. Wat is er?'

Lena en Emil keken naar Frølich, die was opgestaan en recht voor zich uit staarde. 'De telefoon,' zei Frølich.

'Wat is daarmee?'

'De telefoon van Veronika. Ik draaide mij om en zag door het raam dat ze met de telefoon tegen haar oor zat. Ik ben er de hele tijd van uitgegaan dat het een mobiele telefoon was, maar het was natuurlijk de kantoortelefoon.'

Frank Frølich was de deur al uit.

De andere twee keken eerst hem na, daarna naar elkaar. Ze haalden tegelijkertijd hun schouders op.

Voordat ze naar huis ging, nam Lena de verklaringen van drie Esten door die bij de razzia waren opgepakt toen ze de garage met gestolen goederen van Kadir Zahid moesten legen. De drie mannen hadden verklaard dat ze elke dag aardbeien plukten bij een boer in Minnesund. Ze hadden er niets van begrepen toen de politie opdook. Hun versie was dat ze op de velden waren toen een jongen in een auto stilhield en vroeg of ze een transportopdracht op zich konden nemen: een bestelwagen vullen met lege aardbeienkisten en die naar Nes op Hedmark vervoeren. Toen ze zagen wat er eigenlijk in de garage stond, waren ze geschokt.

Lena belde de politieman die hen had verhoord op het politiebureau van Manglerud.

'Geloof je hun verklaring?'

'Van geen kanten, maar ze hadden alle drie hetzelfde verhaal.'

'En de auto?'

'De auto is van een autoverhuurbedrijf. Hij werd twee uur voordat we de actie uitvoerden aan een van de jongens verhuurd.'

'En de heftruck die ze uit de garage van Kadir haalden?'

'Daar hadden ze geen betrouwbare verklaring voor. Een van hen beweerde dat ze het bericht hadden gekregen dat er in de garage een machine stond die ze nodig hadden, waarmee ze dingen konden optillen, en die had hij gehaald voordat hij ontdekte dat ze op het verkeerde adres waren, zoals hij het zelf formuleerde. Ze waren beland op een plek die tot de nok was gevuld met elektronica en er was geen enkele lege aardbeienkist te bekennen.'

'Het hangslot,' zei Lena. 'Hoe hebben ze dat open gekregen?'

'Ze beweerden dat er geen slot op zat en dat kunnen we niet bewijzen; bovendien hebben we nooit de sleutel van het hangslot bij hen gevonden.'

Precies, dacht Lena. Ze bedankte voor de informatie en verbrak de verbinding. Iedereen wist dat die drie niet de waarheid hadden gesproken, maar er bestaat geen rechtsgrond tegen liegen. Ze konden gaan nadat ze een nacht in hechtenis hadden gezeten. Ze konden nergens voor aangeklaagd worden. Nu nam geen van hen de telefoon op. Zeer waarschijnlijk omdat ze al terug waren in Estland.

Ze maakte netjes gaatjes in de nieuwe papieren, archiveerde alles in de ordners en zette ze terug op de plank. De werkdag zat erop. Lena ging naar huis.

Ze moest mentaal eerst tot zichzelf komen voordat ze naar haar afspraak bij de psycholoog ging

*

De slotenmaker zat op de trap te wachten toen Frølich om de bocht kwam rijden en voor de oude etalages tot stilstand kwam. Zijn haar was kort en hij had een krullende pony. Zijn hoekige kin was versierd door een korte baard. Hij leek op Abraham Lincoln.

Frølich zette zijn handtekening op de kwitantie en keek de man na voordat hij naar binnen ging.

Op het eerste gezicht zag het rommelige kantoor van Veronika Undset er net zo uit als de vorige keer: het lage bureau lag nog steeds bezaaid met papieren en oude kranten. Bezems en dweilen in de hoek, stapels plastic emmers, kartonnen dozen met schoonmaakmiddelen...

Hij bleef staan en keek om zich heen. Het bureau was leeg.

Er stond geen telefoon.

Hij liep naar het bureau, trok laden open en keek onder het tafelblad om te kijken of hij op de vloer was gevallen.

Daar was hij ook niet. Hij zette op een rijtje wat er die maandagmiddag was gebeurd. Hij stond voor een gesloten deur en wachtte een paar minuten. Toen kwam er een taxi die stilhield aan de rand van de stoep. Veronika stapte uit de auto. Ze hadden elkaar gegroet, ze had de deur van het slot gedraaid, ze waren naar binnen gelopen...

Hij was terughoudend geweest tijdens het gesprek. Terughoudend omdat ze was verloofd met Karl Anders, omdat...

Hij kon het zich herinneren alsof het maar een paar minuten geleden was gebeurd. Veronika liep naar de telefoon en drukte een toets in. Hij had gedacht dat ze het display controleerde om te zien wie haar had gebeld tijdens haar afwezigheid.

Nu was de telefoon weg. Daar was geen twijfel over mogelijk. Er was zelfs een schoon vierkant in een dunne laag stof op het bureau te bespeuren.

De persoon die de telefoon had meegenomen, had een sleutel om binnen te komen. Die kon maar op één plek liggen, in de tas van Veronika.

Frølich liet zijn blik langs de wanden gaan. Een geheugenspelletje, dacht hij en hij liep rond in het kleine kantoor, deed zijn best om niets aan te raken. Als er meer voorwerpen dan alleen de telefoon waren meegenomen, had hij geen idee wat dat kon zijn.

Hij pakte zijn eigen mobiele telefoon en belde naar Gunnarstranda.

De telefoon ging drie keer over voordat de man opnam.

'Het is zeven uur, Frølich, en ik ben onderweg naar huis.'

'We hebben de hulp van Telenor nodig,' zei Frølich.

'Waarom?'

'De vaste telefoon in het kantoor van Veronika Undset is meegenomen. Telenor kan achterhalen naar wie ze belde voordat ze werd afgemaakt.'

'Meegenomen? Je bedoelt gestolen? Opzettelijk meegenomen?'

'Yep. Zoals ik in het rapport schreef, belde ze met iemand toen ik bij haar wegging. Ik heb de hele tijd gedacht aan een mobiele telefoon.'

'Ik ook.'

'Nu ben ik hier. Kom hiernaartoe en kijk zelf. De telefoon is weg.'

'Telenor, uitzoeken wie wie belt. Dat kan een tijd duren,' zei Gunnarstranda. 'Ik kijk er morgenochtend naar.'

39

Het was acht uur 's ochtends en Gunnarstranda schonk zichzelf het tweede kopje koffie van die dag in toen er op de deur werd geklopt. Lena Stigersand kwam binnen.

'Hoi,' zei hij ter begroeting.

'Wat is dit?' Ze nam hem en het koffiekopje teleurgesteld op. 'De koffie in de automaat kost maar een kroon.'

Gunnarstranda draaide de dop op zijn oude stalen thermoskan. 'Zonder deze krachtdrank had ik allang ontslag genomen. Wat is er?'

'Niets.' Lena kon het niet laten om te glimlachen, en ze stond op haar plaats te wiebelen als een meisje op haar eerste schooldag.

Gunnarstranda liet zich aansteken door haar humeur en glimlachte mee. 'Ik zie toch dat er iets is.'

'Voilà,' zei ze en ze hield een klein plastic zakje omhoog. 'Ik dacht dat je hier heel misschien wel in geïnteresseerd zou zijn!'

Ze legde het zakje op de rand van het bureau.

Hij bekeek haar, nog steeds met de thermoskan in zijn hand, zijn wenkbrauwen vragend gefronst.

'Haar,' zei ze. 'Van Erik Valeur. Het kan geanalyseerd worden, je kunt zien of het monster overeenkomt met het DNA van het monster dat jullie in de kast van Almeli hebben genomen.'

Gunnarstranda glimlachte niet meer. Hij zette de thermoskan neer.

Onbewust ging ze rechtop staan.

Gunnarstranda stond op, liep langs haar en deed de deur dicht. Hij keek haar in de ogen. 'Ga zitten,' zei hij kil.

Ze ging zitten.

Hij pakte het plastic zakje van het bureau en woog het in zijn hand. 'Hoe heb je dit in handen gekregen?'

'Therapie,' zei ze. 'Privé,' voegde ze eraan toe.

'Je hebt gisteren toch gehoord wat ik zei, of niet?'

'Het is privé,' zei Lena. 'Ik ben in therapie, dat is alles. Ik heb de haren van de jas gepakt die over de stoel hing. Hij heeft niet gezien wat ik deed. Ik heb ook een indruk gekregen van de man, heb je interesse?'

Gunnarstranda liep terug naar het bureau en ging zitten. De stilte duurde lang en was ongemakkelijk.

Uiteindelijk strekte hij zijn arm uit en knipte met zijn vingers tegen het plastic zakje met de paar haren erin. Het zakje zeilde in een boog van de rand van het bureau en viel in de prullenmand.

Lena bleef zitten en keek naar de prullenmand. Uiteindelijk keek ze op. Hun blikken ontmoetten elkaar.

'Juist dát had je niet moeten doen,' zei ze.

Gunnarstranda reageerde niet, hij keek haar alleen maar aan. Ze was een van de weinige mensen op het bureau bij wie hij een goed gevoel had. Hij kon zich haar herinneren vanaf het moment dat hij een paar korte lezingen op de politieschool had gehouden. Lena had de blauwste ogen die hij kende. Amandelvormig, harmonisch rustend boven een licht hellende neusrug en afgeschermd door lange, natuurlijk gebogen wimpers. Ze had ook het roodste haar dat hij ooit had gezien. Natuurlijke krullen. Onder die wilde bos haar werkte een stel snelle hersenen die deze vrouw voorzagen van vernuft, humor, zelfironie, het aanpassingsvermogen van een kameleon en een bijzonder vermogen om snelle conclusies te trekken.

Af en toe kunnen echter zelfs de beste mensen het spoor bijster raken. Hij schraapte zijn keel. 'Lena.'

'Ja?' Ze knipperde met haar ogen. Ze wist waarschijnlijk al wat haar te wachten stond.

'Dit onderzoek zal hopelijk eindigen in een rechtszaak.'

Ze zuchtte diep als een tiener die een reprimande van de leraar krijgt.

Hij hief zijn hand op om de reactie te verzachten en vervolgde: 'Als er DNA-bewijs wordt gebruikt in een rechtszaak, moet ik of een andere politieman aan de rechtbank uitleggen hoe het monster is afgenomen en waarom dat is gebeurd. Ik ben verantwoordelijk voor de voortgang in de zaak, die aan een aantal zakelijke en ethische voorwaarden moet voldoen. Privéconsulten bij een psycholoog zijn niet toegestaan voor dit type bewijs, en ik denk dat jij dat diep vanbinnen ook wel weet. Waarom wil je niet meewerken aan dit onderzoek?'

Ze sperde haar ogen open. 'Dat wil ik wel en dat weet je best.'

'Je begint een privérelatie met een getuige die misschien de status van verdachte zal krijgen.'

Ze kreeg rode wangen en hij kon haar temperament achter de ijsblauwe blik gewoon zien koken.

'Frølich zit er nog steeds bij,' bracht ze in.

Gunnarstranda haalde diep adem en liet zich achterover zakken op zijn stoel. Hij wachtte op meer argumenten.

'Frølich kende Veronika Undset,' ging Lena verder, 'hij kende haar niet alleen, hij...'

'Dat klopt helemaal,' onderbrak Gunnarstranda. 'Maar er is één wezenlijk verschil, Lena: Frølich maakt geen nieuwe contacten met getuigen. Hij weet dat hij niet competent is wat betreft sommige betrokkenen. Hij laat me weten wie hij kent en hij bespreekt de problematische kanten van deze dingen. Kun jij dat ook? Kun jij me vertellen waarom je een afspraak hebt gemaakt bij deze psycholoog?'

'Ik wilde twee vliegen in een klap slaan. Door Valeur te kiezen kon ik een indruk van hem krijgen. Ik was van plan een rapport te schrijven, maar ik begrijp dat je geen interesse hebt. Rustig maar, ik zal het niet doen.'

'Waarom een psycholoog, Lena?'

Ze dacht na.

Hij wachtte.

'Dat is privé,' zei ze.

'Je krijgt nog een kans,' zei hij en hij zag de razernij die in de ijsblauwe lantaarns groter en groter werd. Dat was goed te begrijpen. Hij zou zelf ook razend zijn geworden. 'Jij weet net zoveel als ik van Frølich en zijn jeugdvriend, en we weten waarom hij soms niet goed weet hoe hij zich bij bepaalde onderdelen van de zaak moet opstellen. Dat moesten we weten om te kunnen bekijken of hij competent is of niet. Jij belandt in dezelfde molen. Wat is er met je aan de hand dat je...'

Ze onderbrak hem: 'Dat is privé!' Het laatste woord werd zo driftig en luid uitgesproken dat het echode tegen de wand achter hen.

Hij keek in haar woedende ogen en hij betreurde diep vanbinnen dat hij het moest zeggen, maar hij zei het toch: 'Ik bespreek het met Rindal. Ik ga hem vragen om je van de zaak te halen.'

Met een rechte rug stond ze op.

Hij kreeg er buikpijn van om haar zo te zien. Ze had tranen in haar ogen en vocht duidelijk tegen zichzelf, maar ze zei niets. Ze liep naar de deur.

'Lena,' zei Gunnarstranda.

Ze draaide zich om, keek hem aan. Ze had zichzelf weer onder controle.

'Wilde je daarom in therapie bij die gozer? Om te horen wat ik je net vertelde?'

'Natuurlijk niet!'

Toen stond ze buiten. Achter haar sloeg de deur met een klap dicht.

*

Gunnarstranda bleef naar de deur zitten kijken. Hij draaide heen en weer in zijn stoel. Hij keek naar de prullenmand. Keek naar de deur. De prullenmand. De deur.

Tien lange minuten staarde hij in gedachten verzonken naar het plafond, terwijl hij van de ene naar de andere kant draaide.

Uiteindelijk kon hij het niet laten. Hij trok de prullenmand met zijn voet naar zich toe, boog zich voorover en viste het plastic zakje met het haarmonster van Valeur eruit. Nadenkend liet hij het zakje een paar seconden tussen zijn vingers heen en weer bungelen.

Hij nam de hoorn van de haak en toetste het nummer in van Schwenke. 'Ik ben het,' zei hij. 'Ik heb een haarmonster, kun jij of een van je medewerkers er voorrang aan geven en er snel een analyse van maken?'

Terwijl hij sprak pakte hij een formulier uit de la dat bij het monster gevoegd moest worden voor een analyse in het Gerechtelijk Laboratorium.

40

Ze was woedend en pakte meteen haar spullen. Toen ze bij de bushalte stond, piepte haar mobiele telefoon.

Een sms van Ståle. Ze had in totaal zes berichten van hem in haar inbox. Allemaal ongelezen.

Ze haalde diep adem en liep ongeduldig heen en weer. Zei in zichzelf: Ståle zit op Kreta. Hij neemt die idiote vrouw van hem op het strand bij de hand, ze vinden een restaurant met muzak in de luidsprekers, Whitney Houston of REM, en dan eten ze moussaka, drinken retsina en ouzo, en kijken elkaar diep in de ogen, om daarna terug te slenteren en seks te hebben in de hotelkamer terwijl de gordijnen wapperen in de wind.

Was dat niet het bestaan waarnaar zij zo intens verlangde?

Het was irrelevant. Ze werd door Ståle behandeld als een stuk oud vuil en nu werd ze net zo behandeld op haar werk. Woedend pakte ze haar telefoon en verwijderde al zijn berichten zonder ze gelezen te hebben.

De bus kwam. Ze stapte in. Ze vond een zitplaats en leunde met haar hoofd tegen het raam. Ze liet haar ogen langs de auto's en de huizen langs de Trondheimsveien gaan. Ze raakte door de zon en de lucht in de bus in een trance.

Aker-ziekenhuis. Overstappen. Ze ging voor in de rij staan om een zitplaats te krijgen. De bus was overvol, warm en slaapverwekkend. Ze viel in slaap en droomde over de bezwete borstkas van Ståle. Ze proefde de smaak van zout water en sperma.

Ze schrok wakker en dacht dat het bestaan als een schommel was die heen en weer bewoog en nooit zou kunnen stoppen.

Thuis logde ze in op internet, schreef rapporten af die al lang geleden klaar hadden moeten zijn en verstuurde ze. Terwijl ze opstond en water opzette voor een kop thee, keek ze naar buiten.

Er stond een groene auto op de parkeerplaats voor gasten.

Ze had de auto eerder gezien, op de harddisk die van Sivert Almeli was geweest.

Het beeld bezorgde haar rillingen en ze draaide zich langzaam weg van het raam. Ze bleef staan en keek naar de waterkoker die borrelde. Toen het water eindelijk kookte, pakte ze een kopje en schonk in.

Haar handen trilden niet. Met een lepel schraapte ze honing uit een glazen pot en deed dat in het kopje. Ze liep terug naar het raam en keek omlaag naar het groene dak van de auto, terwijl ze met langzame bewegingen de honing door de thee roerde.

Lena dacht terug aan het consult dat ze de dag ervoor bij Valeur had gehad. Wat zij had gezegd, wat hij had gezegd. Zijn blik. Toch begreep ze niet wat hiertoe geleid had. Dit was zeer waarschijnlijk iets wat hij met meer patiënten deed. Hij bespioneerde ze. Vermoedelijk had hij precies hetzelfde gedaan bij Veronika. Daar was Sivert Almeli vast getuige van geweest. Een onbekende auto voor de deur. Een man in de auto. Er was iets gebeurd. Iets waardoor Almeli het kentekennummer van de auto noteerde en de eigenaar achterhaalde, hem fotografeerde.

Wat was er gebeurd?

Er was maar één manier om daar achter te komen: ze moest zelf naar buiten gaan. Lena was de patiënt die nu werd bespioneerd.

Zij was Veronika Undset.

Ze liep bij het raam vandaan naar de spiegel. Ze was níét Veronika. Zij was voorbereid, zij was getraind om zulke mannen de baas te zijn, zowel mentaal als fysiek.

Ze keek zichzelf in de ogen en voelde zich koelbloedig en vastberaden. Toen liep ze de badkamer in en trok een trainingspak en sportschoenen aan. Ze bleef nog een keer voor de spiegel staan om zichzelf te bekijken. Een back-up kon nodig zijn, maar nu nog niet.

Toch moest ze een reddingsboei hebben, als er iets mocht gebeuren. Als.

Ze liep de slaapkamer in, opende de kast en zocht naar de riem met het heuptasje. Ze maakte die vast om haar middel en trok hem aan. In de keuken lag haar mobiele telefoon. Ze controleerde het display, de batterij was helemaal opgeladen. Ze zette de telefoon op de trilfunctie, stopte hem in het zakje van de heuptas en trok de rits dicht. Ze was er klaar voor.

Ze liep op een drafje de trap af. Verder over de galerij, zonder naar het parkeerterrein te kijken, helemaal om het terrein heen en daarna in de richting van de rijksweg. Ze rende gemakkelijk, doelbewust, gefocust.

Ze hoorde de auto toen ze een paar honderd meter had gelopen. Hij kwam langzaam achter haar rijden.

Het was tijd. Ze remde af en bleef stilstaan.

De auto stopte.

Ze draaide zich om. Het was de Mercedes van Valeur. Het raam gleed omlaag.

Ze liep ernaartoe.

'Hallo, Lena.' Erik Valeur keek haar vanaf de bestuurdersplaats aan. Door de zonnebril leek hij op de schurk uit een slechte film.

'Hallo,' zei ze. En ook al wilde ze niet het vreemde aan deze situatie wegpraten door iets stoms te zeggen, toch hoorde ze haar eigen stem als die van een tienermeisje: 'Jemig, jij hier? Dat is een verrassing.'

Hij reageerde niet op het geklets. Ze kon niet door de zwarte zonnebrilglazen kijken. Ten slotte gebaarde hij met zijn hoofd. 'Stap in.'

'Ik ben aan het hardlopen en ben erg bezweet,' antwoordde ze, en ze dacht bij zichzelf: waarom sta ik hier als een tiener te glimlachen? 'Ik denk niet dat dat zo prettig is in de auto.'

'Je hebt niet meer dan een minuut gelopen,' zei hij. 'Ik heb je gezien.' Zijn lippen waren droog. Hij maakte ze vochtig met zijn tong. Op dit moment speelde zich iets akeligs af in zijn hoofd.

Hij leunde verder voorover en wees door het open raam. 'Je woont hier, in het blok rechts, tweede verdieping, balkon nummer drie vanaf rechts. Die met de spirea in de bloembak.'

Er kwam een auto over de heuvel aanrijden. Remde af, reed langs hen. Lena zwaaide.

'Wie was dat?'

'Een buurman,' loog ze. Ze had geen idee wie er achter het stuur van de auto had gezeten.

'Stap in,' herhaalde hij.

Ze stond stil te wachten.

Hij ging nog een keer met zijn tong langs zijn lippen. Er verscheen een lach, die geen glimlach was maar een grimas. 'Ik wil gewoon even met je praten.'

De stilte bleef enkele lange seconden tussen hen in hangen.

'Waarom?' vroeg ze.

De huid van zijn smalle lippen was gesprongen in kleine scheurtjes. 'Lena, doe wat ik zeg.'

Ze keek naar de zwarte zonnebrilglazen, zocht naar zijn ogen zonder die te vinden. Plotseling boog hij zich over de stoel naast hem en opende het portier. Toen stapte ze in.

41

Het was bijna zes uur 's avonds. Gunnarstranda zat met zijn voeten op tafel en opende een nieuw pakje Nicotinell kauwgum toen de telefoon ging. Het was Schwenke.

'Gefeliciteerd, Gunnarstranda.'

De politieman stopte een stukje kauwgum in zijn mond. Hij drukte het tegen zijn tandvlees als een pluk pruimtabak. Hij voerde de bewegingen automatisch uit terwijl hij nadacht over wat deze woorden betekenden. Het onderzoek belandde in een nieuwe en lastige fase.

'Het monster,' ging Schwenke verder, 'het haarmonster dat je hebt opgestuurd komt overeen.'

'Almeli?'

'Nee. De moordenaar van Almeli is nog steeds niet bekend. Het haarmonster komt overeen met de zaak-Senja. De man van wie de haren zijn, spoot zijn sperma tussen de witte billen van Signe Herring voordat hij haar vermoordde. Wat voor vent doet zoiets?'

'Hij is psycholoog,' zei Gunnarstranda. 'Het meisje was zijn cliënt. Hij werd waarschijnlijk seksueel geprikkeld toen hij haar in behandeling had.'

'En Veronika Undset?'

'Zij was ook een cliënt van die man,' zei Gunnarstranda stroef.

Schwenke floot veelzeggend.

Gunnarstranda dacht aan de persoon die hem het haarmonster had bezorgd en wilde het gesprek zo snel mogelijk beëindigen.

'Als ik jou was, zou ik proberen zijn behandeling van Signe Herring nader te bekijken,' zei Schwenke. 'In het verhoor moet je ingaan op het verleden van die man. Er moet toch een reden zijn waarom hij verleid werd om te doen wat hij heeft gedaan.'

Geforceerd rustig antwoordde Gunnarstranda: 'Bedankt, ontzettend bedankt, vooral omdat je hier tijd voor hebt vrijgemaakt en zo snel was.'

'Nu ben je mij een dienst verschuldigd,' zei Schwenke joviaal.

'Zet hem op de lijst,' reageerde Gunnarstranda en hij hing op.

Hij nam de hoorn meteen weer van de haak en belde naar Lena's huis.

Geen antwoord.

Hij pakte zijn mobiele telefoon waarin hij haar mobiele nummer had opgeslagen. Hij ging over, maar ze nam niet op.

Hij stond op en liep snel de gang op en verder naar de koffiekamer, waar Emil Yttergjerde verdiept in een automagazine zat.
'Lena?'
'Die werkt vandaag thuis, geloof ik. Dat zei ze in elk geval toen ze wegging.'
'Heb je Frølich gezien?'
Yttergjerde schudde zijn hoofd. 'Hoezo?'
'Een aanhouding.'
Yttergjerde sprong op van zijn stoel. 'Wie?'
'De psycholoog,' zei Gunnarstranda gehaast.

42

Ze zaten drie uur lang naar authentieke opnames van verkrachtingen en mishandelingen te kijken die door de daders zelf waren gemaakt. Frølich had bovendien de verklaring van het slachtoffer zelf. Zodra Mattis Langeland werd geconfronteerd met de bewijzen, gaf hij de vrijheidsberoving toe, maar niet de mishandelingen en verkrachtingen. Zijn advocaat wilde onderhandelen. Het was een donkere vrouw van midden veertig, die het hard speelde en twee mogelijke alternatieven op tafel legde: óf de seks tussen Mattis en Rosalind was vrijwillig en dat betekende een ellenlange rechtszaak, óf er kwam een volledige bekentenis, maar dan met alles wat erbij hoort. Ze wilde strafvermindering en in dat verband verwees ze naar de onreglementaire aanhouding, waarschijnlijk om Frølich over te halen. Frølich negeerde de hints en liet het geklets over aan Rindal en de politiejuristen.

Rosalind M'Taya was ontslagen uit het academisch ziekenhuis Ullevål. De studenten van de zomercursus hadden een steungroep gevormd die een vertegenwoordiger had aangewezen die de informatieverstrekking op zich zou nemen, Monica Johansson, een Zweedse assistent in opleiding die de politie in het kort berichtte over wat Rosalind wel en niet wilde.

Een portretfoto van Andreas Langeland was naar de politiedistricten gestuurd. Hij werd gezocht, beschuldigd van vrijheidsberoving, verkrachting en gebruik van geweld onder bijzonder bezwarende omstandigheden.

Zelf wist Frølich weinig over Andreas. Iselin Grav wilde niet loslaten wat er precies was gebeurd tijdens zijn jeugd, behalve dat ze aangaf dat het iets met misbruik te maken had. De jongen was bijna twintig, vermoedelijk verwaarloosd door zijn ouders, en zijn oudere broer Mattis had een slechte invloed op hem. Aan de andere kant: de films lieten een Andreas zien die de handelingen zelfstandig uitvoerde. Met zulk bewijsmateriaal zou het hem niet lukken de schuld op zijn broer te schuiven.

Het was een zomerse, warme avond met lage zonnestralen die tussen hoge muren door schenen en die de mensen in de straten in donkere silhouetten veranderden. Sommige winkels waren nog open. Frølich bewoog zich soepel langs de groepjes tieners die voor winkelcentrum Oslo City rondhingen. De jongens met de meeste ervaring in de gevangenis hadden hem meteen in de gaten en de groepjes vielen uiteen toen hij langsliep. Hij kruiste de Biskop Gunnerus' gate en zette koers naar Oslo CS. Hij telde misschien zestig zoutpilaren op Plata: bejaarde drugsverslaafden die in rolstoelen zaten of andere hulpstukken gebruikten die de personen met verschrompelde, tandeloze rubberen gezichten nodig hadden om zich voort te bewegen. Een kerel met een cap op bewoog zich op één been springend vooruit tussen zijn krukken; hij had een knoop gelegd in de lege broekspijp. Twee iets jongere vrouwen met wiebelende knieën hadden moeite om overeind te blijven. Hij passeerde de bronzen tijger op het Jernbanetorget. Zijn staart was zo vaak geaaid dat hij glom, zijn ballen blonken bijna net zo.

Bij de fontein aan de fjordkant van het station stond een man van in de twintig met zijn broek op zijn knieën in het openbaar heroïne in zijn dij te spuiten.

Frølich knikte naar de man, die zijn broek omhoogtrok. Ze hadden vaker met elkaar te maken gehad. De man knikte terug. De houding van zijn hoofd veranderde, hij was dus van plan om iets te gaan zeggen. Frølich was hem voor. 'Loop verder, Walter. Ik ben blut!'

Walter strompelde verder en verdween tussen de zoutpilaren.

Frølich leunde met zijn rug tegen de muur van de fontein. De grond was bezaaid met gebruikte wegwerpspuiten. Waarom had hij gedacht dat hij Andreas Langeland hier zou kunnen vinden?

Hij liep terug en ging in de richting van de Dronningens gate. De straatprostituees uit Oost-Europa en West-Afrika hingen rond op de hoeken van de straat en deden alsof ze geen straatprostituees uit Oost-Europa en West-Afrika waren.

Hij zag een politieauto op de hoek van de Rådhusgata en zwaaide. Het was Abid Iqbal, die met zijn arm uit het raam terugzwaaide. Abid had zich een coole look aangemeten met een baard van drie dagen oud, zijn haar in dreads en een zonnebril uit de zeventiger jaren.

'Wil je me een lift geven naar Rådhusplassen?'

Abid strekte zijn hand uit en opende het portier. Frølich stapte in.

De stoplichten in de Rådhusgata zaten mee, maar voordat ze bij het standbeeld Hansken op de Kontraskjæret waren gekomen, kreeg Abid een melding.

'Sorry, Frank. Ik moet omdraaien, stap je hier uit?'

Frølich schudde zijn hoofd. 'Ik rij met je mee terug. Ik wilde alleen even kijken of hij bij de skaters op Rådhusplassen rondhing, maar ik geloof niet dat dat waarschijnlijk is.'

Abid gaf gas en nam een doorsteek door de tunnels in de Henrik Ibsens gate.

'Waar moet je naartoe?'

'Mono.'

Ze hielden stil in de Pløens gate, aan de kant van Youngstorget. Een groepje tieners stond op het punt uiteen te gaan voor de poort van de uitgaansgelegenheid verderop.

Abid bleef zitten. Frølich ook.

'Geef maar aan wanneer je denkt dat ik uit kan stappen zonder iets te verknallen,' zei hij.

'Laten we maar even kijken wat er gebeurt.'

Een persoon stak de straat over en wisselde enkele woorden met twee meisjes die nog steeds voor de uitgaansgelegenheid stonden. Ze hadden korte rokjes aan en stonden met hun benen gekruist, in de rookhouding. Beide meisjes schudden hun hoofd en gingen met hun rug naar de persoon staan die verder liep in de richting van de patrouilleauto. 'Dat is mijn man,' zei Abid.

'Ik blijf nog even,' zei Frølich.

Abid keek hem aan.

'Ik ken hem,' zei Frølich. 'Wat heeft hij gedaan?'

'Handelt in cocaïne op dit soort plekken: Mono, Cosmopolite...'

De dunne gestalte kwam dichterbij in het licht van de laagstaande zon. Hij droeg zwarte kleren, een leren jas en een spijkerbroek, had lang zwartgeverfd haar en een sikje. Het was de zoon van Janne Smith, Kristoffer.

Abid greep de kruk van het portier, maar Frølich hield hem tegen. 'Laat hem gaan, alsjeblieft.'

Abid trok zijn arm met een barse uitdrukking los.

'Alsjeblieft,' drong Frølich aan.

De jongen liep langs hen en Frølich volgde de gestalte met zijn ogen. Ze zagen allebei dat hij de hoek om liep en verdween in de Møllergata.

Abid was niet zachtaardig. 'Hier moet je een verdomd goede verklaring voor hebben, Frank.'

'Dat heb ik ook.'

Frølich pakte zijn mobiele telefoon. Voordat hij het nummer van Gunnarstranda kon intoetsen, werd hij al gebeld door zijn baas.

'Waar ben je?'

'In het centrum,' zei Frølich. 'Youngstorget. Ik denk dat we kunnen spreken van een kleine doorbraak in het onderzoek. Misschien moeten we ergens afspreken.'

'De psycholoog heeft Signe Herring vermoord,' was de reactie van Gunnarstranda. 'Het DNA komt overeen, maar Erik Valeur is niet thuis. Als hij Veronika ook heeft vermoord, kan dat in zijn kantoor zijn gebeurd, in de Hortengata. We zien elkaar daar.'

43

De laagstaande avondzon gaf geen warmte meer. Sporadische windvlagen namen de hitte mee die eerder op de dag zo drukkend was geweest. Er klonk kindergelach boven de lichte en ritmische geluiden van de golven uit die het strand op rolden. De wind speelde met haar haar. Lena pakte een paar lokken haar in een hand en probeerde die achter haar oor te duwen.

'Ik weet wat je denkt,' zei hij.

Ze gaf geen antwoord. Niemand kon weten wat zij dacht.

'Je vraagt je af waarom ik je privé heb opgezocht,' zei hij.

Ze keek naar hem op, nog steeds zwijgend. Ze liepen langzaam verder. Lichte golven rolden op het natte zand dat oplichtte van kleur wanneer het water zich weer terugtrok. De rotsen waren bijna kaal. Strepen van gemarmerde stenen golfden mooi in de bergen.

'Wat je over je vriend vertelde en de relatie waar je uit wilt, deed me iets,' zei hij.

Ze trok haar sportschoenen uit en droeg ze mee in haar hand. Haar voeten maakten zachte sporen in het zand.

Hij stond stil.

Zij stond ook stil.

Eindelijk zette hij zijn zonnebril af. 'Ik heb je niet uit mijn hoofd kunnen zetten, Lena.'

Ze keek in zijn ogen en voelde zich plotseling heel naakt.

Ze slikte en dacht na terwijl ze haar woorden koos: 'Waarom zeg je dat?'

Valeur sloeg zijn ogen neer en glimlachte. 'Ik heb het zelf meegemaakt. Ik heb een keer iemand geslagen op wie ik gek was. Het was afschuwelijk dat ik dat had gedaan. Ik heb me nog nooit zo hardvochtig gevoeld als toen, maar ik heb er ook iets van geleerd.'

Hij liep weer verder, zei niets meer. Ze hield twee passen afstand, op haar hoede voor de zware gestalte die onder het lopen verzonken leek in zijn eigen gedachten.

Plotseling stopte hij, draaide zich om en zei met een ijskoude stem: 'Waar ben je mee bezig?'

'Ik?'

'Ik wil niet dat je zo achter me blijft hangen.'

Ze ontmoette zijn felle blik en keek weg. Ze liet haar ogen verder dwalen. De man balanceerde op het randje, dat was duidelijk. Maar hier waren mensen in de buurt, niets te vrezen, voorlopig niet althans. Toch moest hij tot rust worden gebracht. Ze had alleen geen idee hoe en ze koos als strategie voor stilte. Haar ogen vonden een vliegtuig dat stil langs het hemelgewelf gleed. Of het aan het landen of stijgen was, was vanuit deze hoek onmogelijk te bepalen.

'Ik wil dat je dit begrijpt,' begon Valeur met een mildere stem. Hij stond nu heel dicht bij haar.

Instinctief wilde ze terugdeinzen, maar ze dwong zichzelf om stil te staan.

'Ik begreep dat ik mezelf had verwaarloosd,' ging hij verder. 'Ja, het klinkt vreemd, ik weet het. Ik sla iemand van wie ik hou, en denk dat ik mezelf heb verwaarloosd. Die gevoelens had ik alleen niet onder controle, Lena. Ik had de therapie verwaarloosd. Vermeden om in mijzelf te duiken, míjn spanningen, míjn gevoelens, míjn wonden te analyseren.'

Lena keek naar de droge lippen die praatten. Ze waagde het erop en keek in zijn ogen. Die waren ijskoud.

Toen begreep ze het. De droge lippen en zijn gelaatskleur waren gewoon een masker. Onder dit vel zat een andere persoon die naar haar keek. En alsof deze onbekende persoon had begrepen wat zij dacht, verdween de stekende blik en bleef een nadenkend, zoekend gezicht achter.

Ze kon het niet aan om zo dicht bij hem te staan en begon weer te lopen.

Valeur liep ook verder, nog steeds provocerend dicht naast haar.

Er lag nog een klein aantal volhardende zonaanbidders op een kleed op het zand, gekleed in zwembroek of bikini, badgasten die de voorbije zomerse dag niet wilden loslaten. Een klein meisje kauwde op een broodje terwijl ze rillend onder een handdoek zat met een portret van Michael Jackson erop.

Niemand was nog aan het zwemmen.

Door de onaangename nabijheid van de man begon ze te zweten. Ze moest haar keel schrapen om haar stem geluid te geven. 'Zullen we een bankje opzoeken om even te gaan zitten?' vroeg ze en ze wees naar het voetpad.

Toen ze bij het grindpad waren aangekomen, moest ze vaart minderen. Er staken steentjes in haar voeten. 'Het is lang geleden dat ik op blote voeten heb gelopen,' zei ze verontschuldigend.

Valeur liep langs het dichtstbijzijnde bankje.

Lena aarzelde.

Hij draaide zich om en wees: 'We nemen dat bankje daar.'

Hij greep haar bij de arm.

Ze rukte haar arm los.

Ze bleven staan en namen elkaar op. Daar was het weer, dat ijskoude, in een fractie van een seconde voordat het gezicht opnieuw zachter werd en hij zei: 'Sorry, dat was onbedachtzaam van me.'

Ze stond nog steeds stil. Ze hield oogcontact en dacht: *dit is een openbare plek, hier zijn getuigen. Rustig maar.*

Ze liepen weer door. Hij zei geen woord. De stilte vergiftigde de lucht om hen heen, die zo drukkend werd dat lopen en ademhalen moeilijk werd.

Ze kwamen bij het bos. Valeur liep recht op een bankje af, afgeschermd door hoge struiken en twee kleine rotsen.

Hij liep nu twee passen voor haar.

Het bos sloot zich om hen heen.

Ze voelde het zakje in haar heuptas met haar rechterhand, probeerde het labeltje van de rits te pakken te krijgen.

Hij ging sneller lopen. Ze verhoogde haar snelheid ook. Waar was die verdomde rits?

Ze hield stil, voelde hem en opende het zakje. Ze sloot haar vingers om de telefoon.

Valeur draaide zich om. Ze keken elkaar aan.

Hij knikte. 'Kom!'

Ze schudde haar hoofd.

'Ik zei kom!'

Ze zei in zichzelf: *Je houdt de telefoon vast. Je bent getraind. Er kan niets misgaan, en je hebt je doel bijna bereikt, je bent heel dichtbij.*

Toen hij nog een keer knikte, sloeg ze haar ogen neer en liep op hem af.

'Wat zo angstaanjagend is,' mompelde hij.

'Wat zeg je?'

'Wat zo angstaanjagend is!' herhaalde Valeur, nu met een luide en scherpe stem, alsof hij kwaad of verongelijkt was. Ze zocht naar zijn blik zonder hem te vinden, terwijl zijn stem schel verder ging: 'Het bedrog is niet angstaanjagend. Bedrogen worden is maar een kant, het bedrog lijkt altijd zwaar, maar diep vanbinnen realiseert iedereen zich dat er niets aan het bedrog kan worden gedaan, het is al gebeurd.'

'Je hoeft niet te schreeuwen,' zei Lena.

'Wanneer de persoon van wie je houdt je bedriegt, is dat niet jóúw verantwoordelijkheid,' ging hij verder met dezelfde schelle fistelstem. 'De persoon die bedriegt maakt de keuzes.' Ze keek weer in zijn ogen. De blik in zijn masker was weer veranderd. Ze begreep dat ze weg moest zien te komen. Alsof hij automatisch in de gaten had wat zij voelde, werd zijn stem milder en hij ging verder op een zachtere toon: 'Denk daaraan, de man die jij wilt verlaten, maakt zijn eigen keuzes, maar hij kon die keuzes niet zonder jou maken, Lena. Jij bent onderdeel van zijn keuzes, de basis van zijn beslissingen. Besef je wat dat betekent?'

'Nee.' De hand waarmee ze de telefoon vasthield was klam. Ze hield hem op de rug en begreep plotseling dat het hem allang was opgevallen, zonder dat hij er iets van had gezegd.

Nu bleef hij stilstaan en hij zei: 'Nu moet je eens kijken...'

Hij ging op zijn knieën zitten en schoof een steen opzij.

Wat doet hij?

Hij keek naar haar op. Zijn gezicht glimlachte, maar het was geen echte glimlach. Het was de harde en onbekende persoon die lachte met de lippen van een masker.

'De woede die ik niet onder controle had, dat ik Ragnhild wilde straffen, maakte mij bang voor mijzelf. Ik heb hier lange tijd aan gewerkt in therapie. Het was natuurlijk een projectie. Het bedrog van Ragnhild was een herhaling van het bedrog van mijn moeder ten opzichte van mij.'

Toen hij zweeg, werd het helemaal stil.

Lena keek om zich heen. Ze waren helemaal alleen in het bos. Grijze en witte boomstammen dempten alle geluiden. De laatste restjes zonlicht sneden in fijne strepen door de bladeren. In de verte, tussen de bomen door, zag ze de zee en daarachter een donkere bergrug waar de zonnestralen in de ramen weerspiegelden als sterren, alsof een stukje van de hemel op de aarde was gevallen.

'Kom hier, Lena! Kom!'

Ze deinsde terug voor de knielende gestalte.

Op hetzelfde moment stond hij overeind en schreeuwde: 'Waar ben jij mee bezig?'

Hij rende op haar af.

Ze draaide zich om om te vluchten.

Het volgende moment zag ze de telefoon door de lucht vliegen en schreeuwde ze het uit van de pijn.

Ze pakte haar hand vast.

Een witte snee op de rug van haar hand. Een streep die rood werd. Hij heeft me gesneden, kon ze nog denken voordat haar hoofd tegen de grond sloeg.

Het volgende moment drukte hij iets tegen haar gezicht. Ze wilde zich losrukken, maar haar lichaam deed niet wat zij wilde.

Zijn stem was plotseling ver weg.

'Hier bepaal ik! Begrijp je dat? Je hebt me te gehoorzamen!'

44

Gunnarstranda zat in de auto op Frølich en de anderen te wachten. Met zijn ogen dicht luisterde hij naar Bobby Darin die *Fly Me to the Moon* zong. Hij hield van de versie van Bobby Darin; Tove hield meer van Sinatra. Ze presteerde het zelfs om ze te vergelijken, ze had nooit begrepen dat Darin en Sinatra twee planeten in een eigen baan waren. Dat je van één planeet hield, betekende niet dat je niet van de andere kon houden. Gunnarstranda voelde iets voor beide versies, maar de stem en de drive van Bobby Darin zorgden ervoor dat hij in een volledig tijdloze modus kon komen door absolute rust. Het bewustzijn golfde met de tonen mee alsof hij de melodie in een gewichtloze toestand volgde.

Gunnarstranda zat met zijn ogen dicht toen de slotenmaker op het raampje klopte. Hij schrok op.

*

Frølich draaide de Hortengata in toen twee technische rechercheurs het trappenhuis inliepen.

Frølich liep op een drafje de trap op. Een deur op de tweede verdieping stond open.

De wachtkamer was klein, en vooral anders. De ruimte was luxueus ingericht. Twee zware oorfauteuils elk aan een kant van een lage tafel met een rond tafelblad en kromme poten. Vast antiek.

Frølich moest gaan proefzitten in de ene luie stoel, en liet zich er met welbehagen in zakken. Er schoof automatisch een voetensteun onder de stoel vandaan toen hij met zijn rug tegen de rugleuning drukte. Hij kon de verleiding niet weerstaan om de voetensteun te proberen en legde zijn beide voeten erop. Heerlijk. Hij had altijd al zo'n stoel willen hebben. Hij moest niet vergeten de psycholoog te vragen waar hij die had gekocht.

Er lagen nummers van *Mentale gezondheid* op het tafeltje en een stapel versleten stripblaadjes uit de jaren zeventig en tachtig: *Asterix*, *Lucky Luke*, *Sprint*. Frølichs favoriet was *Sprint*. Hij genoot van de onvoorspelbaarheid van het dier met de lange staart.

Gunnarstranda stak zijn hoofd om de hoek van de deur. 'En waar ben jij mee bezig?'

Frølich liet het stripblad vallen alsof hij zich had verbrand, zette zijn voeten op de vloer en stond schuldbewust op.

Het kantoor van Valeur bestond behalve de wachtkamer uit een kleine keuken, een nog kleinere wc en een grote kamer met een bank recht tegenover een gemakkelijke stoel. Verder niets, geen pc, geen bureau. Frølich liep het keukentje in.

Gunnarstranda's telefoon ging en Frølich draaide zich om en ontdekte in de hoek een archiefkast met hangmappen. Vier laden. Hij liep op de kast af. De onderste lade was leeg. De een na onderste was ook leeg. De twee bovenste zaten vol mappen.

'Laat dat maar aan ons over,' zei de technisch rechercheur, die opkeek.

Frølich luisterde niet naar hem. Hij bladerde door de dossiers, vond niet waar hij naar op zoek was en opende de volgende lade.

Gunnarstranda stopte de telefoon in zijn zak. 'Yttergjerde en de anderen houden het appartement bij Bærums Verk in de gaten. Valeur heeft zich niet laten zien.'

Frølich reageerde niet.

'Er is één ding dat me verontrust,' ging Gunnarstranda verder. 'Ik krijg geen contact met Lena.'

'En wat dan nog? Ze is vast naar aerobics of naar de bioscoop. Ze heeft vrij.'

Gunnarstranda toetste een telefoonnummer in en hield de telefoon tegen zijn oor. Hij ging over. Hij liet zijn hand zakken en zuchtte: 'Ze neemt niet op.' Met luide stem zei hij tegen de anderen: 'Als Valeur Veronika Undset heeft vermoord, dan heeft hij dat hier gedaan! Bård, ik wil dat jij elke naad tussen de tegels in de keuken en op de plee onderzoekt. Verwijder de plinten en controleer elke millimeter. Als er bloed is gemorst in dit stulpje, moeten we er restjes van kunnen vinden.'

Tegen Frølich zei hij: 'Zoals gezegd: waar ben jij mee bezig?'

Frølich keek op van de archiefkast. 'Heb jij je nooit afgevraagd waarom Veronika juist Valeur koos?'

'Weet jij het?'

Frølich zwaaide met een dossier uit het patiëntenarchief. 'Ik heb een vermoeden. Je kiest gewoon een psycholoog uit de Gouden Gids of iemand wordt je aanbevolen. Als Veronika Valeur kreeg aanbevolen, moet een patiënt dat hebben gedaan. Die patiënt moet iemand zijn die ze kent. Hier heb ik de naam van een bijzondere patiënt. Ik denk dat ik weet waarom ze hier kwam, en ik denk zelfs te weten wie haar heeft afgeslacht.'

Als op commando stopten alle aanwezigen met werken. Ze keken hem aan.

Hij grijnsde scheef en drukte het dossier tegen zijn borst. 'Geintje!'

De in het wit geklede mannen snoven, draaiden zich om en gingen verder met werken. Frølich gaf Gunnarstranda een teken.

Ze liepen naar buiten.

'Wie?' vroeg Gunnarstranda en hij knikte naar het dossier dat Frølich in zijn handen hield.

'Ik wilde het je vertellen toen je belde,' zei Frølich. 'Ik was samen met Abid Iqbal. Wie denk jij dat er cocaïne probeerde te verkopen aan de bezoekers van Mono?'

*

Dertig minuten later parkeerde Frølich zo'n honderd meter bij het huis vandaan. Hij bleef zitten en keek door de voorruit.

'Dus we zijn het erover eens?' vroeg Gunnarstranda.

Frølich knikte en stapte uit de auto. Hij legde de honderd meter te voet af en bleef bij het hekje staan. De heavy metalmuziek was door de muren heen te horen. Er brandde licht in de kelder en in een paar kamers op de begane grond. Misschien was Kristoffer alleen thuis. Frølich keek over zijn schouder. Bij de auto stond Gunnarstranda met zijn handen in de zakken. Knikte. Frølich liep naar de deur en belde aan. Er gebeurde niets. Hij belde voor de tweede keer aan voordat Gunnarstranda door het tuinhekje kwam lopen. Toen hij voor de derde keer aanbelde, werd de muziek zachter gezet.

Frølich wilde niet gezien worden en drukte zich tegen de muur naast de voordeur.

Gunnarstranda ging op het stoepje bij de deur staan en bereidde zich voor op de rol van domme man in jas toen hij hoorde dat er een raam werd geopend.

Iemand stak zijn hoofd naar buiten.

Het was onmogelijk om de gelaatstrekken van de betreffende persoon te onderscheiden. Het plafondlicht scheen van achteren op het hoofd. Hij hoorde alleen de stem: 'Wat is er?'

'Is Janne thuis?' vroeg Gunnarstranda.

'Nee.'

'Ben jij de zoon van Janne?' vroeg Gunnarstranda en hij liep achteruit het gazon op om gezien te worden.

'Wie ben jij?'

Frølich werkte aan de deur.

Gunnarstranda schraapte zijn keel en zei: 'Ik heb gehoord dat je bij een psycholoog op Tåsen loopt.'

Het was een paar seconden stil.

'Een die Valeur heet,' zei Gunnarstranda.

'Janne is niet thuis en ik heb geen idee waar ze is, dus dag.'

'Je bent een geluksvogel,' zei Gunnarstranda vlug.

'Waar heb je het over?'

Frølich opende de deur, zo stil mogelijk. Een zacht gekraak van een roestig scharnier klonk door de zomerse avond.

'Een geluksvogel,' herhaalde Gunnarstranda. 'Je hebt de lotto gewonnen, wist je dat?'

'Ik? De lotto gewonnen?' Het laatste woord verdween samen met de gestalte toen Frølich hem vastgreep.

'Tien jaar achter de tralies,' zei Gunnarstranda en hij liep naar de voordeur.

Hij bleef in de gang staan en keek naar de jongen die onder Frølich lag. Dun en smal en ongelooflijk kwaad. De twee mensen waren een rollende wirwar van armen en benen. Hij wachtte tot ze tegen de wand rolden en liep er toen langs, de trap af naar de kelder. Hij bleef staan en snoof de lucht op. Het rook er licht bedorven. Hij keek om zich heen, nam het beeld van de kleine gang in zich op. Betonvloer. Een lichte omtrek op het beton waar een deken had gelegen.

Twee deuren leidden naar twee kamers. Een grote kelderkamer was ingericht voor jeugdig satanisme. Zwartgeschilderde wanden, posters met afbeeldingen van vampiers, kitscherige zessen en kruisen. Op een lage tafel brandde een kaars in een schedel.

Hij tilde de schedel op en bestudeerde hem. De kaars viel om. Hij blies hem uit. De schedel leek echt. Hij klopte met een knokkel op het schedelbeen. Jemig, dacht hij. Wat een hobby!

De andere deur leidde naar een badkamer. Hier stond een ouderwetse witte badkuip op leeuwenpoten, en er hing een gedateerde wastafel aan de wand. Blauwe tegels op de vloer, witte tegels aan de wanden.

Toen Frølich binnenkwam, zat Gunnarstranda op zijn knieën op de vloer van de badkamer. Met zijn zakmes peuterde hij het rooster van de afvoer los. 'Het klopt dat hij alleen thuis is,' zei Frølich. 'Wat doe je?'

'Ik zoek,' zei Gunnarstranda. 'Wil jij naar de keuken gaan om te zien of je een schaal kunt vinden?'

'Een schaal?'

'Ja, een schaal.'

'Wat doe ik met die jongen?'

'Een schaal, Frølich.'

Frølich liep weg.

Gunnarstranda stroopte zijn rechtermouw op en stak zijn hand diep in het putje.

Frølich was snel terug met een grote, witte porseleinen schaal.

Uit het putje haalde Gunnarstranda een zwarte, natte, kleverige pluk tevoorschijn.

Het stonk.

Frølich haalde zijn neus op en vertrok zijn gezicht.

Gunnarstranda groef verder. Nog een pluk op de schaal. Toen hij zijn hand er nog een keer in stak, keek hij Frølich aan en verklaarde: 'Als Kristoffer kokendheet water over haar lichaam heeft gegoten, heeft hij dat op een plek gedaan waar het water kon weglopen.'

Gunnarstranda kwam overeind en bestudeerde de vangst op de porseleinen schaal. Hij spoelde zijn handen af, pakte de balpen uit zijn borstzak en peuterde geïnteresseerd met zijn pen in de zwarte viezigheid.

'Bård en de anderen zijn vast nog wel een paar uur bezig bij die psycholoog,' zei Frølich om maar iets te zeggen.

'We hebben Bård niet nodig,' zei Gunnarstranda en hij rechtte zijn rug. Tussen zijn duim en wijsvinger hield hij een piepklein voorwerp.

'Wat is dat?'

'Zoals Marilyn zo overtuigend zingt: *Diamonds are a girl's best friend.* Dit is de diamant, Frølich. Veronika Undsets ontbrekende oorknopje.'

45

Een gloeiende pijn klopte in haar slapen. Ze had iets in haar mond en moest kokhalzen.

'Lig stil!'

Ze gehoorzaamde, maar ze moest lucht hebben. Ze raakte in paniek. Ze kreeg niet voldoende zuurstof. Ze concentreerde zich: adem in, uit, in, uit, in. Het ging langzaam, maar ze kreeg haar ademhaling onder controle. Toen het verlamde gevoel in haar huid afnam, voelde ze hoe zijn handen haar lichaam betastten. Ze had geen prop in haar mond. Het was een zwelling, zand en bloed. Ze spuugde, opende haar ogen. Probeerde haar benen onder zich op te trekken.

Opeens drong het tot haar door dat ze geen kleren aan had. Hij had haar trainingspak uitgetrokken.

'Niet kijken.'

Ze draaide haar hoofd naar het geluid van de stem.

'Niet kijken, zei ik!'

De pijn vonkte toen de tik kwam. Ze voelde nauwelijks dat hij schopte, kreunde alleen maar toen alle lucht uit haar lichaam werd gestompt. Haar buik en haar zij verdoofden.

Ze ademde in... uit... in... uit.

Ze rolde op haar buik en probeerde weer overeind te komen.

'Ben je doof? Niet kijken!'

Deze keer kon ze de opwelling niet binnenhouden en ze schreeuwde het uit van de pijn. Het brandde op haar rug. *Waar slaat hij mee?*

'Hou je bek, lig stil en hou je ogen dicht.'

Haar linkerbeen lag vastgebonden.

Ze trok aan haar been. Metaal tegen haar enkel. Hij was bezig haar vast te binden. *Dat zal hem niet gaan lukken.*

'Dacht je nou echt dat ik in dat verhaal zou trappen dat je slachtoffer bent van geweld? Denk je dat ik niet weet wie je bent? Er staan foto's van je in de krant, meisje! Welkom in de werkelijkheid, Lena. Nu mag je met de slechte jongen van de klas spelen! Niet kijken zei ik!'

Ze was een paar seconden weg. Toen ze weer wakker werd, zat haar mond opnieuw vol bloed. Ze werd weer op haar buik gerold. Spuugde. Haar linkerbeen hing nog steeds vast. Het gewicht van zijn lichaam drukte op haar andere kuit.

Toen voelde ze een hand tussen haar dijen, harde vingers met nagels, die krabden. Ze kronkelde als een worm. De pijn was gloeiend en ze schreeuwde zonder het te willen toen hij zijn vingers naar binnen drukte. *Dat zwijn.*

Ze kreeg meer zand in haar ogen en dacht: niet stilliggen. Als hij opzij gaat, krijg ik mijn been vrij. Als hij meer wil, móét hij wel opzij gaan.

De pijn verlamde haar buik, maar ze wilde niet schreeuwen.

Ik ben sterker. Ik ben beter getraind.

Zijn gewicht werd verplaatst. Het werd lastiger voor haar om zich om te draaien, om tegen te stribbelen.

'Zo ja, zo ja, zó ja...'

Zo. Het gewicht van zijn lichaam verdween. *Nu of nooit!*

Pijlsnel rolde ze over het been dat vastzat. Verzamelde al haar krachten in de voet die vrij was. Schopte.

Mis.

Pijlsnel trok ze haar voet naar zich toe.

Ze zag de contouren van een gestalte, het lichaam dat boven haar uit torende, groot en naakt.

Ze haalde uit met haar voet.

Raak.

Haar hak trof hem keihard in zijn kruis. Hij zakte in elkaar en viel voorover. Ze zag de val als in slow motion. Haar vrije voet was een stalen veer. Die trok zich terug en gaf opnieuw een stoot. Trof het gezicht dat naar de grond bewoog. Het hoofd klapte hard heen en weer. Het kraakte. Zijn hoofd, benen en armen sloegen ongeveer tegelijk tegen de grond. Hij bleef liggen, levenloos. Een paar seconden dacht ze dat ze hem had vermoord. Nee. Er liepen bloed en slijm uit zijn mond. Zijn hoofd bewoog. Bloed langs zijn tanden. Hij probeerde op handen en voeten overeind te komen. *Dat mocht niet gebeuren.* Ze schopte weer en weer. Ze lag op haar zij, nog steeds met haar ene been vastgebonden, terwijl de andere voet hard en ritmisch stampte als een moker. Toen hij helemaal stil lag, begon ze te slaan. Ze sloeg systematisch, zonder te stoppen, alsof ze aan het werk was. Ze sloeg niet deze man. Ze hamerde de pijn en zwakte uit haar lichaam en bewustzijn, strafte zichzelf en haar eigen willoosheid. Uiteindelijk sloeg ze niet om te straffen, ze sloeg als een smid op het aambeeld, om een sterkere ruggengraat te krijgen. Zijn lichaam lag levenloos op de grond en liet de slagen gewoon over zich heen komen. Ze bleef slaan tot ze compleet uitgeput op haar buik naar adem lag te snakken. Tot ze bijna haar hand niet meer kon optillen.

Toen ze moest uitrusten, kwam de pijn. In haar hand, haar voet en haar buik. Ze ging rechtop zitten. Haar enkel bloedde. Hij had haar voet vastgebonden met staaldraad. Ze maakte het los, kroop over zijn lichaam, drukte haar oor tegen de naakte rug en luisterde. Zijn hart klopte. Hij ademde, rochelde. Ze draaide zijn hoofd opzij. Groef in zijn mond naar zijn tong, totdat hij vrij kon ademhalen.

Ze kroop naar een steen, ging erop zitten en keek naar de bult die de man vormde die voor haar lag.

Geen licht tussen de bomen, maar ze hoorde de zee. Ze oriënteerde zich. Haar kleren lagen naast de steen. Waar waren zijn kleren?

Hij kreunde.

Ze schrok op. Nee. Hij lag rustig.

Ze was duizelig en werd overvallen door een vlaag van misselijkheid. Ze zakte op haar knieën, bleef op handen en voeten zitten en slikte tot de misselijkheid overging. Ze zag dat de wond op de rug van haar hand niet meer bloedde. Ze kon zich de pijn herinneren, de telefoon die door de lucht vloog. Hij had het mes vast in de grond verstopt toen hij neerknielde. Waar was dat mes nu?

Ze trok de hoop kleren naar zich toe en kleedde zich aan. Staarde naar de mouw, bloedvlekken. Ze veegde haar neus met haar hand af. Meer bloed. Het kon haar niets schelen. Ze doorzocht zijn zakken, vond de autosleutels en het mes. Dat was klein. Een geopend zakmes met blauw staal op het blad. Ze woog het mes in haar hand en stopte het ten slotte in haar heuptas.

Daarna kroop ze op handen en voeten in het rond op zoek naar haar telefoon. Die lag op een platte steen. Ze pakte hem op. Vijf gemiste oproepen, allemaal van Gunnarstranda.

Ze stopte de telefoon in haar tas en liep terug naar de gestalte die nog steeds roerloos op de grond lag.

Ze pakte de staaldraad die hij had gebruikt om haar voet mee vast te binden, bleef ermee in haar hand staan en dacht na.

46

Het was tien over vier 's nachts toen Frølich in het kantoor van het hoofd van de beveiliging de hoorn van de haak pakte en het nummer van zijn vriend Karl Anders Fransgård thuis belde.

Frølich had meer dan vierentwintig uur niet geslapen, maar hij was niet moe. De adrenaline gierde door zijn aderen. Hij moest de telefoon acht keer laten overgaan voordat Karl Anders opnam.

'Hallo, K.A. Met Frank. Kan ik Janne even spreken?'

'Hè?'

Frølich had geen zin om ook maar een woord te herhalen.

Karl Anders mompelde hakkelend een paar inhoudsloze woorden. De dekens ritselden en aan de andere kant van de lijn werd gefluisterd: 'Het is voor jou.'

'Voor mij?'

Karl Anders, enigszins ongeduldig: 'Ja, Frank. Hij vraagt naar jou.'

'Hallo?' De stem was klaarwakker, dat was een goed teken.

'Hallo, Janne, ik bel je omdat ik je een beetje ken,' zei Frølich. 'Ik denk in elk geval dat ik je een beetje ken. Luister. Je zoon, Kristoffer, is aangehouden. Hij zit vast. Hij zal worden aangeklaagd voor de moord op Veronika Undset. Het is nu nog moeilijk te zeggen of de aanklacht wordt uitgebreid.'

Hij wachtte even om haar ruimte te geven, maar ze zei niets. Het bleef doodstil aan de telefoon. Hij ging verder: 'Kristoffer is meerderjarig. Dat betekent dat wij van de politie niets doen met familieleden. Je zult geen officieel bericht krijgen en je zult namens je zoon ook geen eisen kunnen stellen of wat dan ook. Je hebt niet het recht om Kristoffer te bezoeken. Aan de andere kant kan het gebeuren dat je een bezoek wordt toegestaan als je hier nu naartoe komt.'

Janne Smith haalde diep adem. Frølich liet de stilte even duren en luisterde, maar er kwam geen woord.

'Kom nu hiernaartoe,' herhaalde hij voor het geval dat ze het niet had begrepen.

Het bleef stil.

Frølich ging verder: 'Kristoffer zal hier blijven vastzitten op het politiebureau totdat de zaak morgen voor de rechter-commissaris verschijnt. Er zal dan verzocht worden om hem vier weken in voorarrest te nemen met een brief- en bezoekverbod. Als de politie hierin gesteund wordt, zul je hem daarna vier weken niet kunnen zien. Minstens.'

Hij haalde adem. Wachtte een paar seconden. Geen geluid.

'Ik moet je er trouwens nog wel op attent maken dat je huis op dit moment wordt doorzocht door technische rechercheurs. Ze zullen je een gerechtelijk bevel tonen waaruit blijkt dat ze het recht hebben dit te doen. Als je wacht met naar huis gaan tot morgen aan het einde van de ochtend, zullen ze vast klaar zijn.'

Hij zweeg weer.

Wachtte.

Er kraakte iets toen hij de hoorn op de haak legde en de verbinding verbrak.

Frølich bleef naar de hoorn zitten kijken.

'Wat zei ze?' vroeg Gunnarstranda.

Frølich bewoog langzaam heen en weer op de stoel.

'Nou?' vroeg Gunnarstranda ongeduldig, 'Wat zei ze?'

'Ze komt nu hiernaartoe. Ze zei dat het enige belangrijke voor haar in deze moeilijke situatie is dat ze haar zoon alle mogelijke steun geeft,' antwoordde Frølich en hij stond op.

47

Tijdens dat kleine uurtje dat het in de zomer 's nachts helemaal donker wordt, besloot de dienstdoende chef van politiebureau Majorstua de tips van een anonieme beller te onderzoeken.

Twee agenten in een auto die op dat moment met lage snelheid tussen de bedrijfspanden op Karenslyst reden, kregen de opdracht koers te zetten naar Kongsskogen, het bos op Bygdøy.

De patrouilleauto maakte vaart over de rotonde op Bygdøylokket. De auto had de weg voor zichzelf, trok op over de heuvels naar Kongsgården en reed er met hoge snelheid langs. Bij het afslaan gleed de lichtkegel van de auto langs de verlaten huizen van het openluchtmuseum en weerspiegelde in de zwarte ramen. De auto remde af voor de verkeersdrempels en het groot licht verdween in de duisternis tussen de bomen, scheen toen weer op de weg en trof de gele ogen van een kat die in de berm ineendook.

'Kongsskogen is een tamelijk groot bos,' zei de politieman die achter het stuur zat.

De ander gaf geen antwoord. Iedereen wist dat Kongsskogen een groot bos was.

De auto draaide nu het parkeerterrein op dat net zo verlaten was als de weg waar ze net hadden gereden. Hij hield stil aan het einde van het terrein en liet de koplampen branden. De koplampen verlichtten een paar boomstammen en het licht ervan werd geleidelijk zwakker in de verte. De twee agenten keken enkele lange seconden zwijgend de duisternis in. De politieman achter het stuur verbrak de stilte.

'Ik zie niemand, geen enkele auto, geen mens.'

De ander gaf geen antwoord. Dat was niet nodig. Hij zag ook niets.

De chauffeur rapporteerde via de radio dat ze op vals alarm waren uitgerukt.

'Zit je in de auto?' vroeg de dienstdoende chef.

De twee keken elkaar aan. De chauffeur reageerde bevestigend.

'Stap dan uit! Ga zoeken!'

Toen de chauffeur het portier opende, ging het lampje aan het plafond aan. Ze konden allebei hun spiegelbeelden in de voorruit onderscheiden.

De twee agenten aarzelden, maar uiteindelijk pakten ze allebei een zaklamp en stapten uit de auto. Het waren twee sportvrienden. Beiden haatten ze het om te verliezen als ze tegen elkaar streden, of het nou om skiën, zwemmen of squashen ging. Geen van beiden wilden ze het tegenover de ander toegeven als ze bang of terughoudend waren. Geen van beiden wilden ze het akelige gevoel onder woorden brengen dat ze hadden toen ze het donker inliepen. Daarom liepen ze zonder iets te zeggen snel over de grasheuvel met hun zaklampen aan. Ze hielden onderling een afstand van dertig meter.

Twee lichtkegels schenen tussen de bomen door. De twee politieagenten zeiden niets. Ze wilden allebei niet toegeven dat ze nerveus waren. Dit was verdomme gewoon een inspectie. Dit was routine.

De chauffeur wierp een blik naar rechts toen zijn vriend de zaklamp stilhield. Hij bleef ook staan. Hij luisterde, maar hoorde niets. Hij zei: 'Steffen, wat gebeurt er?'

Hij kreeg geen antwoord.

Op dat moment ging de zaklamp van zijn vriend uit.

De chauffeur richtte zijn eigen straal op het punt waar hij het licht voor het laatst had gezien. De straal gleed alleen over struiken en boomstammen.

Plotseling liepen hem de rillingen over de rug. Zijn buik verkrampte. Hij ademde met zijn mond open en dwong zichzelf verder te lopen, naar de plek waar zijn vriend zou moeten zijn.

De lichtstraal bewoog mee met zijn eigen voetstappen. De grond, de hemel, de grond, de hemel. Hij stopte, draaide honderdtachtig graden met zijn lichtstraal in een rechte hoek vanuit zijn lichaam in het rond. Toen scheen de straal in een gezicht. 'Ben jij dat?' riep hij en hij liet de zaklamp ronddwalen om het gezicht weer te vinden, maar er was niemand. *Wat is dit verdomme?*

'Steffen!' brulde hij.

'Sst! Doe je zaklamp uit!'

Het was de stem van Steffen, maar die kwam ergens achter hem vandaan.

De chauffeur deed zijn zaklamp uit en ontdekte het silhouet van zijn collega in het donker. 'Ik zag iemand,' fluisterde hij.

'Waar?'

'Daar.' Hij scheen met het licht naar de zwarte bomen.

'Nee,' fluisterde de ander. 'Het geluid komt daarvandaan.' Steffen liet zijn lamp in een andere richting schijnen. 'Stil, luister!'

Toen hoorde de chauffeur het geluid van rennende voeten.

Hij deed zijn zaklamp aan.

Een schaduw bewoog tussen de bomen.

'Stop!' brulde hij en hij begon te rennen. De lichtstraal dwaalde over de grond, scheen op het bos en sloeg af en toe naar de hemel. Hij verhoogde zijn snelheid. Hij hoorde iemand naar adem snakken, hoorde de snelle voetstappen samen met zijn eigen voetstappen. *Dichterbij, dichterbij...*

Op dat moment bleef zijn voet ergens achter haken. Hij viel, zijn schouder raakte de grond en hij rolde twee keer om voordat zijn hoofd hard tegen de grond klapte en de lucht uit zijn longen werd geslagen. Maar dat voelde hij niet. Het enige waar hij aan dacht was de zaklamp. Hij had hem laten vallen. Hij zag het licht zweven voordat de lamp op de grond viel en over het gras rolde. De zaklamp bleef liggen en verlichtte een paar meter verderop een driehoek met gras.

Hij kroop op handen en voeten, en tastte naar de lamp. Op dat moment ging die de lucht in. Iemand pakte de zaklamp op en zette hem uit.

Het werd pikdonker. Hij zei: 'Geef me mijn zaklamp.'

Hij kreeg geen antwoord. Plotseling werd hij verblind door het licht van dezelfde zaklamp. Toen brulde hij: 'Doe dat licht uit!'

De zaklamp ging uit.

De chauffeur hield zijn adem in. Het was helemaal stil. Er was geen geluid te horen. 'Steffen!' schreeuwde hij. 'Hier!'

'Waar?' zei de bekende stem van Steffen, maar die kwam ergens verder achter hem vandaan.

'Iemand heeft mijn zaklamp afgepakt!' riep de chauffeur.

'Wie?'

De chauffeur gaf geen antwoord. Hij volgde de beweging van de straal van de zaklamp van zijn vriend. Het licht scheen op een gestalte die op de grond lag. Een man zonder kleren aan. Hij lag op zijn buik.

De chauffeur knielde naast de man neer. 'Schijn hier eens.'

De lichtstraal scheen over het levenloze lichaam. Aan de man was duidelijk te zien dat hij het slachtoffer van mishandeling was. Zijn ogen zaten dicht. Hij bloedde uit zijn neus en mond, en hij had flinke bloeduitstortingen in zijn zij, hals en in zijn gezicht.

Steffen knielde naast hem neer.

'Degene die dit heeft gedaan is in de buurt,' fluisterde de chauffeur. 'Ik ben mijn zaklamp kwijtgeraakt. Hij heeft hem meegenomen.'

De andere politieman reageerde niet. Hij scheen op een bult kleren die naast de bewegingloze man lag.

De bult bestond uit een kakibroek, een geruit flanellen overhemd en een lichte jas.

De twee kwamen overeind.

Steffen deed zijn zaklamp uit.

Het donkere uur van de zomernacht was net afgelopen. De grijze voelhoorns van een nieuwe dag schenen in dunne straaltjes tussen de boomstammen door. Het spaarzame licht omhulde de contouren van de man op de grond.

De chauffeur pakte de jas uit de stapel kleding. Hij voelde in de zakken. Vond een rijbewijs op naam van Erik Valeur. De chauffeur knielde neer. Ondanks de zwellingen in het gezicht kon hij zien dat dit de eigenaar van het rijbewijs was.

‘Hij leeft nog,’ zei de chauffeur. ‘Er moet een ambulance komen,’ voegde hij eraan toe, en hij bestudeerde de omgeving die zich steeds meer openbaarde toen het ochtendgloren doorzette. Wie de zaklamp ook had afgepakt, hij was nergens te zien.

Steffen begon in de richting van de auto te lopen.

48

'Het is vijf uur dertig, hoofdinspecteur Gunnarstranda neemt de verklaring op van Janne Smith.'

Gunnarstranda ging op de stoel zitten en glimlachte naar de vrouw die tegenover hem zat.

Ze keek hem aan zonder iets te zeggen.

'De politie wenst een verklaring van u op te nemen aangezien u de persoon bent die het beste de bezigheden van uw zoon van de afgelopen tijd kan bevestigen of ontkennen. U kunt beginnen met te vertellen wat u deed en waar u zich bevond op de dag dat Veronika Undset werd vermoord.'

De vrouw staarde zwijgend, bijna apathisch, naar hem.

'Janne Smith, is dat uw naam?'

Ze gaf geen antwoord.

'U zwijgt, betekent dat dat u geen verklaring wenst af te geven?'

De vrouw bleef zwijgen, bleef hem uitdrukkingsloos aankijken.

Gunnarstranda schraapte zijn keel en leunde over de tafel. 'We hebben lang gesproken met uw zoon, Kristoffer. Hij heeft een verklaring afgegeven die opvallend overeenkomt met de feiten en technische bewijzen die we in het onderzoek hebben gevonden. Laat ik u vertellen wat we ontdekt hebben, dan kunt u mij onderbreken en verbeteren, oké?'

Janne Smith keek hem aan zonder haar mond open te doen.

'In de nacht van vrijdag 3 juli op zaterdag 4 juli werd Veronika om zes uur 's ochtends aangehouden voor haar woning,' begon Gunnarstranda. 'Ze werd aangehouden door Frank Frølich en was in het bezit van vijf gram cocaïne. Ze kreeg hier een boete voor, maar ze accepteerde die zeer gereserveerd. Ze beweerde dat de drugs niet van haar waren en dat ze geen idee had hoe die in haar tas waren beland. Kent u dit verhaal?'

De vrouw antwoordde niet.

'De volgende avond,' ging Gunnarstranda verder, 'zaterdag 4 juli, gaf Karl Anders Fransgård een feestje. Frølich was uitgenodigd en u was, voor zover ik heb begrepen, zijn tafeldame. U zult waarschijnlijk begrijpen dat de ontmoeting tussen Frølich en Veronika op dit feestje voor beiden bijzonder was. Het was minder dan twaalf uur geleden dat ze op het politiebureau uit elkaar waren gegaan.

Nadat het feestje was afgelopen en alle gasten naar huis waren gegaan, toen Veronika en haar verloofde alleen in de zaal waren, vertrouwde Veronika hem het voorval van de nacht ervoor toe, dat zijn vriend Frølich haar in hechtenis had genomen. Ze vertelde het zodat Fransgård de juiste versie van haar zou horen, zodat hij de waarheid uit haar mond zou horen voordat hij eventueel een verdraaide weergave zou krijgen van Frølich. Ze vertelde ook over de cocaïne die in beslag was genomen, maar liet een belangrijk detail achterwege. De waarheid was namelijk dat Veronika wist wie de eigenaar was van de drugs. Ze wist het omdat de drugs in een vergulde Zippo-aansteker zaten die ze herkende. De aansteker van uw zoon.'

'Kristoffer gebruikt geen drugs,' zei Janne Smith kortaf.

Gunnarstranda glimlachte naar haar. Hij zei niets over het feit dat ze het zwijgen doorbrak, maar koos er in plaats daarvan voor om commentaar te leveren op de uitspraak: 'Het is mogelijk dat hij geen drugs gebruikt, maar Kristoffer houdt zich wel bezig met drugs. Hij is bijvoorbeeld meerdere keren door onze collega's waargenomen terwijl hij drugs aan anderen verkocht. Hij hangt rond bij bepaalde uitgaansgelegenheden. Hij is te jong om binnen te komen, maar heeft een afspraak met sommige uitsmijters. Hij is ook een keer aangehouden met acht gebruiksdoses cocaïne verstopt in een vergulde Zippo-aansteker, wist u dat?'

Janne Smith antwoordde niet.

'Nou, onze rode draad zijn de laatste uren van Veronika Undset. Toen ze het in de nacht van zaterdag op zondag aan Karl Anders Fransgård opbiechtte, resulteerde dat in een strijd. Toen bleek dat zijn vriendin zich bezighield met drugs, was de conclusie van Fransgård duidelijk: hij wilde niets meer met haar te maken hebben. Hij was gefrustreerd en vond dat ze een dubbelleven leidde, dat ze geheimen had die ze niet met hem wilde delen. De vraag die hij zichzelf en haar stelde, was: kon hij van een vrouw houden en met een vrouw trouwen die zoveel en zulke bedreigende geheimen had? Deze frustratie over het leven en de liefde had tot gevolg dat hij u zondagavond opbelde, toch?'

Janne Smith zweeg. Ze vlocht haar vingers in elkaar en keek Gunnarstranda geconcentreerd aan.

'Op maandag had Veronika zich voorgenomen om uw zoon te confronteren. Ze wist waar de aansteker vandaan kwam, ze wist dat Kristoffer zich bezighield met cocaïne. Ze had hem in de stad in actie gezien. Ze belde uw zoon om een afspraak met hem te maken, maar hij weigerde met haar te praten. Ze belde wel drie keer. Uiteindelijk besloot ze hem op te zoeken zonder van tevoren een afspraak te maken.

Toen was u naar het huis van Karl Anders Fransgård vertrokken.

Terwijl u bij hem was, kwam Veronika Undset bij uw huis op Høvik aan. Kristoffer deed open. Hij vertelde dat u niet thuis was. Ze zei dat dat niet uitmaakte. Ze wilde namelijk niet u spreken, maar hem. Dit kwam uw zoon niet goed uit, want hij was op dat moment druk bezig met het verpakken en sorteren van gebruiksdoses cocaïne om die in de stad te verkopen. Veronika stond er echter op en liep tegen zijn zin het huis binnen. Hij wilde dat ze naar de woonkamer zouden gaan om daar te praten, maar ze liep de trap af en zijn kamer in. Ze was namelijk woedend. Ze confronteerde hem met de aansteker en de drugs, en ze beschuldigde hem ervan dat hij egoïstisch en onnadenkend was. Ze wilde weten waarom hij de aansteker vrijdagavond in haar tas had gedaan. Hij vertelde haar dat het een ongelukje was.

De vrijdag ervoor was hij thuisgekomen na een avondje in de stad te zijn geweest. Een van onze agenten, Abid Iqbal, houdt uw zoon al lange tijd in de gaten en heeft hem zoals gezegd een keer aangehouden. Toen Kristoffer onze agent voor Cosmopolite in de gaten kreeg, besloot hij zich gedeisd te houden en naar huis te gaan. Toen hij die vrijdag thuiskwam, was het na middernacht. Veronika en u zaten toen in de keuken. Een politieauto reed langs het huis voordat Kristoffer naar binnen stapte. Diezelfde auto reed nog een keer langs het huis toen hij binnen was. Kristoffer was bang dat de politie actie zou ondernemen. Voor het geval dat dat inderdaad zou gebeuren, liet hij de aansteker met de drugs in de schoudertas van Veronika glijden. Hij ging ervan uit dat de politie niet zijn moeder of de vriendin van zijn moeder zou gaan controleren. Die vrijdagavond kwam het niet tot een politieactie. Kristoffer wilde de aansteker terugpakken, maar voordat hij dat kon doen, was Veronika al vertrokken, met de tas. Ze was gebeld door een bekende, hetgeen overeenkomt met de verklaring van de persoon die haar belde.'

Gunnarstranda stopte even.

Janne Smith vlocht haar vingers in elkaar, nog steeds met haar lippen stijf op elkaar.

'De verklaring van uw zoon waarom de aansteker in haar tas was beland, stemde Veronika niet milder. Ze was die maandagavond woest. Ze was overstuur door haar eigen situatie, niet in de laatste plaats door de relatiecrisis met haar verloofde. Ze had het idee dat door het egoïsme en de onnadenkendheid van uw zoon haar leven in puin lag. Veronika beschuldigde uw zoon ervan dat hij haar relatie met Karl Anders Frangård opzettelijk kapot wilde maken. Ze beweerde dat u, zijn moeder, verliefd op hem was. Ze zei zoveel onaangename dingen dat uw zoon woedend werd.'

Gunnarstranda stopte even.

Janne Smith keek naar het tafelblad.

'Op de maandagavond dat ze langskwam om uw zoon onder handen te nemen, accepteerde ze geen excuses van Kristoffer. Ze was gekomen om haar woede over hem uit te storten en om hem uit de doeken te doen welke consequenties zijn egocentrisme voor andere mensen had. Ze schoot er niets mee op. Uw zoon wilde helemaal niet naar haar luisteren, want wat kon hij doen? De schade was al aangericht, en niemand kan de tijd terugdraaien. Veronika wond zich zo op en werd zo razend dat ze uiteindelijk de drugs pakte die op de tafel lagen, die op de vloer gooide en erop stampte. Ten slotte volgde ze uw zoon op zijn hielen de kamer uit. In de gang voor zijn kamer kwam het tot een handgemeen. In zijn hand hield uw zoon het mes dat hij had gebruikt om de cocaïne mee te verdelen. Kristoffer heeft verklaard dat dit een Stanley-behangmes was, wat overeenkomt met de conclusies in het rapport van de sectie van onze pathologen. Uw zoon heeft het mes een aantal keren in Veronika's borst gestoken, totdat ze haar bek hield, zoals hij dat zelf uitdrukte.'

Gunnarstranda zweeg even.

Janne Smith zat roerloos met haar ogen dicht.

'Wilt u het verhaal zelf verder vertellen?' vroeg hij.

Ze bleef onbeweeglijk zitten, alsof ze de vraag niet had gehoord.

'Nou,' zei Gunnarstranda, 'dan ga ik verder met de verklaring van uw zoon. Volgens Kristoffer bleef hij op de vloer zitten kijken naar het dode lichaam van Veronika. Hij bad ook tot God. Hij had geen idee wat hij moest doen, en huilde het grootste deel van de tijd. Toen u thuiskwam, was hij wanhopig en hij vertelde u wat er was gebeurd. In zijn verklaring aan ons zegt hij dat jullie samen, op uw initiatief, Veronika naar de badkamer in de kelder hebben gedragen. Hier kleedden jullie de overledene samen uit en stopten de met bloed bevlekte kleding in een draagtas. Hij vertelde dat u later diverse ketels kokend water over haar buik en kruis hebt gegoten, voordat jullie haar in plastic rolden dat u uit de garage haalde. Jullie maakten de verpakking met tape vast, droegen het lijk samen de garage in en legden het in de kofferbak van uw auto. Jullie reden door de stad totdat jullie een container vonden, een geschikte plaats om het lijk in te gooien. Daarna gooide u haar kleding in een UFF-container voor tweedehandskleding.

Volgens Kristoffer reden jullie toen naar het kantoor van Veronika. U gebruikte haar sleutels om binnen te komen. U controleerde het display van de telefoon in het kantoor en ontdekte dat ze eerder die dag diverse keren naar de mobiele telefoon van uw zoon had gebeld. U nam de telefoon mee. De verklaring van uw zoon komt overeen met andere getuigenverklaringen en technische vondsten.'

Gunnarstranda pakte een bebloede plastic zak en legde die op tafel. Hij was open. 'Onder andere deze,' ging hij verder. 'Hier zitten de kleren van Veronika in. De zak is vannacht in beslag genomen door een politieman die op aanwijzing van Kristoffer de locatie van de container kon achterhalen. Uw zoon wordt aangeklaagd voor doodslag. De aanklacht berust op zowel een bekentenis als meerdere technische bewijzen. Ik vraag u nu: klopt het verhaal over uw handelingen, zoals uw zoon die heeft weergegeven?'

Janne Smith reageerde niet.

Gunnarstranda wachtte. Het was zo stil in de verhoorkamer dat hij haar kon horen slikken. Uiteindelijk schraapte hij zijn keel en zei: 'Hebt u de vraag die ik u stelde begrepen?'

De vrouw zat nog net zo stil met haar ogen op het tafelblad gericht.

'Janne Smith. U zult worden aangeklaagd voor de medeplichtigheid aan de doodslag op Veronika Undset. De politie is op dit moment van mening dat de handelingen van uw zoon ertoe hebben geleid dat er een einde werd gemaakt aan het leven van Veronika Undset, maar dat u actief hebt bijgedragen aan het verbergen van het misdrijf. U hebt actieve handelingen verricht met de bedoeling de politie op een dwaalspoor te brengen. U zult ook worden aangeklaagd voor het feit dat u het lichaam van een overledene hebt geschonden. U hebt kokend water over het lichaam van Veronika Undset gegoten zodat de politie zou denken dat ze zou zijn verkracht en vermoord door iemand die het misdrijf en zijn identiteit wilde verbergen. Begrijpt u wat ik tegen u zeg, ja of nee?'

Janne Smith hief haar hoofd op en keek hem glazig aan.

'Begrijpt u wat er nu met u gebeurt? Begrijpt u dat u wordt aangeklaagd, aangehouden en gevangen wordt genomen?'

Ze knikte.

'Dan rest mij nog slechts u een klein verzoek te doen,' zei Gunnarstranda.

*

Janne Smith zat ineengedoken met haar onderarmen tegen het tafelblad gedrukt.

Op het tv-scherm waren beide personen in de verhoorkamer te zien. De camera was in de hoek van het plafond bevestigd, zodat het beeld de politieman en Janne Smith van bovenaf liet zien.

Voor het scherm zat Kristoffer Smith met zijn blik vastgevroren op zijn moeder en de politieman. Ook hij had zich niet bewogen.

Frølich leunde tegen de deur en zag alleen het lange haar tegen zijn dunne en smalle rug.

Frølich had geen idee wat hij moest denken van die rug of van iets anders. Hij was enorm moe, maar toch haalde hij een soort energie uit het kijken naar het tv-scherm.

Uit de luidsprekers naast het scherm hoorden ze Janne Smith haar keel schrapen. 'Dat,' zei ze, 'heeft geen nut.'

'Wilt u niet eerst horen wat ik te vragen heb?'

'Een verzoek. Wat voor verzoek?'

'Ik wil u vragen om het verhaal dat u net hoorde, te corrigeren.'

'Ik begrijp niet wat u bedoelt.'

'Dat denk ik wel en het is uw keuze.'

De stilte bleef in de verhoorkamer hangen.

'Wat bedoelt u?' vroeg ze.

'Ik wil u vragen, voor uw eigen bestwil en dat van uw zoon, om het verhaal dat u hebt gehoord, te corrigeren.'

Frølich nam een andere houding aan. Kristoffer Smith zat nog net zo roerloos, zijn blik vastgevroren op het scherm.

Ten slotte kuchte Janne Smith. 'Het klopt dat we haar samen de badkamer in droegen, maar alleen ik heb haar uitgekleed.'

'En uw zoon?'

'Ik zei dat hij water moest gaan koken.'

'Deed hij dat?'

'Ja.'

'En toen?'

'Verder niets.'

Gunnarstranda rechtte zijn rug. 'Zoals gezegd, het is uw keuze.'

'Wat bedoelt u?'

'Vertel wat er gebeurde toen Kristoffer bij u wegging.'

'Er gebeurde niets.'

'Het maakt nu niets meer uit,' zei Gunnarstranda.

Ze gaf geen antwoord, zat nog steeds met haar hoofd voorovergebogen.

'Aan de verklaring van uw zoon ontbreekt een wezenlijk detail waar de openbare aanklager en de rechter op zullen gaan hameren,' zei Gunnarstranda. 'Ze zullen zich er niet bij neerleggen.'

'Wat dan?'

'Vertel mij wat u... u weet het het beste.'

Ze hief haar hoofd op. De twee gezichten op het tv-scherm keken elkaar lang aan. Er was geen geluid te horen. Uiteindelijk kuchte Janne Smith en ze zei: 'Ze bewoog. Veronika.'

Kristoffer Smith stond op van zijn stoel. Frølich stond klaar.

'Ze was niet dood. Toen Kristoffer de badkamer had verlaten, begon ze te kreunen. Die plastic zak...' Janne Smith wees naar de zak met kleren die op tafel stond. 'Die lag in de gang. Ik pakte hem en trok hem over haar hoofd. Toen liep ik naar de garage om een schep te pakken.'

Kristoffer zakte neer op zijn stoel en draaide zich om naar Frølich. Hij keek hem aan. 'Kunt u het geluid uitzetten?' vroeg hij.

Frølich antwoordde niet. Hij wilde horen wat er was gebeurd.

'Ik sloeg de schep tegen de zak totdat ik er zeker van was dat Veronika dood was.'

'Maar u zei er niets over tegen uw zoon?'

'Nee.'

'Wat deed u met haar oorknopje?'

Frølich hoorde het antwoord niet. Op dat moment was Kristoffer Smith onderweg naar de deur.

49

Ze zat op de trap voor zijn deur en sliep. Haar hoofd tegen de muur, haar knieën rustend tegen de balustrade.

Hij keek op zijn horloge. Het was bijna zeven uur 's ochtends. Vijf uur voordat de rechtszaak begon.

Hij boog zich voorover en legde een hand op haar schouder.

Ze schrok op en zei: 'Ik ben in slaap gevallen.'

'Kom je je bril ophalen?'

Ze schudde haar hoofd.

Hij haalde de deur van het slot en schoof hem open. 'Mag ik even gebruikmaken van je badkamer?' fluisterde ze.

Hij knikte en bleef in de woonkamer staan totdat ze terugkwam.

'Wat is er?' vroeg hij.

Ze aarzelde. 'Mag ik hier slapen?'

Hij besefte dat dit niet het juiste moment was om te gaan zeuren en zei: 'Ik heb alleen een bank. Nee, neem jij het bed maar, ik ga wel op de bank liggen, ik moet morgen al weer vroeg op.' Hij keek op de klok. 'Morgen betekent vandaag.'

'Meen je dat?'

Hij knikte en opende de deur van de slaapkamer. 'Het is helemaal oké, neem het bed maar. Ik heb nu niet de puf om het bed te verschonen, maar als het belangrijk voor je is, er ligt schoon beddengoed in de kast.' Hij opende de kast, pakte er de slaapzak uit en liep terug naar de woonkamer, toen ze zijn hand vastpakte. 'Blijf even hier,' vroeg ze. 'Even maar.'

Ze gingen op de deken liggen, met hun kleren aan. Haar haar kriebelde en hij verschoof zijn hoofd een beetje. Hij sloot zijn ogen.

Frølich werd wakker door de scherpe zonnestralen door het raam. Hij ging rechtop zitten en trok het gordijn beter dicht. Hij keek op de klok, het was negen uur. Nog twee uur slapen, dacht hij, minstens. Hij draaide zich om en keek in de ogen van Iselin.

'Het was de zon maar, daardoor werd ik wakker.'

Hij ging op zijn rug liggen en sloot zijn ogen. Hij bleef liggen en voelde dat ze naar hem keek. Uiteindelijk deed hij zijn ogen open en keek haar aan.

'Andreas is dood,' fluisterde ze.

Hij strekte zijn arm uit, zodat ze haar hoofd erop kon laten rusten.

'Hij belde me wakker, het was twee uur. Hij zat achter het stuur van een auto. Hij vertelde wat hij van plan was te gaan doen, en ik vroeg hem om het niet te doen. Ik denk dat hij de telefoon op de stoel legde, zodat ik de klap zou horen.'

De tranen stroomden uit haar ogen en op zijn arm.

Frølich trok haar naar zich toe. Haar haar rook naar kruidenshampoo.

'Het was buiten de stad, op rijksweg 4. Hij botste op een goederenwagon,' zei ze. 'Rune, die je hebt ontmoet, is arts in het academisch ziekenhuis Akershus. Hij vertelde dat Andreas onderweg naar het ziekenhuis is overleden.'

Frank Frølich zei niets. Er viel niets te zeggen.

50

De hittegolf was voorbij. Voor de derde dag achtereen stroomde de regen uit de hemel. De waterdruppels op het raam vraten elkaar op en veranderden in strepen. De regen groef plassen in de grond die steeds groter werden, drong door in de gazons die al verzadigd waren met water, dwong de regenwormen naar de oppervlakte, waar ze tevergeefs probeerden te vluchten, maar waar ze werden opgegeten door genadeloze lijsters en kwikstaarten, of gewoon verdronken in de plassen. De stroom water liep vrij langs de stoepranden, werd breder wanneer het samenkwam met stroompjes uit de dakgoten, vond een weg naar putdeksels en afwaterroosters. Hier en daar waren de afwatergaten niet groot genoeg. Het water verzamelde zich tot meertjes in uithollingen en laagtes langs de wegen. De mensen van de brandweer en het waterleidingbedrijf werkten uit alle macht. Het onweer schakelde trafostations uit en zorgde ervoor dat delen van de stad zonder stroom kwamen te zitten.

De ruitenwissers bewogen heen en weer. Frølich kreeg een telefoontje van Gunnarstranda terwijl hij reed. De brombeer wilde de zaak-Sivert Almeli bespreken. Het was duidelijk geworden dat Valeur of de Smith-alliantie de man om zeep had geholpen. Gunnarstranda nam nu het beeldmateriaal van Almeli opnieuw door, om er met een frisse blik naar te kijken. Nu had hij een paar ideeën die hij aan hem wilde voorleggen.

Frølich keek op de klok. Dit kwam hem heel slecht uit. Hij had andere dingen aan zijn hoofd, bijvoorbeeld het voornemen om verbroken vriendschapsbanden te herstellen. Het was bovendien al laat. Hij antwoordde kort, vertelde dat hij de volgende ochtend weer terug op zijn werk zou zijn. Hij verbrak de verbinding en reed verder in de stortregen, in zuidelijke richting langs de Oslofjord en passeerde Sjursøya. Hij moest wachten voor rood in het dal bij Nedre Bekkelaget en draaide daarna de Bekkelagskaia op. Aan de linkerkant rezen grote kranen op die bezig waren met het ophijsen van containers van stapels die leken op legobouwwerken. Frølich stopte de auto voor een witgeschilderde traliepoort, liet het raam naar beneden glijden en keek naar het paaltje met beltoetsen. Hij registreerde dat er een cameralens boven de poort was gemonteerd. Hij keek weer op de klok. Het was nu ver na kantoortijd. Moest hij bellen? Hij liet zijn telefoon liggen en bestudeerde de instructie onder de beltoetsen. Toen, zonder voorteken, gleed de poort open.

Hij zwaaide naar de camera, reed verder naar het kantoorgebouw en parkeerde zijn auto ervoor. Het was een bakstenen gebouw in twee lagen. De ramen waren verduisterd. Hij bleef in de auto zitten, omdat hij niet goed wist wat hij moest doen. De regen buiten de auto was als een natte muur. Het water kwam met bakken uit de hemel.

Toen snoof hij een stank van verrotting op.

Als je geuren kunt indelen, dacht hij, zoals je geluiden kunt opdelen in frequenties, moest dit in de hoogste categorie van stank horen, die aangeeft dat je bij iets in de buurt bent waar je niet van houdt.

Met een onvrijwillige grimas trok hij de sleutel uit het contact en zocht naar een geelgroene nevel of wolk boven het gebied, in elk geval een trilling in de lucht, een of andere manifestatie van dit onderaardse, anale bouquet dat door de kieren van de auto wist te dringen, elk luchtdeeltje eraan onderwierp, ether in gas veranderde die beide neusgaten vulde, verder het lichaam in drong en vijandelijk tegen het spijsverteringskanaal drukte waar het de drang opriep om over te geven. Maar het luchtruim was zoals overal in de stad Oslo: een heldere lucht met een regengordijn.

Hij dacht dat de stank veroorzaakt werd door al die regen. Het rook niet zoals anders. Het systeem stond vast onder druk door de grote hoeveelheden neerslag van de afgelopen dagen.

Hij zag een blauwe lichtflits boven Ekebergåsen en er klonk een harde donderslag. Frølich opende het portier en rende onder de afkapping. De glazen deur van de entree was op slot.

Waar was Karl Anders? Hij keek naar binnen en kon vaag een trap onderscheiden. Toen ontdekte hij het briefje. Er was een geeltje op de deurkruk geplakt: *Ik ben in de tunnel, KA.*

Frølich deed een paar knopen van zijn jas open, trok hem over zijn hoofd en rende de weg over die een bocht maakte naar de berg. Hij was binnen een minuut kletsnat, maar het was te laat om om te draaien. Het was niet zo ver meer naar de opening van de tunnel. Zijn spijkerbroek plakte om zijn benen toen hij langs twee dikke buizen met een diameter van meer dan een meter rende. De buizen eindigden in de opening. Hij kwam aan bij de tunnel en bleef staan om op adem te komen. De twee buizen dreunden als straalmotoren. Ze hoorden waarschijnlijk bij het ventilatiesysteem. De stank was toegenomen. Frølich liep verder naar binnen, de helling op die de berg in leidde. De tunnel was zo breed als een provinciale weg. Het plafond van rotsen steeg hoog boven hem uit. Er sijpelde water uit onzichtbare gaten in het uitgeboorde massief. De belichting werd zwakker naarmate hij verder naar binnen ging. De weg splitste zich op een Y-vormig kruispunt. *Waar kon Karl Anders zijn?*

Er klonk een zwak gebrom uit de linkertunnel. Die was ook het beste verlicht. Hij liep langzaam verder de helling op. Op de top splitste de weg zich opnieuw. Een smallere weg was rechts uitgeboord. Steil en donker liep die de berg in. Frølich koos voor het licht en liep de helling af. Toen hij uit de bocht kwam, ontdekte hij een bekende auto. De weg kwam uit op een groter terrein. Daar stond de Volvo van Karl Anders geparkeerd.

Hij liep de helling af en stond plotseling stil en moest zichzelf dwingen om niet terug te deinzen. De stank was onbeschrijfelijk. Die schoot in beide neusgaten omhoog. De stank was zo dik en vies dat het bijna onmogelijk was om te bewegen. Frank hield zijn adem in. Hij slikte en slikte nog een keer.

Een industrieachtige installatie liep in de breedte door de berghal. De bassins waren bedekt met aluminium luiken die gescheiden werden door bruggen van strekmetaal. Bij de rotswand dreunde het geluid van enorme hoeveelheden vloeistof die stroomden naar roterende schroeven en geheimzinnige kleppen die spetterden en stampten onder de metalen laag.

Door een beweging verderop in de hal ontdekte hij Karl Anders. Hij leek op een duiker: hij was gekleed in een gele wetsuit, met twee duikflessen op zijn rug en een helm met een lantaarn op zijn hoofd. Hij stond op een verhoging en spoelde zich schoon met water uit een slang die aan een buis was bevestigd die langs de balustrade van de ene brug liep.

Frølich zwaaide naar hem en klom omhoog. Er liepen slijmerige groene strepen over de wetsuit, en Karl Anders had zwarte vlekken op zijn gezicht.

'Heb je gevonden waarnaar je op zoek was?' vroeg Frølich, maar hij hoorde zelf dat het niet grappig klonk.

Karl Anders keek hem met een koele blik aan. Hij draaide de waterkraan dicht en haalde de zuurstofflessen van zijn rug. 'Oslo heeft een half miljoen inwoners die allemaal poepen en doortrekken met water. Ze douchen ook, sommigen zelfs meerdere keren per dag, ze wassen af, wassen kleren, wassen auto's. Zulke grote hoeveelheden neerslag hebben we in jaren niet meegemaakt. Waterafvoer is, als puntje bij paaltje komt, een kwestie van logistiek, Frank. Waterafvoer is mijn vak. Voor mij gaat het niet om het riool maar om ingenieurskunst. Er ligt tweeëntwintighonderd kilometer aan afvoerbuizen in deze stad. Tweeëntwintighonderd kilometer. Dat is Noorwegen in de lengte. Elke centimeter leiding is geprogrammeerd in computersystemen die de installatie uniek maken. Stel je eens voor: in Parijs, New York en Londen wonen veel mensen, maar de steden zijn vlak. Oslo is een pan; we hebben het over hellingen en hoeken die niet vergeleken kunnen worden met welke andere plek op aarde dan ook. We hebben computersystemen die het effect van lekkages en toevoer van elk formaat kunnen simuleren. Deze installatie hier binnen verwerkt nu de neerslagrecords van buiten alsof het niets is. Deze installatie bezit het vermogen om jouw en mijn poep om te zetten in bijna schoon water dat op vijftig meter diepte naar de Oslofjord wordt gebracht. Binnen afzienbare tijd zal het water in Bjørvika van zwemwaterkwaliteit zijn. Het slib dat overblijft na het reinigen zal als organische mest voor de landbouw gebruikt worden.

Waar jij hier om staat te lachen, wordt verwerkt door systemen die voorlopen op de internationale ontwikkeling. Wist jij bijvoorbeeld dat we een installatie ontwikkelen voor het terugwinnen van biogas? Over niet al te lange tijd zal het gas uit jouw stront ertoe bijdragen dat er meer dan honderd bussen in deze stad op gas kunnen rijden. Dat interesseert je alleen niet, Frank. Je hebt je nooit voor iets anders geïnteresseerd dan voor jezelf. Wat wil je?'

'Praten.'

Zonder iets te zeggen draaide Karl Anders hem de rug toe en beende weg.

Frølich liep achter hem aan. 'Je hebt toch wel tijd om antwoord op een paar vragen te geven?'

Karl Anders stopte en draaide zich om. Ze hadden nu aan elke kant een open bassin. Frølich keek omlaag. De vloeistof daar beneden was groenbruin en smerig.

'Een paar vragen,' herhaalde Karl Anders giftig. 'Je hebt mijn leven verknald, Frenk. Het domste wat ik ooit heb gedaan, is na al die jaren weer contact met jou te zoeken. Nadat jij binnen kwam walsen, ben ik alles kwijtgeraakt.'

Hij draaide hem opnieuw de rug toe en beende verder.

'Wat bedoel je daarmee?' riep Frølich.

'Wat ik bedoel? Begrijp je dan helemaal niets? Als jij Veronika had geloofd, waren al deze afschuwelijke dingen niet gebeurd! Dan was je op het feest gekomen en had je gewoon als vriend Veronika ontmoet. Veronika was dan nog in leven geweest!'

Karl Anders sprong van de verhoging af en liep verder met Frølich op zijn hielen. Ze sloegen af naar rechts en kwamen uit in een nieuwe hal. Hier was het helemaal stil. Het water stroomde in grote bassins als enorme kunstmatige meren. De lucht was guur en koud, maar je rook bijna niets. De enorme berghal werd zwak verlicht door enkele gele schijnwerpers aan de muur. Het bassin deed denken aan stille meertjes in de maneschijn, en vlak onder hun voeten klonk het klotsen van een beekje.

'Veronika zocht Kristoffer op omdat ze de jongen kende en zich zorgen maakte,' zei Frølich tegen de rug van zijn vriend. 'Ze was enorm loyaal. Ze wist van wie de cocaïne was toen ik haar tas doorzocht, maar ze hield haar mond. Ze hield ook tegenover jou haar mond. Dat ze mij tegenkwam met de aansteker in haar tas, was toeval. Zoiets gebeurt dagelijks. De tram is twee minuten te laat en je ontmoet een onbekende op het perron. Misschien trouw je later met die persoon. Het leven bestaat uit toevalligheden. We lopen er de hele tijd tegenaan, we kunnen er niet aan ontkomen. Wat wel belangrijk is, is dat Veronika alleen naar Kristoffer toe ging om het uit te praten. Dat is eerlijk. Kristoffer valt iets te verwijten. Hij stopte de aansteker in haar tas, hij stak haar met het mes. Ik had er niets mee te maken.'

'Als jij er die ochtend voor had gekozen om haar te laten gaan in plaats van haar mee te nemen naar het bureau, zou dit allemaal niet zijn gebeurd!' antwoordde Karl Anders kil. 'Veronika zou de aansteker in haar tas hebben gevonden en die terug hebben gegeven aan Kristoffer, en dan zou alles opgelost zijn. Heb je daar weleens aan gedacht?'

Karl Anders gaf zelf het antwoord: 'Ik denk niet dat je daaraan hebt gedacht. Het zou niet in je opkomen om zo zelfkritisch te denken.'

Hij greep een lang breekijzer en gooide dat over zijn schouder. Hij liep langs Frølich en zo stapten ze achter elkaar aan opnieuw de lawaaierige hal en de stank in.

Ze liepen door tot vlak bij de rotsen en stapten over trillende metalen platen totdat Karl Anders bleef staan. Zonder een woord te zeggen trok hij met kracht een grote deksel los. Toen de deksel loskwam, stroomde er een bruingroene vloeistof over de metalen bedekking. Frølich deinsde achteruit en drukte zich tegen de balustrade aan, maar hij was niet snel genoeg. Het riool stroomde over zijn sportschoenen.

Karl Anders grijnsde en riep iets door het lawaai. Frølich verstond hem niet. Karl Anders liet zijn in rubber gehulde lichaam in het riool zakken. Hij bleef tot zijn middel in de vloeistof staan en ging aan de slag met zijn breekijzer.

'Veronika ging niet naar Kristoffer om hem aan te geven bij de politie!' riep Frølich. 'Tegen niemand zei ze zijn naam, dat zegt alles. Zij was loyaal, jij niet. Toen Veronika naar Kristoffer ging om het uit te praten, was zijn moeder bij jou thuis. Het enige wat Veronika jou had verteld, was dat ik haar een boete had gegeven. Zo weinig was er voor jou nodig om haar te bedriegen!'

Karl Anders riep iets terug, maar het gerommel van de afvoeropening slokte zijn woorden op.

'Wat zeg je?'

'Ik heb haar niet bedrogen!' riep Karl Anders door het lawaai.

'O nee? Jij lag met zijn moeder in bed toen Kristoffer Veronika stak met een mes. Wat denk je dat er gebeurd zou zijn als Janne thuis was geweest in plaats van in jouw bed toen Veronika die avond kwam? Zou ze Veronika dan gedood hebben? Waarschijnlijk niet, maar het is onzin om zo te denken. Je verdiepen in hypothetische probleemstellingen is een verspilling van de tijd.'

'Er zou niets gebeurd zijn als jij het anders had aangepakt! Dringt dat nou niet tot je door, Frenk? Je bent nog net zo erg als vroeger. Je vernielt alles wat je tegenkomt, je stampt in het rond op je enorme poten en walst andermans zaken plat, je bespiedt, je bespioneert en je wroet in privézaken van anderen. Nu heb je mijn leven verwoest! Ik wil niets meer met je te maken hebben!'

Er gebeurde iets in het bassin. Er klonk een knal, gevolgd door een enorm en langdurig geslurp, dat echode in de berghal, en het vieze water liep weg.

Karl Anders klauterde omhoog en liet de deksel op zijn plek vallen.

'Weet je dat mensen gefascineerd zijn door het riool, Frenk? Mensen zijn er dol op om door de stront te waden. We organiseren rondleidingen en noemen het rioolsafari. Er zijn grote groepen mensen die door de drek willen lopen die door de buizen onder Bankplassen klotst. Bedrijven organiseren bedrijfsuitjes naar deze installatie. Degenen die het meest geïnteresseerd zijn, zijn de dames. Ik hou lezingen voor jonge, nette meiden over de ingenieurskunst achter de waterafvoer. Ze zitten geduldig te luisteren totdat ik klaar ben, want ze willen zoveel vragen stellen over poep. Het zijn net kinderen die op de kleuterschool doktertje spelen. Ze grinniken en verkneukelen zich erover dat ze op een plek zijn waar het is toegestaan om vieze woorden te zeggen die anders verboden zijn. Die avonden zijn de droom van iedere man, Frenk. Er bestaat geen betere versiermarkt. De meisjes gieren het uit wanneer ik vertel dat ik deze wetsuit aantrek en tot mijn schouders in de stront rondloop, alleen omdat een of andere onnadenkende stomme trut tampons door de wc heeft gespoeld. Ze zijn er dol op om dat te horen. Ze vertellen hun eigen zondige geheimpjes, maar het allerliefst willen ze de poep met hun eigen ogen zien. Is het niet fascinerend hoe het mooie zich altijd voelt aangetrokken tot het lelijke?'

Karl Anders draaide zich plotseling om, liep op Frølich af en ging voor hem staan. Hun gezichten waren vlak bij elkaar. 'Maar jij bent hier niet in geïnteresseerd. Vertel waarvoor je bent gekomen!'

'Ik heb thuis een bierblikje op de schouw staan,' zei Frølich. 'Het is het blikje bier waaruit je dronk toen je bij mij op bezoek was. Weet je dat nog?'

Karl Anders antwoordde niet, maar liep bij hem vandaan. Frølich ging achter hem aan. Ze kwamen bij de opening naar de hal met het stille water.

'Je vertelde dat Janne bij jou was toen Veronika werd vermoord. Ik vroeg het haar, maar ze loog. Janne heeft je laten vallen, Karl Anders. Ze loog om zichzelf en haar zoon een alibi te geven. Daarom werd je gearresteerd!'

'Wat heeft het bierblikje ermee te maken?'

Karl Anders liep naar de muur.

'Ik heb het bewaard. Het zit zo dat Veronika een buurman had die bezeten van haar was. Je weet over wie ik het heb, want jij hebt ons een tip over die vent gegeven. Die kerel maakte in het geheim foto's van Veronika. Hij bespiedde haar en volgde haar overal. Op de dag dat jij werd vrijgesproken door de rechter-commissaris, werd hij vermoord.'

Het licht ging uit.

Alles was aardedonker. Frølich bleef staan en knipperde met zijn ogen om de lichtreflex van zijn netvlies te verdrijven.

Langzaam wenden zijn ogen aan de duisternis.

Frølich liep op de tast naar de balustrade. 'Waar ben je?' riep hij.

'Hier.'

Frølich keek om zich heen. Hij zag niets. De stem van de ander kon net zo goed uit de lucht komen als achter hem vandaan.

'Waar?'

De holle lach van Karl Anders klonk van een niet nader te bepalen plek. 'Ja, ik ben op de hoogte van die vieze buurman. Hij nam foto's van Veronika en mij wanneer we samen in bed lagen. Stel je eens voor, met die vrouw zou ik gaan trouwen! Ze wist ervan, Frenk. Ze liet zich in alle openheid neuken en ze wist dat die stakker zich achter zijn eigen raam zat af te trekken terwijl wij bezig waren. Vermoedelijk wond het haar op. Maar zei ze er iets over tegen mij? Nee joh...' Karl Anders veranderde zijn stem: '*Zullen we het licht aandoen, Karl Anders*? Nu ik erover nadenk, doet die kerel me aan jou denken. Hij moest binnendringen op ons terrein, het privéterrein van Veronika en mij, en zij liet het toe. Maar je hebt je vraag nog niet gesteld. Ga door.'

Frølich bewoog zich op de tast in de richting van de stem. 'Doe het licht aan,' zei hij.

'Dat kan ik niet. Alles hierbinnen wordt automatisch geregeld.'

'Ik geloof je niet.'

Frølich liep verder met zijn hand op de balustrade.

'Nou, ga door. Wat is er met die gladjanus die is vermoord?'

'De man die deze buurman vermoordde, liet DNA achter. En op het halflege blikje bier zit jouw DNA, Karl Anders.'

Het lawaai was merkbaar afgenomen, maar het hielp niet.

Hij had geen idee waar hij was.

Frølich liep op de tast langs de balustrade terwijl hij praatte. 'Je wist wie Almeli was, je wist waar hij woonde, je dacht dat hij Veronika had vermoord, en misschien wilde je wraak nemen. Misschien zocht je de man alleen op om de foto's die hij van jou en haar had genomen, weg te halen. Misschien ging er iets mis, ik weet het niet. Je ging mee naar de kelder en vermoordde Almeli daar. Daarna ging je naar zijn appartement om zijn computer en fototoestel mee te nemen. Het bierblikje is hier het bewijs van, maar ik ben bereid om dat bewijs weg te gooien. Ik vraag je om jezelf aan te geven.'

Het was nu zo stil dat het gelach van Karl Anders tussen de rotsen in het donker galmde. 'Je bent verdomme nog dommer dan ik dacht!' riep hij. 'Denk je dat? Dat ik die gladjanus heb vermoord? Je bent nog stommer dan een gans. Ja, misschien had ik het wel gewild, maar ik zou nooit tot zoiets in staat zijn! En dat weet jij ook als je wakker wordt en nadenkt.'

Frølichs ogen begonnen aan het donker te wennen. Hij zag de contouren van een gestalte die zo'n zes meter bij hem vandaan stond. Hij zei: 'Ik zie je.'

Plotseling werd hij verblind door een felle lichtstraal. Hij sloot zijn ogen. Het licht verdween. Hij hoorde voetstappen wegrennen en moest de reflex van het licht uit zijn ogen knipperen. Nu zag hij niets.

'Waarom deed je dat?'

'Omdat ik daar zin in had.'

Frølich had geen idee waar de stem vandaan kwam. 'Je moet niet vergeten dat ik weet waartoe je in staat bent, Karl Anders. Elke keer als ik je naam hoorde of naar oude klassenfoto's keek, dacht ik aan die laatste nacht op Corsica. Ik heb mezelf jarenlang verweten dat het was gebeurd. Dat ik me ook heb teruggetrokken. Maar nu denk ik anders. Ik heb geleerd dat het niet mogelijk is om de tijd terug te draaien. Het is niet mogelijk om dingen namens anderen te doen. Jij ging er die nacht vandoor. Het was mijn fout dat ik met je mee ging. Mijn keuze. Dat is het stomste wat ik ooit heb gedaan, want ik heb dat meisje niet aangeraakt. Het heeft verdomme twintig jaar geduurd voordat ik besefte dat het niet míjn schuld was wat jij met haar hebt gedaan. Daarom laat ik het aan jou over wat er met dat bierblikje gaat gebeuren. Als jij met zoiets kunt leven, is dat aan jou.'

'Waar heb je het over?'

'Je weet heel goed waar ik het over heb!'

De ogen van Frølich begonnen weer aan het donker te wennen.

De gestalte waarvan hij de contouren kon zien, liep verder weg. Hij ging achter hem aan.

Karl Anders stopte.

Frølich stopte. De lichtstraal verblindde hem opnieuw. Hij sloot zijn ogen, probeerde ze met beide handen af te schermen, maar hij zag alleen lichtflitsen achter zijn oogleden.

'Je praat alsof je weet wat er tussen haar en mij is gebeurd,' lachte Karl Anders. 'Wat weet jij daarvan? Ze vond het lekker, Frenk, ze genoot van elke seconde. Ik ben vorig jaar teruggegaan. Ik vroeg me af of ze me nog zou herkennen. Ik kwam haar tegen. Ze werkt nog in hetzelfde café. Ze was nog net zo knap als toen. Ze is getrouwd en heeft drie kinderen. Ze serveert hetzelfde eten en dezelfde koffie als twintig jaar geleden. Die man van haar zit met zijn dikke buik aan een tafel Lottoformulieren in te vullen. Ze leidt een saai leven op een saaie plek. En weet je? Ze praatte over die nacht alsof het kerstavond was in dat schijtsaaie leven van haar. Ik was de lange, blonde jongen van wie ze jarenlang had gedroomd, en die na jaren weer bij haar terugkwam. Het enige wat ze vorig jaar zomer in haar hoofd had, was met mij in bed te duiken, en nu sta jij hier te grienen en te beweren dat ik jou iets heb aangedaan! Je hebt geen idee waar je het over hebt! Je bent een slechte verliezer. Je was al een nul toen ik je voor het eerst ontmoette!'

'Je onderbrak me,' zei Frølich stug. Hij zag de ander bewegen en stoppen. 'Ik ben klaar met Corsica. Ik kwam hier om te praten over Sivert Almeli. Dus wat zeg je ervan?'

Een lichtstraal verblindde hem opnieuw. Twee korte seconden, maar het verblindde hem.

'Ik zeg: ga liggen, Frenk!'

Frølich hoorde het geluid van voetstappen, maar hij bleef staan tot zijn ogen weer aan het donker waren gewend.

Karl Anders was er niet.

Hij liep op de tast door het aardedonker zonder een idee te hebben van waar hij was.

Toen voelde hij plotseling hoe koud het was in de berg. Het was ijskoud. Hij klappertandde.

Op dat moment kreeg hij een stoot in zijn rug en viel om. Hij weerde zich af met zijn handen, maar het hielp niet. Zijn handen troffen eerst het metaal. Hij kon zijn hoofd niet beschermen. Er klonk een klap bij zijn slapen en hij was een paar seconden van de wereld. Toen hij weer bijkwam, was hij doorweekt door de inhoud van het riool. Hij stond op, maar de vloer glipte weg. Hij zonk. Het enige wat hij kon denken was dat hij poep aan zijn handen, poep in zijn haar had. Hij gaf over. Zijn maaginhoud kwam in een golf naar buiten. De inhoud plonsde in het riool. Hij voelde metaal. Greep het vast en trok zich op. Het was een rand. Vaste grond. Hij kroop naar voren. Kwam op zijn knieën, schudde duizelig zijn hoofd en probeerde op te staan. Op dat moment voelde hij dat iemand hem in de wurggreep nam en hem in het riool probeerde te drukken.

'Je mag zelf kiezen,' siste de stem in zijn oor, 'je kunt op vijftig meter diepte de Oslofjord in worden gespoeld of je mag als mest door een stuk grond op Toten worden geploegd. Nu kiezen!'

De paniek concentreerde de adrenaline in zijn lichaam. Hij drukte zich omhoog. Wankelde, opende zijn ogen en zag een schaduw die met een stang zwaaide. Hij dook omlaag, maar was niet snel genoeg. Het voelde alsof er op hem werd geschoten. Hij viel om als een zak. De smurrie stroomde over zijn hele lichaam. De pijn verlamde elke spier, maar hield zijn hersenen op gang. Frølich mobiliseerde alle krachten die hij in zich had en rolde zich op zijn zij, trok zijn benen onder zich op en kwam omhoog uit de nattigheid.

'Doet het je goed als ik je vertel dat ik die klootzak heb vermoord?' riep Karl Anders. 'Ik heb het gedaan! Die sukkel met de *comb-over* was in haar appartement.'

Frølich probeerde het vocht uit zijn ogen te knipperen.

'De gladjanus en ik stonden naar de smeris te kijken die door haar ondergoed ging, zoals hij tijden lang naar Veronika had staan kijken. Het gaf me een kick, Frenk, dat niemand mij kon tegenhouden. Ik sneed de keel van die slijmbal door terwijl jij druk in de weer was als de smeris die je altijd al bent geweest.'

Zijn ogen waren vrij. Hij bleef knipperen. In een glimp zag hij een schaduw die als een tijger op hem af sprong. Frølich viel op zijn rug, terug het riool in. De vingers die om zijn keel klemden, waren pezig en hard als touw. Hij moest lucht hebben. Hij duwde zijn hoofd omhoog, maar werd weer omlaag geduwd.

Frølichs handen waren vrij. Hij betastte het gezicht van de ander. Hij voelde diens ogen, strekte zijn wijsvingers uit en boorde ze met alle kracht naar binnen. De greep om zijn hals verslapte. Frølich stond op en haalde adem.

Karl Anders stond op handen en voeten en schreeuwde het uit. Hij was maar een schaduw, maar het was voldoende. Frølich balde zijn beide handen tot een kogel, en draaide in het rond als een discuswerper. Negentig kilo vlees raakte zijn doel. Karl Anders viel opzij. Frølich tastte met zijn handen, voelde de ijzeren stang en tilde die boven zijn hoofd. Hij sloeg. Hield de stang weer omhoog. Sloeg. Hij schreeuwde elke keer wanneer de stang zijn doel raakte. Hij sloeg twintig jaar zelfverachting van zich af. Hij dacht niet na. Hij bleef gewoon doorgaan totdat het magere lichaam onder hem niet meer bewoog.

51

Diep vanbinnen had hij niet verwacht dat ze hem zou binnenlaten.

Ze stond hem een paar seconden vanuit de deuropening koel aan te kijken, voordat ze het boeket bloemen ontdekte. 'Voor mij?'

Gunnarstranda knikte.

Ze opende de deur helemaal en deed een stap opzij. Hij dacht: *de diamant is misschien de beste vriend, maar de bloem is de beste deuropener.*

'Lelies?' vroeg ze.

Hij knikte. 'De Turkse lelie. Mijn eigen bloemen. We hebben ze bij ons vakantiehuisje staan. We waren er dit weekend.'

Hij ging op de witte, brede bank zitten en speelde met Toves pendel terwijl Lena naar de keuken liep. Hij hoorde haar kastdeuren openen en sluiten, er liep een kraan. Door de deuropening kon hij haar in de weer zien met een vaas, het knippen van stelen en het schikken. Uiteindelijk kwam ze terug en zette de vaas op tafel.

'Mooi,' zei ze en ze keek naar zijn handen. 'Wat doe je?'

'Dit is een pendel,' zei hij en hij liet hem aan haar zien. 'Tove houdt zich bezig met het esoterische, tarot en dat soort dingen. Ze beweert dat deze schroef het antwoord op dingen weet.' Hij nam de pendel in zijn vuist en knipoogde naar haar. 'We hebben zo onze eigen dingetjes in onze relatie, Tove en ik. Eigenlijk ben ik blij dat het niet ernstiger is dan dit. Hoe gaat het met je?'

'Het gaat wel,' knikte ze, 'woensdag weer aan het werk, denk ik.'

'Hoe gaat het met je fiets?'

Lena keek waakzaam op.

Gunnarstranda grijnsde en slingerde de pendel heen en weer.

Ze keek hem in de ogen. 'Die is total loss. Ik vind het heel erg jammer dat ik de fiets kwijt ben, maar tegelijkertijd ben ik heel blij dat ik er zo goed vanaf ben gekomen. Stel je eens voor, met je fiets vallen als je met te veel drank op van een helling af rijdt.'

'Over drank gesproken,' zei Gunnarstranda zacht, 'ik drink mijn koffie met een beetje melk.'

Ze stond op. 'Je dacht dat je me te pakken had,' zei ze. 'Maar ik heb een kan koffie gezet toen ik in de keuken was.'

Een minuut later kwam ze terug met twee enorme mokken.

Ze dronken.

Ze kneep haar ogen samen boven haar beker.

Gunnarstranda zette zijn beker neer. 'Nu hoef je je afspraken bij de psycholoog niet meer af te zeggen,' zei hij terloops.
Ze keek omlaag.
'Zijn fiets is in elk geval total loss.'
Ze schoot onwillekeurig in de lach.
Gunnarstranda zwaaide weer met de pendel.
'Alsjeblieft,' zei ze met haar ogen gesloten. 'Alsjeblieft, stop daarmee.'
'Lena.'
Ze opende haar ogen.
'De bloemen komen uit mijn hart,' zei Gunnarstranda. 'En ik zou je echt heel graag weer aan het werk zien, maar je moet nog even op de bank blijven zitten.'
'Waarom?'
Hij zwaaide opnieuw met zijn pendel. 'Je hebt ongelooflijk veel mazzel gehad, Lena. Erik Valeur is knettergek en dat weet je nu, maar het was een onhandige manier om daar achter te komen. Onprofessioneel. Je had nooit met die vent in de clinch moeten raken, ik bedoel, van de fiets moeten vallen. Je weet net zo goed als ik dat hij bijna in de val zat. We hadden Valeur toch wel gepakt, zonder een fiets of een persoon schade te berokkenen.'
Hij nam een slok van zijn koffie.
Ze zei niets.
Hij zette zijn mok neer. 'Als je terug wilt in het team, moet je laten zien dat je niet alleen opereert, maar een teamspeler bent, begrijp je dat?'
'Heb je dat ook aan de schroef gevraagd?' vroeg ze toen. 'Of ik het begrijp?'
Hij grijnsde en pakte zijn mok weer op. 'Erg lekkere koffie,' mompelde hij. 'Ik denk dat ik weet waarvoor we je kunnen gebruiken, Lena.'
'Zoiets zou je nooit tegen Frølich zeggen.'
Gunnarstranda zette zijn beker weer neer en leunde achterover. 'Heb je het nog niet gehoord?' vroeg hij met een sombere blik.
'Wat gehoord?'
'Lees je geen krant of zo?'
'Zo weinig mogelijk, zoals iedereen met een zekere behoefte aan waardigheid in zijn dagelijks leven.'
'Frølich werkt niet meer bij de politie, Lena.'
Ze fronste haar voorhoofd en keek hem aan. 'Wat zeg je nou?'
'Hij wordt aangeklaagd.'
'Aangeklaagd?'
'Hij heeft zijn vriend Karl Anders Fransgård overvallen. Frølich is aangeklaagd voor onreglementair arrest en mishandeling onder bijzonder bezwarende omstandigheden. Jammer, maar zo is het wel. De een zijn dood is de ander zijn brood. We hebben mensen nodig.' Hij stond op. 'Je mag weer terugkomen op het bureau.'

Ze staarde hem vanuit de stoel aan. 'Frølich? Ontslagen?'

'Zo zit het.' Gunnarstranda liep naar de deur, opende hem en liep naar buiten. Hij draaide zich om. Toen zij hem aankeek, stak hij een lange, benige wijsvinger in de lucht en richtte die op haar. 'Zorg dat je beter wordt, Lena. Helemaal beter.'

Ze zat daar nog even sprakeloos.

Gunnarstranda trok de deur zacht achter zich dicht en liep langzaam de trap af.